MICHAEL MORITZ

O FASCINANTE IMPÉRIO DE STEVE JOBS

São Paulo
2011

UNIVERSO DOS LIVROS

Return to the Little Kingdom: Steve Jobs, The Creation of Apple and How it Changed the World

Publicado em acordo com o The Overlook Press

1ª Edição – 3ª Reimpressão

Diretor-Editorial
Luis Matos

Assistente-Editorial
Noele Rossi
Talita Camargo
Talita Gnidarchichi

Tradução
Heinar Maracy
Mario Amaya

Preparação
OK Linguística

Revisão
Nathalia Ferrarezi

Arte
Stephanie Lin

Capa
Zuleika Iamashita

Dados Internacionais de Catalogação na Publicação (CIP)
(Câmara Brasileira do Livro, SP, Brasil)

M862s Moritz, Michael

O fascinante império de Steve Jobs: Como um dos líderes mais criativos do mundo transformou um negócio de garagem em uma empresa que vale bilhões / Michael Moritz ; [tradução de Heinar Maracy]. – São Paulo : Universo dos Livros, 2010.
368 p.

Tradução de : Return to the Little Kingdom Steve Jobs , the Creation of Apple, and How it Changed the World

ISBN 978-85-7930-223-7

1. Apple Computer (História) . 2. Jobs, Steven, 1955-. 3. Tecnologia. I. Maracy, Heynar II. Titulo.

CDD 338.7

Universo dos Livros Editora Ltda.
Rua do Bosque, 1589 – Bloco 2 – Conj. 603/606
CEP 01136-001 – Barra Funda – São Paulo/SP
Telefone/Fax: (11) 3392-3336
www.universodoslivros.com.br
e-mail: editor@universodoslivros.com.br
Siga-nos no Twitter: @univdoslivros

Para as melhores edições,
desde a primeira edição:
HCH JWM WJM

Sumário

Agradecimentos

Às dezenas de pessoas que concordaram em ser entrevistadas para este livro. Muitas não concordaram. Espero que aqueles que abriram suas portas e interromperam atividades mais lucrativas não achem que perderam seu tempo. Outros gentilmente me deixaram vasculhar arquivos e espiar álbuns de fotografias. Os editores do *San Jose Mercury News* me abriram seu banco de dados. Dick Duncan, chefe dos correspondentes da *Time*, deu-me licença para mais uma de minhas excursões disruptivas. Ben Cate, chefe do escritório da Costa Oeste da *Time*, proveu o inabalável suporte que somente aqueles que trabalharam com ele entenderão. Catazza Jones aprimorou o primeiro rascunho, Julian Bach tomou conta dos negócios e Maria Guarnaschelli aplicou seu toque gracioso e preciso.

– Michael Moritz
Potrero Hill
Primavera, 1984

Prólogo

Quando a *Time* começa seu ritual anual de anunciar a seleção da pessoa do ano, eu, inevitavelmente, lembro-me de uma ocasião, quase trinta anos atrás, quando um desses boletins me pegou de surpresa. Na alvorada de 1982, enquanto eu estava ausente de minha posição no escritório de San Francisco como correspondente da *Time*, os editores da revista decidiram nomear o computador como sua "pessoa do ano". Naquela edição havia um perfil, para o qual eu contribui, do cofundador da Apple, Steve Jobs. Foi ali que meus problemas começaram.

É difícil dizer quem mais se revoltou com o artigo da *Time* – Jobs ou eu. Steve se ofendeu imediatamente com seu retrato e com o que considerou uma traição grotesca de confidências, enquanto eu fiquei igualmente injuriado com a maneira como o material que eu arduamente havia reunido para um livro sobre a Apple havia sido engarrafado, filtrado e envenenado com benzeno fofoqueiro por um editor em Nova York cuja tarefa cotidiana era falar sobre o rebelde mundo do *Rock and Roll.* Steve não fez segredo de sua raiva e deixou uma enxurrada de mensagens na secretária eletrônica de meu chalé à prova de terremotos ao pé de Potrero Hill, em San Francisco. Ele, compreensivamente, baniu-me da Apple e proibiu a todos em sua volta de falar comigo.

A experiência me fez decidir que eu nunca mais trabalharia em qualquer lugar onde eu não pudesse exercer um controle muito grande sobre meu destino ou onde fosse pago por palavra. Terminei minha licença; publiquei meu livro, *The Little Kingdom: The private story of Apple Computer*, que eu julguei, ao contrário do infeliz artigo na revista, mostrar um balanceado retrato do jovem Steve Jobs; honrei minhas obrigações com a *Time* e, na primeira oportunidade, fugi para me tornar metade da força de trabalho de um empreendimento editorial que começava do zero e que muitos anos depois – bem depois de eu entrar no campo de capital de investimento em pequenas empresas – foi adquirido pela Dow Jones.

Nas três décadas desde então, tenho pensado nas voltas do destino que me conectaram com Steve. Se eu não estivesse em meus vinte e poucos anos, a *Time* provavelmente nunca me teria enviado para a filial de San Francisco, onde eu era da mesma geração que estava criando empresas de computadores, *software* e biotecnologia. Se eu não tivesse conhecido Steve, não teria encontrado Don Valentine, fundador da Sequoia Capital e um dos primeiros investidores da Apple. Se não tivesse conhecido Don, eu nunca teria sido entrevistado para o cargo mais baixo do pequeno organograma da Sequoia Capital. Se eu não tivesse escrito sobre a Apple, por ficar obcecado com a então desconhecida história de seus primeiros dias, nunca teria refletido seriamente sobre as características e os acidentes que dão forma a uma empresa. Se eu não tivesse aprendido os macetes do mercado de capital de risco no meio dos anos 1980, nunca teria tido a boa sorte que apareceu em meu caminho. E, se eu não tivesse encontrado Steve e Don, nunca teria entendido por que é melhor não pensar como todos os outros.

Tenho certeza de que quando Steve era um adolescente, crescendo em Los Altos, na Califórnia, ele nunca imaginou que um dia estaria no comando de uma empresa cujo quartel-general, de acordo com o *Google Maps*, fica a três ruas e 2,5 quilômetros do portão principal do colégio dele, a qual vendeu mais de 220 milhões de iPods, 9 bilhões de músicas, 26 milhões de iPhones e mais de 60 milhões de computadores desde 1996; ou que seu rosto teria adornado a capa da revista *Fortune* em doze ocasiões; ou que – quase como uma nota de rodapé em sua biografia – ele teria financiado sozinho e ajudado a montar a Pixar, o estúdio de animação por computador que já acumulou mais de 5 bilhões de dólares de faturamento com dez filmes incrivelmente populares. Ele também poderia se espantar com as viradas e reviravoltas que ajudaram a fazer dele o que é: o fato de ter vivido sua juventude em uma área que, então, nem havia sido batizada ainda de Vale do Silício; ter Stephen Wozniak, cofundador da Apple, como amigo de infância; ter trabalhado em um verão como técnico de laboratório na Atari, criadora do Pong, o primeiro videogame de fliperama de sucesso; que o fundador da Atari, Nolan Bushnell, levantou dinheiro com Don Valentine; e que Nolan foi uma das pessoas que levaram Steve até Don. Assim são as migalhas de pão jogadas ao acaso no caminho da vida.

Atualmente, graças às duras e trôpegas experiências de 25 anos no negócio de capital de risco, desenvolvi o que considero uma perspectiva mais refinada dos feitos extraordinários da vida empresarial de Steve – uma vida que merece ser colocada junto às dos maiores empresários da América, vivos ou mortos. O nome de Jobs agora deve receber o mesmo peso de nomes como Franklin, Carnegie, Edison, Rockefeller, Ford e Disney – afinal, ele também causou um efeito profundo na sociedade. Não há dúvidas de que Steve Jobs seja o mais importante empresário americano nascido após o final da Segunda Guerra Mundial.

Steve é o CEO (executivo-chefe) da Apple, mas, muito mais importante que isso (mesmo que seu cartão não o diga), é o fundador da companhia. Como mostra a história da Apple, não existe distância maior conhecida pelo homem que o pequeno passo que separa um CEO de um fundador. CEOs são, em sua maioria, produtos de uma criação educacional e institucional. Fundadores ou, pelo menos, os melhores deles, são forças da natureza irreprimíveis e indomáveis. Dos muitos fundadores que eu já encontrei, Steve é o mais fascinante. Nenhuma pessoa é melhor que ele no trabalho de transformar equipamentos eletrônicos em objetos de desejo.

Steve sempre teve a alma inquisitiva de um poeta – alguém um pouco distante de todos nós que, desde a tenra infância, andou por seu próprio caminho. Se tivesse nascido em outros tempos, teria pulado em trens de carga e seguido sua estrela. (Não é coincidência que ele e a Apple ajudaram a financiar o filme *No Direction Home*, de Martin Scorcese, uma admirável biografia de Bob Dylan.) Steve foi adotado e criado por pais bem-intencionados que nunca tiveram muito dinheiro. Ele se interessou pelo Reed College, uma escola que exercia apelo incomum em adolescentes brilhantes e pensadores que, na década de 1970, era perfeita para qualquer criança que sonhava em ter ido para Woodstock. Foi lá que um curso de caligrafia refinou seu senso estético – a influência ainda é percebida em todos os produtos e propagandas da Apple.

Os críticos de Jobs dizem que ele pode ser determinado, teimoso, irascível, temperamental e cabeça-dura – mas mostre-me alguém que tenha conseguido algo digno de nota que, de tempos em tempos, não demonstre essas características e que não seja perfeccionista. Há também o dissimulado, calculado e desconfiado olhar de mercador em Steve. Ele é um vendedor insistente, persuasivo e hipnotizante – o único homem que conheço com a audácia de enfeitar pontos de ônibus por todo o país com propagandas de algo tão trivial como um mouse sem fio. Mas ele também é um homem que, décadas atrás, foi gentil o suficiente para ir várias vezes a um hospital para visitar um CEO que havia sofrido um infarto e que oferecia conselhos generosos a jovens executivos do Vale do Silício. São esses diferentes temperamentos que explicam tudo que aconteceu de bom e de ruim a Jobs e às pessoas que estão à sua volta.

Na época em que entrei no negócio de capital de risco, o conselho diretor da Apple havia demitido Steve em favor de um homem do Leste, que era o convencionalismo em pessoa. Peculiarmente, Steve vendeu quase todas suas ações da empresa, à exceção de uma parte. Nós, na Sequoia Capital, balançamos a cabeça ao vê-lo formar a companhia que ele batizaria de NeXT. Ele levantou dinheiro de investidores (inclusive de Ross Perot) em uma avaliação superestimada do negócio. Eu me lembro de visitar sua sede, que trazia todos os sinais de um fiasco prestes a acontecer. Ela tinha um logo desenhado por Paul Rand e uma escadaria flutuante no lobby – seus ecos podem ser vistos nas escadas que você encontra em muitas lojas da Apple.

A NeXT tirou Steve de seu hábitat natural. Ele estava tentando vender computadores para grandes empresas – entidades que não são influenciadas por produtos com apelo sensorial. Isso significava também que ele estava fora do negócio de produtos de consumo justo numa época em que os fabricantes de computadores estavam começando a demonstrar que, graças ao seu conhecimento do *software* e do silício, eles tinham uma vantagem natural em relação a empresas de produtos de consumo que lutavam para se tornar fabricantes de computador. Steve persistiu na NeXT em condições nas quais seres mais fracos teriam jogado a toalha. No final, quando os estertores da morte começavam a emanar da empresa, parecia que ele também seria destinado a ocupar uma nota de rodapé na história.

É difícil hoje, doze anos depois, entender a enrascada em que a Apple estava logo depois de comprar a NeXT, em 1996, numa tentativa desesperada de se reinventar. Os cínicos do Vale do Silício riram quando souberam que Steve havia conseguido vender a NeXT por mais de 400 milhões de dólares, apesar de ter vendido apenas cerca de 50 mil computadores. Steve voltou à Apple endurecido por anos de adversidade comercial.

Muitos conhecem a história do ressurgimento da Apple. O que eles podem não saber é que ela tem poucas similares, se tiver alguma. Quando um fundador voltou à empresa que o expulsou rudemente para elaborar uma retomada tão completa e espetacular quanto a da Apple? Retomadas são difíceis em qualquer circunstância, mas, em uma empresa de tecnologia, essa dificuldade é redobrada. Não é exagero dizer que Steve fundou a Apple não uma, mas duas vezes – e na segunda vez ele estava sozinho.

Para quem queira entender um pouco melhor Steve, sugiro ir ao YouTube e assistir ao discurso de abertura que ele proferiu em Stanford, em 2005 – que deve estar entre as palestras mais sinceras e significativas já feitas para um grupo de jovens. Entre os conceitos que ele transmitiu estava o de que todos temos a oportunidade de deixar nossa marca, de fazer algo especial e, sobretudo, de seguir nosso caminho. Ele terminou sua fala com um conselho, retirado da edição final do Whole Earth Catalog: "Stay hungry; stay foolish" ("Mantenha-se ávido; não se leve a sério"). Descobri que este pode ser um conselho perfeito para qualquer um que queira passar sua vida investindo em jovens empresas.

— Michael Moritz
San Francisco, 2010

Introdução

Escrever sobre empresas pode ser uma ocupação perigosa. Assim como as pessoas, empresas nunca são o que aparentam ser. Ambas compartilham um impulso natural de mostrar o que têm de melhor, mas empresas, particularmente as muito grandes, gastam muito mais tempo e dinheiro em aparências que a maioria dos indivíduos. Propagandas são elaboradas para retratar a corporação e seus produtos da maneira mais atraente possível. Agências de relações-públicas são contratadas para enviar *press-releases*, lidar com jornalistas e contornar assuntos desconfortáveis. Analistas de seguro, banqueiros e corretores são diligentemente cortejados para se ter certeza de que o mercado financeiro dará a atenção correta às ações da companhia.

Existe, então, certo charme em negócios que ainda não abriram seu capital. Eles não precisam se preocupar com a rigidez das agências federais ou com acionistas que apreciam apenas uma notoriedade cultivada. Seus fundadores e gerentes tendem a falar com menos inibição que executivos de grandes organizações e guardam seus segredos com menor ansiedade. Durante seus primeiros poucos anos, muitas empresas ficam contentes com qualquer publicidade que conseguem ter, mas as histórias que aparecem em grandes jornais, e revistas tendem, em razão da natureza do assunto, a ser pequenas, a não abordar os detalhes do progresso de uma jovem empresa e a ser pouco críticas em virtude do fascínio da novidade. Já quando histórias de corporações são pautadas, os detalhes desses estágios iniciais são geralmente perdidos. Mitos crescem sobre como eram bons os velhos tempos, e mesmo os esforços mais bem-intencionados transformam fato em ficção. A nostalgia, como disse o sábio, não é mais o que era antigamente. Há muito que dizer sobre como escrever a respeito de uma empresa antes que seus fundadores e primeiros funcionários morram ou esqueçam detalhes em uma névoa embebida em gim.

Enquanto as empresas são pequenas, são fáceis de descrever, mas, uma vez que ultrapassam o tamanho de uma garagem ou um escritório, tornam-se cada vez mais opacas. Conforme empregados são espalhados em fábricas e depósitos por todo o país e pelo mundo afora, você acaba lidando com impressões que precisam ser escritas com os pontos e pingos do pontilhismo. Mas o tamanho é apenas um obstáculo, há também outras obstruções mais físicas. Tentar descobrir o sentido e a natureza de uma grande corporação americana é um pouco como desvendar a vida de Maxim Gorki na URSS. Algumas histórias podem ser vislumbradas nos depoimentos de dissidentes amargurados, mas uma inspeção de perto é algo mais complicado. É difícil obter um visto de turista, a única versão é a oficial, é impossível sair do caminho determinado sem ser seguido e é muito fácil ser expulso.

É triste dizer, mas pequenas empresas em certo cantinho da Califórnia têm o irritante hábito de se tornarem grandes corporações. Nos últimos trinta anos, os pomares entre San José e San Francisco foram derrubados para dar caminho a dúzias de companhias que, hoje, formam o Vale do Silício. A maioria delas ganha dinheiro com algo relacionado à eletrônica e cresceu tanto a ponto de ser fácil de acreditar que as antigas ameixas e abricós deixaram algum resíduo fertilizante. Na última década, conforme os desenvolvimentos da microeletrônica foram passando do cone dos mísseis para o tampo das mesas, essas empresas passaram a atrair a costumeira horda parasita de políticos, consultores administrativos e jornalistas ávidos por descobrir a cura para as doenças que assolam outras indústrias.

A ideia que as pessoas têm sobre essas empresas foi formada por uma ilusão manipulativa. Estas, supostamente, deveriam conduzir seus negócios de um jeito inovador. São consideradas lugares informais e relaxantes para se trabalhar, onde mentes ímpares podem ser estimuladas. Seus fundadores supostamente compartilham a riqueza, enquanto hierarquia e burocracia, as maldições das corporações convencionais, foram, de algum modo, abolidas. Diz-se que os diretores dessas empresas deixam os funcionários invadir casualmente seus escritórios e que relutam em demitir qualquer um, exceto os ladrões e maus-caráteres. Segundo seus publicitários, tais empresas foram criadas por pessoas de imaginação audaciosa e gosto pelo risco. Elas aparentam introduzir novos produtos com a mesma certeza e previsibilidade com que Henry Kaiser lançava seus navios Liberty, e o desenvolvimento de um novo processador ou computador mais rápido é invariavelmente saudado como o resultado da marcha do destino. Eles são raramente apresentados sem a invocação de Deus, da pátria ou do espírito pioneiro.

Não há melhor exemplo disso tudo que a Apple Computer, Inc., a criança mais precoce do Vale do Silício. Em um espaço de oito anos, ela saiu de uma sala de estar para vendas de mais de 1 bilhão de dólares, enquanto a bolsa de valores colocava o valor de suas ações em mais de 2,5 bilhões de dólares. Levou menos tempo para chegar ao *ranking* da *Fortune 500* que qualquer outra empresa na história do índice e entrou para o time das cem maiores corporações industriais americanas antes de seu décimo aniversário. Dizem que dois de seus acionistas estão entre as quatro pessoas mais ricas dos EUA e mais de cem de seus empregados viraram milionários. Pelos padrões mais convencionais, a Apple humilhou qualquer feito de qualquer empresa do Vale do Silício. É maior que empresas fundadas uma década antes, projetou e construiu seus próprios produtos e não teve de buscar auxílio de nenhum "paizão" corporativo.

Quando comecei a pensar em escrever este livro, a Apple já era uma grande empresa. Estava empoleirada entre o grande sucesso trazido pelo computador pessoal Apple II e os desafios gêmeos de construir e introduzir uma nova linha de máquinas e competir com o Colosso de Armonk, a IBM.

Os primeiros dias da Apple estavam rapidamente caindo no terreno das canções *folk* e das lendas, e a indústria do computador pessoal estava amadurecendo rapidamente. Pequenas empresas que, de início, conseguiram sobreviver estavam começando a cair pela beira da estrada. Poucas emergiram como líderes, e a Apple era uma delas.

Eu pensei que poderia aprender mais sobre o Vale do Silício, o começo de uma nova indústria e a vida de uma jovem empresa se me focasse em apenas uma companhia, em vez de tentar abraçar várias. Estava interessado em saber qual imagem correspondia à realidade e quais declarações públicas correspondiam às ações privadas. Queria me concentrar nos anos antes de a Apple se tornar uma companhia de capital aberto, examinar a atmosfera que nutriu seus fundadores e descobrir como suas personalidades afetaram a empresa. Também queria, como objetivo menor, responder às questões clássicas: Por quê? Quando? Como? "No lugar certo, na hora certa" obviamente explica parte do sucesso da Apple, mas dúzias, se não centenas, de outras pessoas que começaram companhias de microcomputadores falharam.

Por alguns meses eu desfrutei de uma liberdade cuidadosamente circunscrita na Apple. A mim, era permitido frequentar reuniões e acompanhar o progresso no desenvolvimento de um novo computador. Mas a empresa que eu vi em 1982 era muito diferente do pequeno negócio que enchia uma garagem em 1977. Consequentemente, espalhei esses instantâneos corporativos pelo livro. Este não é um retrato autorizado da Apple Computer nem nunca pretendeu ser sua história definitiva. Fora alguns documentos que vazaram, não tive acesso a qualquer relatório interno. O nome de um personagem que aparece rapidamente na narrativa, Nancy Rogers, foi mudado, e algumas das pessoas mencionadas no texto deixaram a firma ou assumiram postos diferentes. Descobri, de modo rápido o bastante, que escrever um livro sobre uma empresa em crescimento numa indústria que muda com rapidez estonteante tem pelo menos uma semelhança com construir um computador – ambos sempre podem ficar melhores se uma nova e envolvente atração for incluída. Mas, tal como um engenheiro, uma hora eu tenho de aparafusar e despachar meu produto. Portanto, este livro é sobre o caminho da Apple até seu primeiro bilhão de dólares.

“Podemos esquecer sua festa?”

perguntou Jobs.

Uma grande porta de vidro cortava o sol da Califórnia. A luz filtrada, que trazia o longo brilho do outono, brincava sobre uma fila bagunçada de malas, sacolas de roupas, mochilas e caixas de violão. Os donos da bagagem estavam sentados ao redor de uma lareira de pedra, em cadeiras de espaldar reto dispostas em meia-lua. A maioria dos sessenta e poucos rostos se situava naquele ponto indefinível que engloba os que estão entre o fim da adolescência e o começo dos trinta anos. Cerca de um terço eram mulheres. A maioria usava uniformes andróginos compostos por calça jeans, camiseta, malhas sem mangas e sapatos de corrida. Algumas barriguinhas, tufos ocasionais de cabelo grisalho e um número de óculos maior que o normal. Alguns rostos tinham barba por fazer e outros ainda estavam inchados de sono. Vários bonés de beisebol de poliéster azul traziam a silhueta de uma maçã com uma mordida do lado e, em letras pretas, as palavras DIVISÃO MACINTOSH.

Na frente do grupo, sentado na beira de uma mesa de metal, estava uma figura alta e magra, de quase trinta anos. Ele vestia camisa xadrez, jeans desbotados e tênis velhos. Um estreito relógio digital adornava seu pulso esquerdo. Seus dedos longos e delicados tinham unhas roídas, seu cabelo preto e brilhante estava muito bem penteado e suas costeletas cuidadosamente aparadas. Ele piscou fortemente um par de profundos olhos castanhos como se suas lentes de contato estivessem machucando. Tinha uma tez pálida e o rosto dividido por um nariz fino e adunco. O lado esquerdo tinha um ar caloroso e zombeteiro enquanto o direito trazia um tom cruel e irritadiço. Ele era Steven Jobs*, presidente e fundador da Apple Computer e gerente-geral da Divisão Macintosh.

---

*N. E.: Steven Paul Jobs ficou conhecido como Steve Jobs. O autor do livro faz uso das duas formas para referir-se ao CEO.

O grupo que esperava pela fala de Jobs trabalhava para a mais jovem divisão da Apple. Eles vieram de ônibus da sede da empresa, em Cupertino, na Califórnia, passando por vários morros cobertos de pinheiros para um retiro de dois dias em um *resort* construído para viajantes de fim de semana na costa do Pacífico. Os alojamentos eram chalés de madeira com chaminés compridas. A madeira fora acinzentada pelo vento e pela maresia e os apartamentos ficavam entre a areia e um gramado. Reunidos na manhã iluminada, o grupo era formado por figuras descompromissadas típicas de uma jovem empresa. Havia secretárias, técnicos de laboratório, engenheiros de *hardware* e programadores. Alguns trabalhavam no *marketing*, na manufatura, no departamento financeiro e pessoal. Uma dupla escrevia manuais técnicos de produtos. Uns haviam entrado recentemente na Apple e estavam encontrando seus colegas pela primeira vez. Outros tinham sido transferidos de uma divisão chamada Sistemas de Computadores Pessoais, que desenvolvia os computadores Apple II e Apple III. Alguns haviam trabalhado na Divisão de Sistemas de Escritório Pessoal, que se preparava para lançar um equipamento chamado Lisa, que a Apple pretendia vender para empresas. A Divisão Macintosh era, às vezes, chamada de Mac, mas a falta de um nome com sonoridade oficial refletia seu nascimento meio torto, pois o computador com o codinome Mac era uma espécie de órfão corporativo.

Jobs começou falando baixo e devagar. "Esta", disse ele, "é a nata da Apple. Nós temos as melhores pessoas aqui e vamos fazer algo que a maioria de nós nunca fez: nós nunca lançamos um produto". Ele andou com passos saltitantes até um cavalete e apontou para alguns *slogans* simples escritos em letra de criança em grandes folhas de papel creme. Ele transformava os dísticos em uma homilia. "Não está pronto até ser lançado", ele dizia. "Nós temos zilhões e zilhões de detalhes para resolver. Seis meses atrás ninguém acreditava que poderíamos fazê-lo. Agora eles acreditam. Sabemos que eles vão vender um monte de Lisas, mas o futuro da Apple está no Mac." Ele dobrava para trás uma das folhas de papel, apontava para o próximo *slogan* e lia: "Não abra mão de nada". Ele mencionou a data planejada de lançamento do computador e disse: "É melhor perder a data do que lançar algo errado". Fez uma pausa e acrescentou: "Mas nós não vamos perdê-la". Virou outra página e anunciou: "A Jornada é a recompensa", e previu que "Daqui a cinco anos vocês vão olhar para os dias de hoje e dizer 'aqueles eram os bons e velhos tempos'". "Sabe", refletiu em uma voz que subia meia oitava, "este é o melhor lugar para se trabalhar na Apple. É como a Apple era há três anos. Se mantivermos esta pureza e contratarmos as pessoas certas, aqui será sempre um grande lugar para se trabalhar".

Jobs puxou um saco de plástico branco meio rasgado ao longo da mesa colocando-o sobre seu joelho e perguntou no tom de alguém que sabe qual vai ser a resposta: "Vocês querem ver algo bacana?" Um objeto que parecia uma grande agenda de mesa escorregou para fora do plástico. O gabinete estava coberto por um feltro marrom que caiu revelando um protótipo de um computador portátil. Uma tela ocupava uma metade e um teclado de máquina de escrever, a outra. "Este é o meu sonho", disse Jobs, "que fabricaremos no final dos anos oitenta. Nós não vamos chegar nisso com o Mac I ou II, mas será o Mac III. Este será o apogeu da história do Mac".

Debi Coleman, a controladora financeira da divisão, estava mais interessada no passado que no futuro e, como uma criança esperando por uma história de ninar conhecida, pediu a Jobs para contar aos novatos como ele havia calado a boca do fundador da Osborne Computers, cujo computador portátil havia arrancado um belo pedaço das vendas da Apple. "Conte o que você falou para Adam Osborne", ela implorou. Com um dar de ombros relutante, Jobs esperou a expectativa crescer antes de embarcar na história. "Adam Osborne está sempre criticando a Apple. Ele estava falando pelos cotovelos sobre o Lisa e quando nós iríamos finalmente lançá-lo e, então, começou a fazer piadas sobre o Mac. Eu tentava manter minha calma e ser polido, mas ele continuava perguntando: 'Qual é a desse Mac de que ouvimos falar por aí? Ele é de verdade?'. Ele começou a me irritar tanto que eu disse: 'Adam, o Mac é tão bom que mesmo depois de ele tirar sua empresa do mercado você ainda vai querer sair e comprar um para os seus filhos'."

O grupo alternava entre sessões fechadas e ao ar livre em um gramado ensolarado. Uns traziam provisões em uma caixa de papelão e ostentavam camisetas improvisadas com o nome do computador escrito em garranchos atravessando o peito. O retiro parecia um cruzamento entre um confessionário e uma sessão de terapia de grupo. Havia uma profusão de piadas um tanto nervosas, mas os veteranos que já haviam passado por outros eventos semelhantes diziam que a atmosfera era relaxada e tranquila. Um par de programadores resmungou que preferia ter ficado em Cupertino trabalhando, mas logo estavam se esparramando pela grama e ouvindo relatórios de outros membros do grupo.

Alguns beliscavam em tigelas de frutas e nozes e amassavam latas de refrigerante enquanto Michael Murray, um homem de *marketing*, de cabelos escuros, covinhas e óculos espelhados, tagarelava discorrendo sobre tabelas da indústria, projeções de vendas e fatias de mercado. Ele mostrou como o Mac seria posicionado entre os mais caros computadores de escritório feitos por concorrentes como IBM, Xerox e Hewlett-Packard e os computadores domésticos mais baratos vendidos por fabricantes como Atari, Texas Instruments e Commodore. "Nós temos um produto que deveria ser vendido por cinco mil dólares, mas vamos fazer a mágica de vendê-lo por menos de dois mil. Vamos redefinir as expectativas de toda uma faixa de consumidores." Perguntaram a ele como as vendas do Mac iriam afetar o computador para escritório da própria Apple, o Lisa, que era um computador mais elaborado, mas construído com os mesmos princípios.

"Aí temos um cenário desastroso", admitiu Murray. "Podemos dizer que o Lisa foi um grande exercício para a Apple. Podemos até lançá-lo como experiência e vender uns dez."

"O Lisa vai ser incrivelmente grande", interveio Jobs firmemente. "Vai vender 12 mil unidades nos primeiros seis meses e 50 mil no primeiro ano."

O pessoal de *marketing* falou sobre planos para aumentar vendas. Eles discutiram a importância de vender ou doar centenas de Macs para universidades de grande reputação.

"Por que não vender Macs para secretárias?", perguntou Joanna Hoffman, uma mulher sorridente com um leve sotaque estrangeiro.

"Nós não queremos que as empresas achem que ele é um processador de texto", retrucou Murray.

"Há um jeito de resolver esse problema", contra-atacou Hoffman. "Podemos dizer às secretárias: 'eis a sua chance de se tornar uma gerente de seção'."

Houve uma discussão sobre como melhorar vendas em outros países. "Nós temos o tipo de magnetismo *high-tech* que pode atrair os japoneses", mencionou Hoffman. "Não há jeito de eles fazerem sucesso aqui concorrendo conosco, mas nós podemos chegar ao sucesso lá."

"Estávamos indo muito bem no Japão até recentemente", observou Bill Fernandez, um técnico magricela, em uma voz tremida.

Chris Espinosa, gerente dos redatores que prepararam o manual de instruções do computador, arrastou suas sandálias até a frente do grupo. Ele havia acabado de fazer 21 anos e anunciou, conforme puxava algumas anotações de sua pequena mochila vermelha, "vocês todos perderam uma grande festa".

"Soube que havia ácido de graça", alguém gritou.

"Não. Mas estava à venda do lado de fora", gargalhou Espinosa.

"Podemos esquecer sua festa?", Jobs perguntou bruscamente.

Espinosa empalideceu e voltou aos negócios. Contou aos colegas como estava tendo dificuldades para contratar redatores qualificados, que sua equipe precisava de mais protótipos de Mac para trabalhar e que o departamento gráfico da Apple não estava equipado para atender suas demandas. "Nós queremos fazer livros lindos", disse, "daqueles que você lê e depois quer colocar na estante por serem tão bons".

As sessões de trabalho foram interrompidas por pausas para o café, passeios pela praia, algumas partidas de frisbee na grama, eventuais jogos de pôquer e um pôr do sol de cor fúcsia. Apesar de o jantar ser servido em bandejão, não trazia nenhum traço da bagunça do *hall*. Garrafas de Zinfandel, Cabernet e Chardonnay repousavam intocadas em cada mesa, mas os pãezinhos desapareceram rapidamente. Depois do jantar, alguém que parecia um ortodontista tímido, com cabelo fino e prateado e óculos de fundo de garrafa, apresentou o que, entre os fãs de computador, é considerado um espetáculo de entretenimento. A figura que vestia uma camiseta do Mac sobre uma camisa de manga longa era Ben Rosen. Ele transformou sua conquistada reputação de analista do mercado de eletrônicos em Wall Street, editor de uma popular *newsletter* informativa e apresentador de conferências anuais sobre computadores pessoais em uma carreira como investidor em capital de risco. Antes de começar a investir em empresas de informática, ele era procurado tanto para falar quanto, depois, para ouvir.

Para o grupo do Mac, Rosen falou seguindo um roteiro pré-elaborado de observações, dicas e fofocas da indústria. Ele fez um breve relato de alguns dos concorrentes da Apple e dispensou à Texas Instruments o tratamento de "empresa para estudos de caso de escolas de administração", acrescentando, quase como um comentário repentino, que "eles devem anunciar seu computador compatível com o IBM-PC em três semanas".

"A que preço?", perguntou Jobs.

"20% abaixo do preço de um computador semelhante", respondeu Rosen.

Falou sobre computadores domésticos de baixo custo e mencionou a Commodore: "Tenho algumas considerações sobre a Commodore que posso comentar com ouvintes discretos. Quanto mais você sabe sobre a empresa, mais difícil é ser otimista".

O folhear pelas anotações desapareceu um pouco quando Rosen começou a falar sobre a IBM, cujo PC (Personal Computer) estava trazendo uma séria concorrência para a Apple. "Um dos medos causados pela Apple", notou Rosen, "é sobre o futuro da IBM". Ele admitiu ficar impressionado em uma visita recente à divisão de computadores pessoais da IBM em Boca Raton e descreveu o que ele entendeu serem planos para três novos computadores pessoais. Então ele olhou ao redor da sala e disse: "Esta é a parte mais importante da Apple Computer. O Mac é a sua arma mais ofensiva e defensiva. Não vi nada que se compare a ele". Enigmaticamente, ele mencionou outro boato da indústria: "Um dos rumores rodando Wall Street fala de uma fusão IBM-Apple".

"A IBM já falou que eles não estão à venda", disparou Randy Wigginton, um jovem e loiro programador.

Membros da divisão Mac começaram a fazer perguntas. Um queria saber como Rosen pensava que as ações da Apple iriam se comportar. Outro queria saber quando uma empresa de *software* para PCs atingiria vendas de 100 milhões de dólares, enquanto outro, com uma tendência para estratégia, pedia ideias de como a Apple poderia garantir que revendas de computadores tivessem espaço para o Mac em suas prateleiras cada vez mais lotadas.

"Temos uma crise se aproximando", disse Jobs a Rosen do fundo da sala. "Temos de decidir sobre como vamos chamar o Mac. Podemos chamá-lo de Mac, Apple IV, Rosen I. O que você acha de Mac?"

"Jogue trinta milhões de dólares em propaganda nele", disse Rosen, "e vai soar fantástico".

Rosen foi o único interlúdio em uma série de apresentações de cada gerente de departamento da divisão Mac. Eles providenciaram uma viagem resumida a uma empresa de computadores e narcotizaram todos com uma batelada de fatos. As apresentações mais vistosas eram interrompidas aqui e ali por aplausos para qualquer notícia boa ou inesperada. O gerente de engenharia, Bob Belleville, um engenheiro de fala suave que acabara de chegar à Apple vindo da Xerox, disse: "Na Xerox, costumávamos dizer que era importante fazer um pouco a cada dia; na divisão Mac é importante fazer um muito a cada dia". O engenheiro-chefe de *hardware*, Burrel Smith, completamente envergonhado, disse que não tinha material suficiente para dez minutos e tocou seu violão. O *designer* do gabinete do computador acendeu algumas velas, sentou-se numa cadeira com as costas para os outros e disparou suas considerações gravadas em uma fita cassete. Outros falaram sobre os problemas para atingir os padrões para equipamentos eletrônicos definidos pelo CC.

Os programadores relataram seu progresso no *software*. Matt Carter, um homenzarrão com um olhar assustado, responsável pela parte da manufatura, ministrou um breve curso de organização de chão de fábrica e mostrou um filme sobre como seria a nova linha de produção de Macs. Ele falou sobre carrosséis, cestas, inseridores automáticos e esteiras lineares, construção de protótipos e compromissos de preço. Outro homem da manufatura explicou as taxas de defeitos, as melhorias na produção por pessoa, por dia, e o manuseio de materiais. O último levou Jobs a prometer: "Nós vamos cair duro em cima de nossas revendas. Vamos pressioná-los como nunca antes." Debi Coleman, a controladora financeira, apresentou sua versão de "Contabilidade para Principiantes", explicando as diferenças entre custos diretos e indiretos de trabalho, controle de inventário, sistemas de rastreamento de ativos fixos, análise ferramental, valorização de inventário, variação de preço de compra e níveis de ponto de equilíbrio.

Ao final do encontro, Jay Elliot, um homem alto do departamento de recursos humanos, apresentou-se. "Sou um gerente de recursos humanos", disse. "Estou adorando estar aqui. Obrigado por estarem aqui. Em recursos humanos nós tentamos alavancar os melhores desempenhos."

"O que isso quer dizer em inglês?", disparou Jobs.

"A área de recursos humanos", tropeçou Elliot, "normalmente é vista como uma organizacão burocrática e idiota..."

Assim que se recuperou, Elliot sugeriu maneiras de lidar com a necessidade de contratações. O organograma da divisão Mac era todo pontuado por pequenas caixas com as iniciais TBH. Isso significava "A Ser Contratado" (*To Be Hired*). Elliot disse que seu departamento era inundado por 1 500 currículos por mês e sugeriu filtrar candidatos com nomes em cartões de garantia da Apple.

"Nenhum bom profissional manda seu cartão de garantia", disse Jobs. Ele se debruçou sobre as costas de sua cadeira e se dirigiu a Andy Hertzfeld, um dos programadores. "Andy, você mandou seu cartão de garantia?"

"O vendedor preencheu para mim", disse Hertzfeld.

"Viu", disse Jobs, girando em seu assento.

"Poderíamos colocar anúncios na ARPANET", sugeriu Hertzfeld, referindo-se à rede de computadores financiada pelo governo que conectava universidades, institutos de pesquisa e bases militares. "Pode haver problemas legais nisso, mas podemos ignorá-los."

"Podemos colocar anúncios em jornais, mas o retorno será meio baixo", comentou Vicki Milledge, que também trabalhava no RH.

“O que devemos fazer”, disse Jobs, “é mandar Andy para universidades, deixá-lo passear pelos laboratórios e achar os estudantes quentes”.

Depois que Elliot terminou, Jobs embarcou em um solilóquio. Ele apontou para uma pasta cinza plastificada que continha um resumo do progresso no Mac e alertou a todos que guardassem cuidadosamente todos os documentos da empresa. “Um de nossos vendedores em Chicago”, disse, “recebeu uma oferta de um plano completo de vendas de lançamento do Lisa de alguém na IBM. Eles estão em todos os cantos”. Ele voltou ao cavalete para um gráfico final, que trazia a figura de uma pirâmide invertida. Na base, uma faixa estava etiquetada como MAC e as camadas sucessivas traziam as palavras FÁBRICA, REVENDA, FORNECEDORES, DESENVOLVEDORES DE SOFTWARE, FORÇA DE VENDAS e CONSUMIDORES. Jobs explicou o triângulo e apontou para a sucessão de faixas: “Temos uma grande oportunidade de influenciar para onde vai a Apple. Conforme passam-se os dias, o trabalho que cinquenta pessoas estão fazendo aqui vai gerar uma onda gigante pelo universo. Estou realmente impressionado com a qualidade da nossa onda”. Fez uma pausa, então prosseguiu: “Sei que posso ser um pouco duro de se lidar, mas esta é a coisa mais divertida que já fiz na vida. Estou me esbaldando”. O traço de um sorriso apareceu em seu rosto.

Cidade-Foguete sobre a Baía

Tratores e escavadeiras se arrastavam tropegamente pela enorme pedreira, rasgando cicatrizes em um lado da montanha. As máquinas lançavam nuvens de poeira no ar sobre o lado sul da baía de San Francisco. Grandes tapumes de madeira anunciavam que o equipamento e o buraco pertenciam à Companhia de Cimento Kaiser. A terra amontoada se tornaria a fundação de cidades que estavam sendo construídas na planície que se espalhava abaixo da pedreira. Os caminhões barulhentos passavam por rolos de arame farpado, placas que alertavam sobre um declive íngreme, testavam seus freios, desviavam-se para uma avenida vicinal e sacolejavam sobre os buracos e as curvas estreitas que levavam a Cupertino, uma vila que tentava se transformar em cidade. Dos portões da pedreira, em meados da década de 1950, eles avistavam as encruzilhadas que formavam o centro de Cupertino definidas pelas formas cilíndricas de silos cor de terra que armazenavam comida e grãos.

Nessa época, o vale de Santa Clara era predominantemente rural. Em alguns lugares, o verde era quebrado por manchas de prédios. A certa distância, parecia que alguém havia derramado pequenos montes de lixo que foram espalhados e amontoados pelo chão do vale para formar pequenas cidades que atravessavam a planície entre San Jose e San Francisco: Los Gatos, Santa Clara, Sunnyvale, Mountain View, Los Altos, Palo Alto, Menlo Park, Redwood City, San Carlos, Hillsborough, Burlingame e South San Francisco.

A maioria das cidades ainda tinha o comportamento e o estilo da década de 1930. Os prédios raramente subiam mais que dois andares. Os automóveis podiam estacionar na transversal na rua principal. Esquinas geralmente eram decoradas com um escritório de financiamento de fazendas, um posto de gasolina, uma agência do Bank of America e uma franquia do International Harvester. Em cidades como Cupertino, não fazia muito tempo, campanhas eram feitas para atrair médicos e dentistas permanentes. O centro de tudo era assim: a prefeitura, um prédio de tijolos de terracota construído no estilo de uma missão espanhola e ladeado por uma biblioteca, delegacia de polícia, corpo de bombeiros, corte judicial e palmeiras gordinhas.

Mas essas cidades eram separadas por inúmeras diferenças. Cada uma tinha seu clima, que esquentava à medida que a cidade se distanciava da neblina de San Francisco. No lado sul da península, o clima de verão era totalmente mediterrâneo e um pequeno seminário de onde se avistava Cupertino poderia muito bem estar sediado em um morro quieto da Toscana. As cidades tinham seus próprios conselhos e impostos, suas leis e peculiaridades, jornais e hábitos. Havia eleições municipais cujos boatos e insinuações provocadas por uma comunidade em que todo mundo conhecia o prefeito, ou pelo menos alguém que o conhecia, transbordavam. E, é claro, as cidades eram separadas também pela inveja e pelo orgulho.

Advogados e doutores que construíam suas casas nos morros de Los Gatos diziam – sem um pingo de ironia – que os cérebros de San Jose dormiam em Los Gatos. O povo que vivia nos morros de Los Altos olhava com superioridade os que viviam na planície. Palo Alto, com suas árvores graciosas e a Universidade de Stanford, tinha um aspecto elegante e algumas poucas empresas de eletrônica formadas por estudantes. Cidades como Woodside e Burlingame, situadas sobre a planície, tinham o toque vigoroso dos cavalos, jogos de polo e clubes de golfe rigidamente exclusivos. Burlingame foi sede do primeiro clube de campo da Costa Oeste, mas as pessoas que viviam perto de Hillsborough sempre davam seu endereço como Burlingame, com medo de serem consideradas novos-ricos. Depois de San Carlos, San Bruno e Redwood, ficava South San Francisco – um apêndice industrial da cidade homônima – situada abaixo das pistas de chegada e partida do aeroporto. Ali havia um conjunto de siderúrgicas, fundições, refinarias, fábricas de bens de capital e madeireiras, e os pais da cidade demonstraram seu temperamento forte e viril quando, com letras gigantes, autorizaram as escavadeiras a perfurar o morro atrás da cidade usando o *slogan* "South San Francisco, a cidade industrial".

Mas agora, bem no meio do vale e especialmente em volta de Sunnyvale, havia buracos nos pomares e sinais de um novo mundo chegando. Grande parte dos caminhões da pedreira da Companhia de Cimento Kaiser estava indo para Sunnyvale. Reboques, guindastes e máquinas de asfalto esperavam pelo concreto e pelo aço que estavam sendo usados para construir os edifícios da nova Divisão de Sistemas de Mísseis da Lockheed Corporation. Por volta de 1957, Sunnyvale era seis vezes maior que no final da Segunda Guerra, além de forte candidata a entrar nos almanaques nacionais. A conversa municipal girava em torno de temas palpitantes, como geração de impostos, valorização de recursos, permissões de construção, zoneamento urbano, linhas de água e saneamento. Corriam rumores de novos negócios, especulava-se que uma das grandes companhias de automóveis erguesse uma fábrica em Sunnyvale. Ao término da década de 1950, a Câmara de Comércio de Sunnyvale orgulhosamente anunciou que as estatísticas sobre a cidade ficavam obsoletas a cada hora que passava e que um novo trabalhador chegava a Sunnyvale a cada dezesseis minutos. Os folhetos publicitários diziam que ela era a "cidade com o futuro embutido" e a "cidade-foguete sobre a baía".

Os recém-chegados à cidade que estava "voando alto" e "definindo o futuro" eram legítimos representantes do impulso da América rumo a um estilo de vida baseado nos subúrbios. As residências eram isoladas do burburinho citadino e só se podia ir a um estabelecimento comercial de carro. As casas tinham aquele inconfundível estilo da área da baía de San Francisco. Eram baixas, de um andar, com telhados planos ou levemente inclinados como os de uma edícula (os corretores argumentavam que era muito fácil para as crianças recuperar bolas e aeromodelos dos telhados). Do lado de fora, eram as garagens que dominavam as fachadas, dando a impressão de que os quartos tivessem sido acrescentados posteriormente. As largas portas metálicas das garagens pareciam ser a entrada principal.

Folhetos falavam do aquecimento central, "o jeito moderno e saudável de se aquecer uma casa" de paredes com painéis de madeira, pisos de asfalto e cortiça, cozinhas com armários de madeira de lei e amplos *closets* com portas de correr que "deslizam com a maior facilidade". O que os folhetos não diziam era que o corpo de bombeiros local brincava que essas construções de vigas e postes poderiam virar cinza em sete minutos – e que a comunidade estava segregada no lado errado da estrada de ferro da South Pacific e do lado errado da autoestrada.

A maior parte das famílias que se mudaram para Sunnyvale, fora atraída pela perspectiva de empregos na Lockheed. Muitos eram cuidadosos e precavidos e perguntavam aos corretores onde a tal autoestrada – a Interstate 280 – iria passar, checando a rota projetada em mapas na prefeitura de Sunnyvale. Pediam aos amigos recomendações de escolas e ficavam sabendo que Palo Alto e Cupertino tinham as melhores reputações em toda a península. Citavam-se professores empreendedores, bolsas federais, experimentos com nova matemática e classes abertas.

Eles visitavam o distrito escolar e acharam um mapa que apontava as escolas existentes e revelava onde as futuras escolas poderiam ser construídas. Depois descobriam a natureza excêntrica das regras do Distrito Escolar de Cupertino: eles não precisavam morar em Cupertino para que seus filhos pudessem estudar ali. O distrito escolar compreendia partes de San Hose, Los Altos e Sunnyvale, e as casas afortunadas eram vendidas a um preço maior. Em alguns bairros, algumas casas pertenciam ao distrito e outras não.

Jerry Wozniak, um engenheiro de trinta e poucos anos, era um dos milhares recrutados pela Lockheed no final da década de 1950. Ele, sua mulher, Margaret, e seus três filhos, Stephen, Leslie e Mark, assentaram-se em uma casa na quieta subdivisão de Sunnyvale que caía na área de cobertura do distrito escolar de Cupertino.

Do outro lado da península, no Sunset District de San Francisco, Paul e Clara Jobs adotaram seu primeiro filho, Steven. Frequentemente, durante os primeiros cinco meses de sua vida, eles passeavam com seu bebê sob as imitações de postes de luz do século XIX, sobre os trilhos do bonde e pela praia na sombra das escarpas, da neblina, dos céus de chumbo e das gaivotas cinzentas.

Espiões Supersecretos dos Céus

A supersigilosa, ultraconfidencial e altamente secreta Lockheed virou sinônimo de Sunnyvale. Conforme sua divisão de mísseis foi crescendo durante a Guerra Fria, suas instalações no Vale de Santa Clara mudaram de tamanho, transformando Sunnyvale numa espécie de cidade-empresa e levando sua comunidade para o terreno do mistério. A Lockheed era o lugar onde coisas antes só vistas na ficção científica eram reduzidas a assuntos do cotidiano. A empresa estava envolvida nas tramas do programa nacional de viagens espaciais e, em Sunnyvale, detalhes dos projetos Discoverer, Explorer, Mercury e Gemini eram tão familiares quanto o nome dos astronautas. Dava para pensar que H.G. Wells trabalhava no departamento de relações-públicas da Lockheed, despachando boletins que traziam uma torrente infindável de maravilhas tecnológicas.

Corriam rumores sobre um laboratório que simulava as condições do espaço, um gravador de fita pequeno o suficiente para caber na palma de uma mão e sobre o "Hotshot", o mais forte túnel de vento da indústria privada. Times de engenheiros da Lockheed estavam investigando uma célula de combustível para impulsionar naves espaciais e desenhando planos para uma plataforma espacial pré-fabricada de quatro toneladas com a forma da Roda da Fortuna. Também havia rumores mais sinistros. Alguns engenheiros da Lockheed eram famosos por trabalhar em um míssil balístico de médio alcance conhecido como "o supersecreto Polaris" e em um "espião dos céus", um satélite "supersupersecreto" armado com uma câmera de TV que podia espiar os russos. A empresa orgulhosamente divulgou que seu laboratório de comunicações espaciais captou sete minutos da primeira viagem de um satélite Explorer e se gabou de que seu telescópio em forma de prato podia monitorar vinte satélites ao mesmo tempo. Também havia relatos de um fantástico computador eletrônico instalado na Lockheed que supostamente tinha a inteligência de um ser humano e conseguia jogar muito bem o jogo da velha.

Então, quando, em 1958, Jerry Wozniak começou a trabalhar na Lockheed, ele estava se juntando a uma empresa que – pelo menos é o que parecia ao mundo exterior – tinha grandes ideias. Um homem corpulento, com pescoço grosso e braços largos, Wozniak fora forte o suficiente para jogar no ataque no time de futebol americano no Instituto de Tecnologia da Califórnia, em Pasadena, onde estudou Engenharia Elétrica. Depois de um ano trabalhando como engenheiro júnior em uma pequena companhia em San Francisco, ele se demitiu e, junto com um parceiro, passou doze meses projetando uma máquina de contar, empilhar e empacotar materiais como folhas de asbesto. Mas a dupla ficou sem dinheiro antes de completar um protótipo, levando Wozniak a concluir: "Era uma boa ideia técnica, mas nós não tínhamos a menor ideia do que era necessário para se montar um negócio".

Depois de se graduar na Cal Tech, Wozniak se casou. Sua esposa, Margaret, crescera em uma pequena fazenda no Estado de Washington e passou uma das férias do colégio trabalhando como eletricista durante a Segunda Guerra nos estaleiros Kaiser, em Vancouver, Washington, instalando a fiação elétrica em porta-aviões à medida que eles apareciam pelo caminho. Um belo dia, seus pais venderam a fazenda e se mudaram para a ensolarada Los Angeles. "Califórnia", pensou Margaret Wozniak. "Aquele era o melhor lugar do mundo". Mas com o fracasso da aventura empresarial de Jerry e a chegada de seu primeiro filho, Stephen, em agosto de 1950, os Wozniak foram atraídos de volta ao mundo das corporações. Por vários anos, eles viajaram pela indústria aeroespacial do sul da Califórnia, que havia sido montada sobre os truques aéreos dos antigos aviadores. E, como milhares de outras famílias, os Wozniak logo estavam associando cidades como Burbank, Culver e San Diego a empresas como Lockheed, Hughes Aircraft, Northrop e McDonnell Douglas. Durante algum tempo, Jerry Wozniak trabalhou como projetista de armas em San Diego, depois ajudou a construir pilotos automáticos para a Lear, em Santa Mônica. Comprou sua primeira casa no Vale de San Fernando antes de os timoneiros da Lockheed decidirem sediar uma de suas divisões em Sunnyvale.

Enquanto seus filhos passavam meses brincando em casas de papelão feitas com caixas de mudança, Jerry Wozniak ia se acostumando com o ritmo do curto caminho até a Lockheed. "Nunca quis ficar na Lockheed muito tempo. Pretendia primeiro conhecer a área e me assentar mais tarde." A companhia mantinha distância de assuntos familiares. A Lockheed se escondia atrás de escudos de segurança, como passes especiais, guardas uniformizados e cercas de arame farpado. O único momento em que as crianças conseguiram deslizar pelos portões da firma foi quando o público foi convidado para assistir às acrobacias aéreas dos Blue Angels na semana do Dia da Independência. Quando Jerry Wozniak tinha de pegar algum trabalho em seu escritório no sábado, as crianças permaneciam no carro, isoladas no enorme estacionamento pintado com padrões diagonais. A Lockheed era como uma velha tia que gostava de crianças apenas na hora do jantar.

Quando Jerry levava trabalho para casa à noite e nos finais de semana e se sentava na sala de estar com folhas de papel quadriculado azul e lápis de desenho, trabalhava principalmente em projetos que tiravam vantagem da miniaturização de componentes eletrônicos. Dentro da Divisão de Sistemas de Mísseis, Wozniak trabalhou no sistema de controle de atitude do Polaris e, um pouco depois, em uma proposta de sistema de desenho de circuitos integrados feitos em computador. Mais tarde, trabalhou em uma área chamada Projetos Especiais, que ele disse aos filhos ter algo a ver com satélites. Portanto, Jerry Wozniak estava em uma posição em que era fundamental para seu trabalho ler revistas especializadas, vasculhar conferências, estudar monografias e se manter a par dos mais recentes desenvolvimentos do mundo da eletrônica.

Enquanto os satélites produzidos pela Lockheed eram projetados para viajar milhões de quilômetros, as órbitas das famílias da Lockheed eram mais circunscritas. Os Wozniak nunca tiravam longas férias. Feriados eram somente Natal e Páscoa, com visitas aos avós no sul da Califórnia. De vez em quando, um jantar fora, uma fuga para um *brunch* em Sausalito ou uma ida a um jogo de beisebol dos San Francisco Giants. Mas normalmente seu mundo era Sunnyvale.

Jerry Wozniak era tão aficionado por jogos de guerra e esportes quanto por eletrônica. Passava horas no jardim dos fundos jogando bolas de beisebol para os filhos e se tornou treinador do The Braves, time da liga mirim de Sunnyvale. Mas, acima de tudo, ele esperava ansiosamente pelo jogo de golfe de sábado com os vizinhos no Cherry Chase Country Club – um grande nome para um clube onde, para jogar dezoito buracos, os golfistas tinham de dar duas voltas no campo. Ali, Wozniak sênior e júnior ganharam um torneio de golfe para pais e filhos. Tardes de sábado eram devotadas a jogos de futebol na TV.

Para os Wozniak, assim como para milhares de outras famílias californianas que criaram seus filhos na década de 1960, nadar era um esporte fundamental. O time de natação de Santa Clara havia conquistado reputação nacional, e nadar rápido era considerado mais que um passatempo. Era um esporte, pensava o chefe dos Wozniak, que podia ser utilizado para despertar o espírito de equipe, competitividade e realização pessoal. Destarte, eles inscreveram todas as crianças no time dos Mountain View Dolphins.

Margaret Wozniak era uma mulher com ideias bem definidas e que não hesitava em deixar seus filhos saber o que se passava em sua mente. Quando ela lhes dava lições de austeridade, eles às vezes se lembravam de suas atividades durante a guerra e a chamavam de Rosie, a Rebitadora, mas Margaret era uma feminista antes mesmo de o termo se tornar popular. ("Quando percebi que eu não era mais um indivíduo, mas uma família, comecei a diversificar meus interesses.") Ela se tornou presidente das mulheres republicanas em Sunnyvale – "Eu gostava de ter amigos no Conselho da Cidade" – e ocasionalmente convocava a ajuda dos filhos para o monótono trabalho público.

Os Wozniak deixavam discos de música clássica tocando ao fundo, esperando que seus filhos fossem atraídos subliminarmente por ela. Mas Leslie preferia as revistas de adolescentes e os *shows* de rádio de San Francisco que ela podia ouvir em seu rádio transistorizado, enquanto seus irmãos preferiam programas com algum tipo de intriga, como *O agente da U.N.C.L.E.*, *I Spy* e seriados de horror, como *Além da imaginação* e *No limite da realidade*. A ficção científica pairava no ar, graças ao clima de segredo que rondava a Lockheed e a alguns discursos inflamados de autoridades locais sobre os perigos da ameaça comunista.

Stephen Wozniak queria fundar seu próprio time de agentes secretos quando estava no primário. "Nós éramos tão secretos que não podíamos nem encostar em ninguém." As crianças dos Wozniak mantinham vigilância sobre um vizinho suspeito, acerca do qual estavam convencidíssimas de que trabalhava para os russos.

Em Sunnyvale, em meados da década de 1960, a eletrônica era como a febre do feno: estava no ar e os alérgicos a contraíam. Na casa dos Wozniak, o filho mais velho tinha um sistema imunológico fraco. Quando Stephen estava no quinto ano, ganhou um *kit* para montar um voltímetro. Ele seguiu as instruções usando um ferro de soldar para grudar os fios e conseguiu construir o aparelho. Stephen mostrou mais interesse em eletrônica que sua irmã ou seu irmão mais novo, Mark, que declarou: "Meu pai o iniciou bem cedo. Eu não tive o mesmo tipo de apoio".

A maioria dos vizinhos de Wozniak era de engenheiros. Um deles, que havia comprado uma casa na área no mesmo ano em que os Wozniak, nunca se preocupava em cuidar de seu jardim, mas algumas crianças locais descobriram que ele fora dono de uma loja de componentes eletrônicos e que trocava peças por trabalhos braçais. Eles tiravam ervas daninhas ou pintavam cercas, anotavam as horas trabalhadas e ganhavam componentes de acordo com seu trabalho. Algumas casas adiante, havia um homem que se especializara em rádios, transceptores e localizadores que sobraram da Segunda Guerra e do conflito na Coreia. Um dos amigos de bairro de

Stephen Wozniak, Bill Fernandez, disse que "sempre havia alguém por perto para responder perguntas sobre eletrônica". As crianças aprendiam a diferenciar as especialidades de cada adulto. Alguns eram bons na teoria, outros preferiam explicar as coisas em termos matemáticos, enquanto outros tinham um pendor prático e faziam as coisas de orelhada.

Um vizinho dava aulas para quem quisesse obter uma licença de radioamador. Quando Stephen Wozniak estava na sexta série, ele prestou o exame para operador, construiu um rádio de 100 watts e começou a digitar mensagens em código. Em certo ponto, a eletrônica e a política se uniram. Quando Richard Nixon se engajou em sua campanha para governador em 1962, Margaret Wozniak convenceu seu filho a oferecer a Nixon o apoio de todos os operadores de radioamador da escola Serra, de Cupertino. Mesmo sendo Stephen o único operador da escola, o plano deu certo. Nixon e um Wozniak gordinho e com cabelo escovinha apareceram juntos na primeira página do *San Jose Mercury*.

Wozniak achava os rádios mais divertidos quando eles eram modificados e conectados às casas dos amigos. Ele mexia nos cabos dos falantes para enviar mensagens em código Morse de uma casa para a outra e descobriu com seus amigos que, se eles falassem diretamente sobre as caixas, eles conseguiam se ouvir. "Não sabíamos por que isso acontecia, mas, a partir daquele dia, dedicamo-nos totalmente ao nosso sistema de comunicação doméstica."

Na mesma época, Stephen apresentou um jogo da velha eletrônico na Feira de Ciência da Cupertino Junior High School. Ele e seu pai calcularam uma simulação eletrônica do jogo de papel e descobriram as combinações de uma disputa entre homem e máquina. Stephen projetou circuitos elétricos que duplicariam os movimentos, enquanto seu pai conseguiu o fornecimento de capacitores, resistores e diodos com um amigo. Para o desespero de sua mãe, Stephen montou o jogo na mesa da cozinha. Ele martelou pregos em uma folha de compensado para formar as conexões elétricas e espalhou todas as partes menores sobre a mesa. Do outro lado da placa, instalou uma coleção de lâmpadas brancas e vermelhas e, embaixo, colocou uma fileira de interruptores que serviam para que um jogador fizesse algum movimento.

Poucos anos depois de terminar seu jogo da velha, Wozniak encontrou um intrigante diagrama em um livro sobre computadores. Era uma máquina chamada "adicionador-subtrator de um bit" que fazia exatamente o que o seu nome sugeria: adicionava ou subtraía números. Wozniak pôde seguir um pouco as discussões técnicas graças às lições que havia aprendido quando mexia com *kits* de eletrônica para montar seu jogo da velha. Mas havia alguns aspectos que lhe pareceram totalmente alienígenas. Ele começou a explorar a álgebra da lógica e descobriu que interruptores – que tinham apenas as posições ligado e desligado – podiam ser utilizados para representar afirmações – verdadeiro ou falso. Familiarizou-se com o sistema binário – uma série de uns e zeros –, desenvolvido para representar eletronicamente dois níveis de voltagem em um circuito.

O diagrama para o "adicionador-subtrator de um bit" era muito limitado. Ele podia lidar com apenas um único *bit*, um dígito binário, por vez. Wozniak queria algo mais poderoso, que fosse capaz de adicionar e subtrair números bem maiores, então ele expandiu a ideia para um equipamento mais complicado, o qual chamou de "adicionador-subtrator paralelo de dez bits". Ele era capaz de lidar simultaneamente com dez *bits* por vez. Wozniak projetou sozinho os circuitos necessários e instalou dúzias de transistores e diodos e capacitores em uma placa de teste – uma folha laminada e perfurada com buracos em padrões regulares. A placa era mais ou menos do tamanho de um álbum de fotografias e estava colada em um quadro de madeira. Duas linhas de interruptores enchiam a parte de baixo da placa. Uma inseria números no adicionador, a outra, no subtrator, e o resultado era mostrado – novamente em forma binária – em uma fileira de pequenas lâmpadas. Wozniak tinha, para todos os fins, construído uma versão simples do que os engenheiros chamam de unidade de lógica aritmética, uma máquina capaz de lidar com problemas aritméticos. A máquina podia operar sobre as instruções (ou programa) que eram introduzidas a mão por meio dos interruptores. Ela conseguia adicionar e subtrair números, mas nada mais.

Quando a máquina foi finalizada, ele a enviou para a feira de ciências do distrito escolar de Cupertino, em que levou o primeiro prêmio. Mais tarde, Wozniak ganhou o terceiro lugar na feira de Ciência da Bay Area, mesmo competindo com concorrentes bem mais velhos. Para compensar o desapontamento de ficar em terceiro, ele ganhou sua primeira viagem de avião – uma volta sobre a Estação Naval de Alameda, na Califórnia.

"Daria para fazer o melhor simulador de voo do mundo,"

disse Schweer.

Meia dúzia de gerentes do Crocker Bank estava sentada em uma mesa em forma de L bebendo café em xícaras de porcelana e observando uma tela branca se enrolar para o teto. Por trás dela surgia algo que parecia a ideia de um *designer* de interiores para o camarim de uma estrela de Hollywood, se esta fosse um computador. A mesa, apoiada sobre cilindros de alumínio, trazia samambaias em vasos que cobriam um tapete roxo com sombras triangulares. As paredes traziam quadros pendurados e uma fileira de espelhos no topo parecia um brocado moderno. Dan'l Lewin, um gerente de *marketing* da Apple de queixo quadrado, gravata impecável e terno azul recém-passado, esperava a tela desaparecer. Ele apertou um botão escondido e um par de placas marrons que tapavam duas paredes da sala hexagonal deslizaram para os lados. Focos de luz brilharam por trás das cadeiras iluminando dois pedestais lisos que seguravam seis computadores Lisa.

Lewin estava brincando de guia corporativo já fazia alguns meses e havia ciceroneado grupos semelhantes de dúzias de grandes companhias para a mesma sala e pelo mesmo roteiro e programação. Apesar de a Apple imitar a indústria cinematográfica, chamando essas sessões de "pré-estreia", elas eram planejadas cuidadosamente como *storyboards*. Seu objetivo era persuadir visitantes de empresas do *Fortune 500* a encomendar grandes volumes de computadores Lisa e a esfriar as suspeitas de que a Apple era uma empresa frágil e incapaz de dar suporte àquilo que esperava vender. Muitos dos grupos eram formados por um misto de velhos gerentes de operações baseadas em *mainframes* com uma desconfiança profissional de computadores pessoais e por amadores cuja paixão por computadores havia sido acesa pelas pequenas máquinas. Todos os visitantes da sala de *preview* assinavam acordos que exigiam segredo, mas Lewin admitia: "Quando lançamos o Lisa, todo mundo que importava já o tinha visto".

Lewin cuspiu rapidamente uma penca de números que soavam como parágrafos de abertura de um relatório anual. Ele disse ao grupo que a Apple produzia um Apple II a cada trinta segundos e um *drive* de disquete a cada dezoito segundos. Apontou para um organograma e observou: "nós estamos crescendo e nos transformando em uma organização tradicional". Ele reconheceu que alguns detalhes do Lisa haviam vazado para a imprensa, mas disse que isso era parte de uma estratégia corporativa. "A Apple", apontou Lewin, "está controlando a imprensa muito bem. Mas até vocês verem o que fizemos, duvido que possam entender. Nenhuma outra empresa estaria preparada para assumir esse risco. A maioria delas está interessada em fazer grandes computadores". Lewin explicou que o conceito fundamental do Lisa havia sido criado não na Apple, mas na Xerox, em meados da década de 1970. "Nós olhamos aquelas ideias", disse Lewin, com o orgulho de um dono de loja de escapamentos, "e as internalizamos, as Applelizamos".

Depois de terminar seus comentários preliminares, Lewin introduziu Burt Cummings, um engenheiro de cara redonda e cabelo encaracolado. Cummings sentou-se ao lado de um Lisa cuja tela fora ampliada por dois monitores de TV encaixados na parede. Ele imediatamente mergulhou em detalhes técnicos. "Por que vocês o chamam de Lisa?", interrompeu um dos homens do Crocker Bank.

"Eu não sei", deu de ombros Cummings. "Não há uma razão específica." Ele continuou com a demonstração e, de repente, a tela se transformou em um amontoado distorcido de letras. Cummings se contorceu desconfortavelmente, analisou a bagunça e comentou rapidamente: "Ele costuma dar pau. É um *software* de seis meses de idade."

Cummings digitou alguns comandos no computador, o que provou ser o remédio certo, e prosseguiu com sua demonstração, disparando uma série de imagens diferentes na tela. "Isso tudo já estava programado em *cache*?", perguntou Kurt Schweer, outro visitante do Crocker.

"Vocês devem ter visto o Xerox Star", disse Lewin. "Por isso acham que isso já estava programado. Esta máquina é incrivelmente rápida, tudo isso é em tempo real. É disso que nossos engenheiros têm orgulho."

A cada quinze ou trinta minutos, Lewin apresentava outro gerente do grupo do Lisa. John Couch, o cabeça da divisão Lisa, aparentando cansaço, apresentou uma história antisséptica do desenvolvimento do computador e da importância que a Apple colocava no controle do *software*. Lisa, ele explicou, era parte de um esforço conjunto para esconder do usuário as entranhas da máquina com uma cortina de *software*. Ele explicou que o Apple III havia sido introduzido com quase dez vezes mais código que o Apple II, enquanto o Lisa viria com dez vezes mais código que o Apple III. Salientou que a Apple havia deixado de fornecer linguagens de programação como BASIC com o Apple II para embutir programas de análise financeira no Apple III. Já no Lisa, o usuário poderia executar uma grande variedade de tarefas sem muito trabalho. "Lisa", enfatizou Couch, "originalmente significava Grande Arquitetura de Software Integrado (Large Integrated Software Architecture)." Ele deu uma leve cutucada na concorrência: "o problema com a Xerox é que eles não queriam construir um computador pessoal. Eles não queriam dar esse poder ao usuário final".

Os bancários foram levados, com muito abanar de crachás de segurança, a um edifício adjacente que servia de centro de montagem do Lisa. Wasu Chaudhari, o genial homem da manufatura, fez com eles o *tour* pelas estantes de teste de produção, onde dúzias de computadores passavam por testes cíclicos de provas. Chaudhari demonstrou que o Lisa era fácil de ser desmontado. Ele removeu o painel traseiro e retirou alguns componentes. "Cada funcionário constrói um produto", ele disse sorrindo, "É um conceito que pegamos da Volvo".

“Rolls-Royce seria melhor. Aston Martin, melhor ainda”, contrapôs Tor Folkedal, um corpulento gerente do Crocker.

Depois do almoço, em uma sala de conferência lotada que havia sido rapidamente transformada em sala de jantar, os bancários foram levados de volta aos computadores. Foi permitido que eles brincassem com as máquinas, conduzidos pela mão do Lisaguide, o guia turístico embutido, que aparecia na tela assim que o computador era ligado. Depois de passar alguns minutos navegando por imagens e explicações, Tor Fokedal exclamou: “Nós teremos gerentes no banco brincando com isso o dia todo. É um *videogame*”.

“Vocês precisam colocar alguns *games* nisso”, concordou Schweer. “Nossa! Daria para fazer o melhor simulador de voo do mundo”.

Ellen Nold, uma mulher magra do departamento de treinamento da Apple, tentou afastar qualquer medo sobre a falta de dedicação da Apple aos seus clientes. “Nós imaginamos que, quando o Crocker comprar centenas de Lisas, vocês irão querer um programa de treinamento.” Ela lhes disse que sessões de treinamento seriam especialmente personalizadas para o banco e que exercícios e testes seriam baseados em assuntos do dia a dia dos bancários. Wayne Rosing, engenheiro-chefe do Lisa, respondia a perguntas. Os clientes queriam saber quando a Apple seria capaz de conectar vários Lisas juntos para que eles pudessem trocar informações entre si. Eles se preocupavam com a dificuldade de conectar um Lisa com computadores da IBM, ao “mundo do terminal”, ao “mundo da Bell” e “ao mundo da DEC”. Um dos visitantes, do tipo dos técnicos, queria saber a que velocidade os dados iriam trafegar entre os computadores e se *softwares* feitos para outras plataformas iriam rodar no Lisa. Rosing se recostou em sua cadeira e respondeu a todas as perguntas de um modo casual. Ele explicou, por exemplo, porque o Lisa não tinha um calendário. “Nós estamos trabalhando há tanto tempo nisso que eu tive de dizer ‘dane-se! Nós vamos parar aqui, mesmo que essa função demore apenas uma semana para ser implementada, senão nunca conseguiremos colocá-lo no mercado’.” No fim da tarde os bancários foram consultados sobre suas impressões.

“Eu não tenho certeza se vocês sabem direito quem realmente usaria isso”, disse Betty Risk, uma garota de cabelo escuro que havia escutado e presenciado pela maior parte do dia. "É para o executivo, o profissional técnico ou para o gerente?"

"Sua segurança é bem forte", disse Schweer. "Podia ser um ábaco em demonstração ali." O tom desafiador dos seus primeiros comentários estava mais suave: "Vocês andaram um bom caminho. Esta é a primeira vez que eu vejo uma empresa fazer as perguntas certas. A maioria diz: 'nós podemos fazer qualquer coisa para você desde que você se sente na sua cabeça e digite com os pés'."

Apesar dos cumprimentos, o grupo do Crocker estava relutante em fazer qualquer promessa sobre encomendas de grandes quantidades de Lisa. A Apple era apenas uma de vários fabricantes de computador que eles iriam visitar antes de decidir quais máquinas comprar. Ninguém mencionou nem números nem dólares.

"Tentar falar por um banco do tamanho do Crocker é difícil", suspirou Schweer. "Você sempre está apostando seu emprego quando propõe um padrão. É mais fácil pegar vários fabricantes diferentes", ele fez uma pausa e prosseguiu: "Claro que você sempre pode colocar as mãos sobre os olhos e escolher, ou escolher vários e dividir a culpa".

"E então ser cortado ao meio e ter uma de suas metades demitida", riu Lewin.

Carburadores e Microfones

Quando Steven Jobs tinha cinco anos, seus pais se mudaram do lado mais úmido de San Francisco para os braços de ferro da South San Francisco. Lá, Paul Jobs continuou trabalhando para a mesma companhia financeira como pau-para-toda-obra. Ele ia atrás de maus pagadores, checava os termos de empréstimos de vendedores de automóveis e usava seu dom de abrir fechaduras para resgatar carros com prestações vencidas espalhados pelo norte da Califórnia.

Paul Jobs parecia um James Dean responsável. Era magro, tinha cabelo castanho curto e pele macilenta. Ele era um homem pragmático, sensível, com ideais calvinistas, envergonhado de sua falta de educação acadêmica, que escondia a timidez com risadinhas e de um agudo senso de humor. Jobs havia sido criado em uma pequena fazenda em Germantown, Wisconsin, mas quando ela falhou em providenciar sustento para as duas famílias que cuidavam dela, ele e seus pais se mudaram para West Bend, Indiana. Ele largou a escola quando era adolescente, atravessou o Meio Oeste em busca de emprego e, no final da década de 1930, acabou se alistando na "Marinha Hooligan", a Guarda Costeira norte-americana.

Ao final da Segunda Guerra, quando seu navio estava ancorado em San Francisco, Jobs apostou com um colega que ele encontraria uma noiva aos pés da Golden Gate. Escapando para a praia, sempre que a licença da guarda portuária permitia, Jobs ganhou a aposta. Ele encontrou Clara, a mulher que se tornaria sua esposa, num encontro às cegas. Ela havia passado sua infância e começo da adolescência no bairro de Mission, em San Francisco.

Depois de vários anos no Meio Oeste, onde Jobs trabalhara como operador na International Harvester e vendedor de carros usados, ele e sua mulher voltaram a San Francisco, em 1952. Foi ali que eles começaram a montar sua família e a conhecer as atribulações da paternidade. Eles passaram por todos os perigos que crianças podem causar. Quando seu pequeno filho Steven enfiou um grampo de cabelo em uma tomada elétrica e queimou sua mão, eles o levaram correndo ao hospital. Alguns meses depois, tiveram de bombear seu estômago depois que ele e um jovem cúmplice contraíram um laboratório químico em miniatura com garrafas de veneno. Na casa dos Jobs, em South San Francisco, havia espaço suficiente para mais uma criança, e Steven ganhou uma irmãzinha, Patty. Confrontado com a responsabilidade de alimentar quatro bocas, Paul Jobs fez duas apólices de seguro de mil dólares para cobrir as despesas de seu enterro.

Morar longe do trabalho era uma das coisas que Paul Jobs mais odiava, então, assim que a companhia financeira o transferiu para um escritório em Palo Alto, a família inteira foi empurrada um pouco mais para baixo na península. Jobs comprou uma casa em Mountain View, a poucos passos do primeiro *shopping center* da área, em que os vizinhos eram compostos por trabalhadores da indústria e famílias de classe média baixa.

Na nova casa dos Jobs, Steven começou a acordar tão cedo que seus pais compraram para ele um cavalinho de balanço, um gramofone e alguns discos de Little Richard para que ele pudesse se entreter sem perturbar a casa inteira. Algumas crianças da rua fizeram um filme com uma câmera de super-8 e Jobs júnior, vestido com um casaco do pai, interpretou um detetive. A televisão da casa normalmente servia uma dieta regular de *Dobie Gills*, *I Love Lucy*, *Groucho Marx* e desenhos de *Johnny Quest*.

Como Sunnyvale e Palo Alto, Mountain View tinha seu quinhão de engenheiros eletrônicos. Eles traziam peças rejeitadas do trabalho para casa, brincavam com elas na garagem e, quando construíam algo interessante ou novo, normalmente expunham na calçada. Um engenheiro que trabalhava para a Hewlett-Packard e morava algumas casas depois dos Jobs trouxe um microfone de carbono para casa de seu laboratório, fixou bateria e falante e imediatamente se tornou o Flautista de Hamelin eletrônico. Steven Jobs, que havia pegado alguns conceitos básicos de eletrônica de seu pai, estava pasmo com algo que parecia violar todas as regras que havia lido; o microfone de carbono não possuía amplificador e, mesmo assim, seu som emergia do alto-falante. Ele contou isso a seu pai, que não soube providenciar uma explicação satisfatória. Steve retornou e questionou o especialista da Hewlett-Packard. Ele acabou sendo presenteado com o objeto em questão e era frequentemente convidado a jantar na casa do engenheiro, onde iria aprender mais alguns rudimentos de eletrônica.

Jobs pai achava os carros muito mais interessantes que a eletrônica. Em sua adolescência, ele havia conseguido juntar dinheiro suficiente para comprar um carro, e isso acabou se transformando em quase sua segunda profissão – estava sempre comprando, vendendo ou trocando automóveis. Ele se orgulhava do fato de ter parado de comprar carros novos em 1957 e, a partir daí, ter utilizado seu instinto e sua habilidade para recuperar e restaurar carros antigos. Jobs se concentrava totalmente em um determinado modelo de carro e ia atrás de peças e melhorias até se apaixonar por outro modelo. Ele colocava fotografias de seus carros favoritos em um álbum ou em porta-retratos e apontava sutilezas que apenas um colecionador apreciaria: um assento decorado com um tecido raro ou um par de saídas de ar diferentes.

Depois do trabalho, ele vestia seu macacão, pegava sua caixa de ferramentas clinicamente limpa e desaparecia debaixo do carro da semana. Ele acabou conhecendo a maioria dos mecânicos da cidade pelo nome e, nas manhãs de sábado, passeava pelos depósitos de sucata de Palo Alto, vasculhando peças usadas. Frequentemente levava seu filho junto e deixava-o assistir às negociações e barganhas que aconteciam no caixa. “Logo vi que ele tinha certa habilidade mecânica, mas que não estava nem um pouco interessado em sujar as mãos. Ele nunca se importou muito com coisas mecânicas.” Steve disse que se interessava mais sobre as pessoas que haviam possuído aqueles carros.

Um dos vizinhos de Mountain View convenceu Paul Jobs de que ele deveria tentar o mercado imobiliário. Ele ganhou sua licença de corretor, deu-se bem durante um ano e pouco, mas não gostou da agressividade, da bajulação e das incertezas. No meio do seu segundo ano, ele não fez muito dinheiro. As circunstâncias eram tão duras que ele teve de refinanciar sua casa para botar a família de pé. Para ajudar nas contas, Clara Jobs arranjou um emprego de meio período no departamento de pagamento de contas da Varian Associates, uma firma que fazia aparelhos de radar. Finalmente, Paul Jobs ficou tão decepcionado com as inconstâncias do mercado imobiliário que decidiu voltar ao seu emprego de maquinista. Quando finalmente foi contratado por uma empresa em San Carlos, teve de começar tudo do zero novamente.

Os reveses não eram algo que escapavam da vista de Steven Jobs. Não havia férias familiares, a mobília era reformada e não tinham TV colorida. Paul Jobs construía a maioria dos móveis da casa. Na quarta série, quando a professora perguntou aos alunos "O que vocês não entendem no Universo?", Steven Jobs respondeu, "Eu não entendo por que ficamos tão pobres de repente". A mesma professora, Imogene "Teddy" Hill, salvou seu pequeno pupilo de nove anos da vadiagem após ele ser expulso da escola por mau comportamento. Ele recorda que "Ela percebeu a situação rapidamente. Subornava-me para que eu aprendesse". Dizia: "Quero de verdade que você termine esses exercícios. Dou-lhe cinco dólares se você terminar". Como consequência, Jobs pulou a quinta série e, apesar de seus professores sugerirem que ele entrasse para o ensino fundamental II e começasse a aprender uma língua estrangeira, ele recusou. Seu boletim da sexta série tinha o seguinte comentário: "Steven é um leitor excelente. Entretanto, perde muito tempo durante o período de leitura... Tem grande dificuldade para se motivar ou ver o propósito do estudo e tem sérios problemas de disciplina".

Para os Jobs, assim como os Wozniak, nadar era importante. Eles arrastaram Steven para aulas de natação pela primeira vez quando ele tinha cinco anos e depois o colocaram no clube chamado Mountain View Dolphins. Para pagar pelas aulas de natação, Clara Jobs passava suas tardes como babá para amigas. Alguns anos mais tarde, quando ele era crescido o suficiente para entrar para o time de natação do clube, Jobs conheceu Mark Wozniak. Jobs, lembrou Wozniak, era incomodado por outros nadadores que costumavam acertá-lo nas costas com toalhas. "Ele era um belo bebê chorão. Se perdia uma disputa, saía correndo chorando. Não se dava bem com ninguém. Não era um dos caras da turma."

Steven Jobs acabou mudando de escola e frequentando a Escola Elementar Crittenden, em Mountain View. A escola atraía crianças dos subúrbios de baixa renda a leste de Mountain View e tinha uma reputação de estar cheia de malandros e arruaceiros. A polícia local volta e meia era convocada para apartar brigas e disciplinar crianças que pulavam janelas ou ameaçavam os professores. Depois de um ano, Steven Jobs, que se achava incrivelmente miserável e solitário, soltou seu ultimato: ele se recusava a voltar a estudar se isso significasse passar mais um ano em Crittenden. Paul Jobs sentiu a firmeza. "Ele simplesmente disse que não iria. Então nos mudamos." Mais uma vez, os Jobs pularam mais alguns quilômetros pela península, atraídos pelos distritos escolares de Palo Alto e Cupertino. Em Los Altos, eles compraram uma casa com um teto levemente caído, uma ampla garagem e três quartos, todos eles enquadrados na abrangência peculiar do Distrito Escolar de Cupertino.

O Computador Cream Soda

Quando John McCollum chegou para dar aulas de Eletrônica, em 1963, na Escola Homestead em Cupertino, no dia em que ela abriu, a classe F-3 estava quase vazia. A sala tinha chão de concreto, paredes de blocos de cimento, algumas cadeiras cinza de metal e uma TV em um pedestal rotativo na qual passavam os anúncios da escola em circuito fechado. A sala de aula e o resto da escola pareciam uma prisão de segurança mínima, com limites bem definidos. As casas que McCollum podia ver da janela de sua sala estavam em Sunnyvale, mas seu quadro negro estava pendurado em Cupertino. Quando a Homestead abriu, a sala F-3 estava tão vazia que mesmo o aluno mais estabanado teria dificuldade para se eletrocutar. McCollum imediatamente fez algumas mudanças.

Ele colocou uma trena longa e amarela sobre a lousa, pregou a bandeira americana no alto de uma parede, desenrolou um pôster reluzente que dizia SEGURANÇA NÃO É ACIDENTE e um adesivo de carro que trazia o dístico da Marinha, FLY NAVY. Um par de bancadas compridas de madeira estava aparafusado no chão, com alguns equipamentos esparsos. Em vez de economizar sua verba e requisitar equipamentos novos, McCollum usou de esperteza. As prateleiras sobre as bancadas começaram a encher conforme a sala F-3 ia se tornando a lixeira bem robusta para companhias locais como Fairchil, Raytheon e Hewlett-Packard. McCollum virou um gato vira-lata percorrendo o Vale de Santa Clara atrás de peças e componentes. Ele descobriu que, cedo ou tarde, seus alunos conseguiam destruir um terço do que ele trazia para a sala de aula. "Unzinhos", a expressão com a qual distribuidores de componentes desprezavam encomendas em quantidades menores que cinquenta, não davam conta. McCollum, ou melhor, seus estudantes, trabalhavam no atacado.

Felizmente, as empresas de componentes eletrônicos vendiam para clientes tão exigentes que, às vezes, parecia que eles mais rejeitavam peças do que compravam. Eles se recusavam a comprar um transistor que tivesse um número de série borrado, ou um resistor cujos pinos não fossem totalmente retos, ou um capacitor com uma pequena bolha na pintura. O grande golpe de McCollum foi dado quando a Raytheon lhe deu 19 mil transistores (que custavam então 16 dólares cada), que um engenheiro de avaliação de qualidade na NASA considerou muito frágeis para serem enviados à lua. Outros troféus semelhantes vieram de um depósito que a Hewlett-Packard mantinha em Palo Alto. Era a versão HP de uma loja do Exército da Salvação, abarrotado de equipamentos de teste usados ou em excesso que professores podiam vasculhar. McCollum visitava regularmente o depósito e, em algumas ocasiões, retornou com osciloscópios e contadores de frequência bem caros. Em poucos anos, na época em que Stephen Wozniak – e, depois, Steven Jobs – inscreveu-se em Eletrônica 1, a sala F-3 havia se transformado num depósito de componentes em miniatura. McCollum tinha acumulado mais equipamentos do que havia na faculdade De Anza, que ficava nas redondezas, e, comparados à montanha de equipamentos no Homestead, alguns dos laboratórios de escolas próximas podiam muito bem estar no interior da África.

Para alguns dos alunos mais brilhantes e para aqueles que eram ensinados em casa, muitos dos projetos de McCollum eram brincadeira de criança. Já a parte teórica não era. Eletrônica 1, 2 e 3 eram as aulas mais importantes de Stephen Wozniak, cinquenta minutos por dia, todos os dias da semana. A classe de McCollum trouxe também uma divisão clara entre o que era elétrico e o que era eletrônico. Para os alunos, não era apenas uma questão semântica; era o que separava os homens dos garotos. Equipamentos elétricos eram coisas de *kits* de brinquedo compostos por baterias, interruptores e lâmpadas. Eletrônica era algo muito superior que navegava através do mundo da tecnologia, pelos reinos etéreos da física e era devotado ao comportamento peculiar do poderoso e totalmente invisível elétron.

Parado em frente à classe, vestindo um cardigã de lã, McCollum se entusiasmava com a teoria eletrônica. Histórias e discursos prontos embasados pelos vinte anos que ele havia passado na Marinha, antes de se aposentar em protesto a uma regra que exigia que pilotos ocasionais voassem com um copiloto, eram enunciados com tanta frequência que alguns estudantes davam números de código para seus velhos favoritos. McCollum não parava de mexer em seus óculos, colocando-os no nariz, removendo-os e enfiando-os no bolso da camisa, atrás das canetas em uma caixa de plástico. Ele começava com a teoria e continuava com as aplicações práticas. Os alunos eram levados por lei de Ohm, lei de Watt, circuitos básicos, magnetismo e indução. Eles descobriram aos poucos que, se prestassem atenção, as lições ficavam guardadas e que seu professor plantava sementes que continuavam brotando. Eles resolviam equações elementares, ligavam resistores em série e em paralelo e ficavam observando capacitores carregarem. Construíam fontes de força e amplificadores e aprendiam como manipular correntes contínuas e alternadas.

McCollum também era o centro de controle de qualidade. Quando os alunos terminavam de montar rádios, ele desaparecia em seu depósito, inseria algumas peças com defeito e os desafiava a resolver problemas com suas mentes em vez de seus olhos. “Você tem de ser capaz de imaginar a solução”, repetia ele. Estudantes espertos traziam os aparelhos que eles construíam em seus quartos e garagens para McCollum avaliar. Ele batia em peças meio soltas com uma chave de fenda e balançava as juntas soldadas como um dentista carniceiro. Uma vez, ele criticou um botão em uma fonte de força que Bill Fernandez havia construído porque se comportava ao contrário da maioria dos botões do gênero. Fernandez disse mais tarde: “Foi a primeira vez que eu pensei em termos de padrões e usabilidade”.

Para mostrar o poder da eletricidade, McCollum se tornou um *showman*. Ele assustava os alunos com contos de pessoas que tiveram seus rostos queimados pelo ácido ao fazer descuidadamente ligações diretas em motores de automóveis. Como em um passe de mágica, ele fazia aparecer adereços de uma gaveta fechada em sua mesa para apresentar truques bem ensaiados. Não deixava o prosaico de fora, esfregando um balão em seu suéter e grudando no lado de baixo de uma TV. Diminuía as luzes e ligava uma bobina de Tesla que gerava correntes de alta frequência. A classe via de perto uma centena de volts saltar de uma das pontas da bobina e iluminar um tubo fluorescente. Em outra ocasião, estudantes da classe F-3 viam chamas estalando e hastes de uma escada de Jacob subindo. A missão de McCollum era simples: "Eu tento desmistificar o mistério dos elétrons. Você pode não vê-los, mas pode ver seus efeitos".

A eletrônica não era, entretanto, uma busca puramente intelectual; também era um assunto prático que, mesmo com parcos recursos e habilidades, produzia todo tipo de sirenes, gritos, toques e outros barulhos feitos para divertir, irritar e aterrorizar. As mesmas peças que construíam robustos voltímetros e ohmômetros podiam ser modificadas para objetivos muito mais divertidos. Desde a tenra idade, Stephen Wozniak tinha um pendão para pegadinhas e normalmente conseguia dar seu toque pessoal a elas. Jogar ovos em carros à noite não era algo que ele achasse divertido ou engenhoso, mas pintar um ovo de preto, amarrá-lo em um fio grudado em postes dos dois lados da estrada e suspendê-lo na altura do para-choque de um carro era mais seu estilo. A eletrônica lhe abriu um novo patamar para suas brincadeiras de mau gosto.

Por exemplo, em seus anos finais na Homestead, Wozniak armazenou alguns cilindros de uma velha bateria muito parecidos com bananas de dinamite de verdade. Ele amarrou um oscilador aos cilindros e colocou o conjunto no armário de um amigo com alguns fios saindo pela porta. Rapidamente, o tic-tac do oscilador atraiu atenção e, pouco tempo depois, o diretor da escola, Warren Bryld, estava arriscando sua vida agarrando o pacote e correndo para o campo de futebol ao ar livre. "Puxei os fios e telefonei para a polícia. Fui chamado de trouxa imediatamente." O culpado foi encontrado rapidamente, apesar de Wozniak, enquanto caminhava para o gabinete do diretor, pensar que seria parabenizado por ganhar um torneio de matemática. Em vez disso, ele se encontrou nas mãos de um policial, que o levou para uma noite no Juizado de Menores. Quando Wozniak voltou a Homestead – castigado, embaraçado, mas sem acusações formais contra ele –, recebeu uma salva de palmas de pé dos colegas de classe.

Toda vez que os estudantes procuravam a ajuda de John McCollum com algum oscilador temperamental, ele dava um conselho útil. Mas McCollum ensinava seus pupilos sobre eletrônica, não computadores. Os estudantes do Homestead que tinham interesse em computadores no final dadécada de 1960 não eram apenas uma minoria na escola, mas podiam ser contados nos dedos de uma mão. Eletrônica e computadores eram assuntos masculinos, apesar de a maioria dos garotos a considerá-los um passatempo esquisito. Esse interesse peculiar ultrapassava diferenças de idade e escolaridade e reunia os solitários. Eles escondiam suas diversões privadas – ou melhor, sua obsessão – entre suas casas e a sala de aula.

Em Homestead, Wozniak começou a passar suas aulas observando o vazio, por trás de grossos óculos, e rabiscando diagramas de circuitos a lápis em blocos de escrever amarelos. Sua irmã disse: "Eu sentia pena dele na escola. Ele era solitário e sofria em virtude da sua natureza e porque não se enquadrava em nenhum grupo. Sempre gozavam dele. Eu sempre me senti na obrigação de protegê-lo". Mas Wozniak, diferentemente de sua irmã, não se sentia preso às atitudes convencionais de Sunnyvale ou restrito pelo código de vestuário de Homestead. Ele tinha uma aversão enorme a maconha e outras drogas, não via problemas em aceitar alertas sobre seus perigos e contou a seus pais quando encontrou sementes suspeitas no quarto de sua irmã. Sua mãe reconhecia as tendências do filho: "Ele era um caretão na escola... e não fazia muito sucesso com as garotas". Wozniak era o Sr. Quadrado.

Deixado com seus brinquedos, ele colecionou prêmios de eletrônica nos últimos anos de escola e foi eleito presidente dos clubes de Matemática e Eletrônica. Wozniak começou a desenhar circuitos para uma máquina que conseguia fazer adições e subtrações e gradualmente foi acrescentando funções a ela. Ele conseguiu descobrir como lidar com problemas mais complicados, como multiplicações, divisões e até raiz quadrada. Allen Baum, dois anos mais novo que Wozniak, ficava intrigado com os riscos e as linhas. "Perguntei-lhe o que ele estava fazendo e ele disse: 'projetando computadores.' Fiquei superimpressionado."

Baum, um garoto magro de olhos castanhos, havia vivido na suburbana New Jersey até os treze anos. Sua família então se mudou para a Califórnia, onde seu pai, Elmer, começou a trabalhar no Instituto de Pesquisa Stanford. Mais tarde ele concluiu: "Eu ficaria totalmente para trás em New Jersey. Sempre soube que eu seria um engenheiro e que um dia iria aprender Eletrônica". Ele passeava em volta da sala do imponente computador SRI, olhando as máquinas com um olhar de desconfiança, até seu pai lhe mostrar como operar um terminal: "Em uma hora, Allen estava fazendo coisas que eu não sabia fazer".

Diferentemente de Wozniak, Baum não havia competido em feiras de ciência, mas compartillhava de seu interessse em teoria e *design* de computadores. Quando Wozniak convenceu McCollum a achar algum lugar onde ele pudesse aprender mais sobre computadores, Baum foi incluído nos planos. Um amigo de McCollum arranjou que os dois estudantes passassem todas as tardes de quarta na sala do computador da GTA Sylvania, uma companhia que fazia equipamentos eletrônicos para os militares. Por um ano escolar inteiro, os dois adolescentes fizeram viagens semanais à mesa de recepção da sede da Sylvania, em Mountain View.

Eles assinavam o livro de visitas, pregavam crachás de plástico em suas camisas, esperavam por um acompanhante e atravessavam o corredor até a trancada porta de metal que dava para a sala do computador, onde o barulho monótono do IBM 1 130 transformava as conversas em gritos a plenos pulmões. O chão de ladrilhos brancos vibrava sob o peso do computador que ocupava um gabinete do tamanho de um armário francês do século XVIII. Um teclado grande e sisudo podia ser utilizado para inserir comandos. Programas para produzir itens, como a folha de pagamentos, eram perfurados em feixes de cartões marrons delgados que eram introduzidos em um leitor de cartões. A informação necessária pelo computador era armazenada em fileiras de cartuchos de fita magnética, que preenchiam as paredes e pareciam enormes gravadores de rolo, enquanto uma impressora barulhenta, como as utilizadas em telégrafos, batucava letras.

Esse era o primeiro grande computador – o primeiro *mainframe* – que Wozniak tinha visto. Durante aquele ano, Wozniak e Baum aprenderam dicas, truques e uma educação fragmentada. O pessoal da Sylvania mostrou a Wozniak um compilador, o *software* que transforma comandos inseridos em linguagem de computador formados por letras e números comuns em código de máquina binário que o computador pode digerir. Wozniak ficou surpreso. "Eu não sabia que o compilador era um programa. Eu achava que um compilador era um componente de *hardware* e ficava apontando para caixas perguntando 'esse é o compilador'?" Os programadores da Sylvania também acabaram com a dificuldade que ele havia tido ao tentar projetar uma calculadora capaz de multiplicar grandes números, mas os dois adolescentes preferiam programar a inserir instruções.

Eles escreviam programas na linguagem de programação FORTRAN, perfuravam-nas em cartões de papelão e alimentavam o computador pelo seu leitor de cartões. Usavam o computador para elevar números a muitas potências e observavam a impressora escrever laboriosamente os resultados. Também colaboraram em um programa para fazer um cavalo pular em um tabuleiro de xadrez, pousando em um quadrado diferente a cada movimento. Na primeira vez em que eles rodaram o programa, nada aconteceu. O computador ficou completamente parado, enquanto o ar-condicionado zumbia. Eles reescreveram o programa, instruindo o computador a reportar o progresso depois de o cavalo executar cada movimento. Ele reportou as primeiras duas dúzias de movimento bem rapidamente, depois começou a demorar e finalmente parou.

Um dos programadores da Sylvania contou aos dois sobre um atalho matemático para estimar quanto o programa levaria antes de dar uma resposta para a peregrinação do cavalo. Wozniak tentou o procedimento e achou a resposta desconcertante. "Eu calculei que ele levaria de 10 a 25 anos para achar uma única solução. Não dava para esperar tanto assim." Depois de Wozniak passar alguns meses na Sylvania, McCollum o deixou dar uma palestra sobre computadores para uma das aulas de Eletrônica da Homestead. "Foi uma palestra muito boa. Apenas uma coisa estava errada: ele devia tê-la ministrado a alunos de um curso superior."

As visitas à Sylvania, o privilégio de poder utilizar um computador e as dicas que escapavam das bocas dos programadores não apenas eram o ponto alto da semana de Wozniak, como também geraram outras atividades. Junto com Baum, ele começou a frequentar o Centro do Acelerador Linear de Stanford, cujo propósito era bem mais rigoroso que seu acrônimo (SLAC, em inglês, que lembra *slack*, frouxo, negligente) fazia parecer. O interesse da dupla não estava nos elétrons disparados em um túnel de concreto de três quilômetros que corria como um espeto gigante embaixo da estrada estadual 280 e atravessava os campos perto de Woodside. Eles caminhavam em direção aos prédios da administração do SLAC, situados em um morro com vista para Palo Alto e para a torre Hoover da Universidade de Stanford. Lá, eles passeavam ao redor da sala de computadores e inspecionavam o IBM 360 do SLAC, um computador *mainframe* que era o carro-chefe da linha da IBM no final da década de 1960. Eles podiam utilizar um dos perfuradores de cartão do SLAC para preparar programas que seriam rodados no IBM menor da Sylvania.

Mas a biblioteca era a grande atração. Os dois passavam tardes de sábado e domingo vasculhando as pilhas de livros, lendo revistas e devorando manuais de computadores. Poucos lugares ao redor da península tinham preciosidades como aquelas. As bibliotecárias da SLAC assinavam revistas que eram leitura obrigatória para programadores e engenheiros: *Datamation*, *Computerworld*, *EDM* e *Computer Design*. A maioria das revistas trazia cartões de pesquisa que convidavam os leitores a assinalar caixas ao lado das empresas das quais eles gostariam de receber informações. Logo a caixa postal dos Wozniak ficou abarrotada com grossos envelopes contendo folhetos, apresentações de produtos e manuais dos mais novos computadores. Eles traziam etiquetas com nomes como Digital Equipment Corporation, Data General, Scientific Data Systems, Data Mate, Honeywell e Varian. Quase todas essas empresas faziam minicomputadores, versões reduzidas dos *mainframes* do tamanho de uma sala.

Batizados como uma referência às estreitas e minúsculas saias popularizadas pela lojas de Carnaby Street em Londres, os minicomputadores não eram maiores que um conjunto geladeira-freezer para uma família de seis pessoas. Os fabricantes de minicomputadores, assim como as empresas que projetavam satélites e foguetes, capitalizavam sobre o grande avanço da miniaturização eletrônica. Conforme os fabricantes de semicondutores desenvolviam suas técnicas de manufatura, eles apertavam um número cada vez maior de transistores em placas de silício. Isso permitiu que empresas como a Digital Equipment produzissem computadores que, mesmo não atingindo o mesmo desempenho de um *mainframe* da época, eram mais poderosos que *mainframes* produzidos cinco anos antes. Todo gráfico que aparecia nas revistas do ramo comparando preço e desempenho mostrava que essas máquinas ficariam cada vez mais baratas e mais poderosas.

Mas, mesmo os minicomputadores sendo bem menores que os *mainframes*, ainda necessitavam de apêndices que eram verdadeiros trambolhos. Programas eram inseridos em fitas de papel. A memória era formada por dúzias de pequenas peças de ferro em forma de rosquinha ligadas por cabos e montadas em blocos do tamanho de pacotes de cigarro. Os resultados dos programas eram mostrados em uma impressora de teletipo. Os manuais e guias de bolso revelavam uma parte da complexidade de tentar controlar o fluxo de milhões de *bits* se movendo em todas as direções. O *Small Computer Handbook* (Guia do Pequeno Computador), da Digital Electronic Corporation, que os analistas da Sylvania deram para Wozniak, transformou-se em um clássico da indústria por revelar quase tudo sobre o computador. Ele incluía descrições detalhadas das idiossincrasias da unidade central de processamento, apresentava os passos para gerenciamento de memória e as maneiras para fazer as conexões com a máquina de teletipo, além de trazer fluxogramas para ajudar a escrever e testar programas.

As revistas de computadores eram acompanhadas por literatura mais especializada: as revistas sobre componentes. No final da década de 1960, estas se focavam nos circuitos integrados, os *chips* fabricados por empresas como Fairchild, Signetics, Synertek, Intel e Motorola. Para Wozniak e Baum, essas revistas eram quase tão importantes quanto as revistas de computadores e os manuais. Apesar de nenhum fabricante de semicondutores fazer um *chip* que se comportasse sozinho como um computador, alguns faziam *chips* que, com alguma engenhosidade, podiam ser combinados para agir como um. As próprias empresas divulgavam detalhes sobre funções e desempenho de seus novos *chips* no que chamavam de "folhas de dados", que eram entulhadas com informações técnicas. Esses folhetos eram itens altamente procurados. Projetar um computador decente, algo que se aproximasse daquele mundo distante, o estado da arte, requeria familiaridade íntima com os diagramas e detalhes das folhas de dados.

Mesmo decorando o *Small Computer Handbook* da DEC, o Varian 620i foi o primeiro minicomputador que Wozniak inspecionou de perto. Ele era embalado em um gabinete marrom com filas de comutadores preto e branco no painel frontal. Pela primeira vez, Wozniak tentou projetar sua própria versão de um minicomputador, com *chips* que ele mesmo havia selecionado: "Eu não sabia como fazer um computador inteiro, mas entendia o que era um computador". Ele começou a compreender as camadas entre um programa que um usuário digitaria em um computador e o coração da máquina. Focou seu projeto nesse coração e entendeu que era necessário um conjunto de instruções precisas, que formavam um código para controlar a máquina.

Ainda que não houvesse dominado todas as nuances do *design* de computadores, Wozniak já tinha a ideia fixa de usar o mínimo de peças possíveis. Ele adorou quando descobriu uma forma de combinar ou eliminar portas lógicas, isto é, os circuitos que formam a base da lógica digital. Quando apareciam *chips* contendo circuitos que podiam substituir várias portas, eles eram motivo de júbilo. Wozniak começou a se concentrar em fazer as peças desempenharem o maior número de funções possíveis: "Comecei a buscar altos níveis de integração". Os pais de Wozniak e Baum estavam assombrados com o progresso de seus filhos. Como muitos outros adolescentes, eles estavam livres das distrações opressivas da vida e tinham o privilégio de ter tempo suficiente para perseguir suas obsessões.

Wozniak e Baum logo escolheram seus minicomputadores favoritos e as estantes de seus quartos começaram a entortar por conta dos livros sobre computadores. Eles começaram a perceber a diferença entre computadores, entre *designs* inteligentes e mal feitos. Eles apreciavam funcionalidades obscuras, como o jeito que algumas máquinas lidavam com pontos decimais flutuantes. Ocasionalmente, um nome ou apelo cosmético atraía sua atenção, como o Skinny Mini, batizado de acordo com seu gabinete. Elmer Baum disse: "Depois de três meses eu desisti. Eles estavam projetando computadores e eu não conseguia entender sobre o que eles estavam falando".

Quando Wozniak deixou a escola e foi para a faculdade, levou seus interesses com ele. Fora rejeitado pela escola do seu pai, a Cal Tech, e depois de um dia miserável no Colégio Comunitário De Anza, em Cupertino, ele se inscreveu na Universidade do Colorado, em Boulder. Jerry Wozniak via com suspeita as tentativas de seu filho de abandonar a Califórnia e se unir a alguns amigos de escola: "Stephen não estava preparado para entrar na faculdade e sair de casa ao mesmo tempo." Um dos itens colocados em sua mala era um oscilador que tinha sido alterado para embaralhar a recepção de TVs. Wozniak começou a interferir nas palestras em circuito fechado, fazendo os professores tentar ajustar os aparelhos de TV. Ele ficava mexendo no oscilador até os professores se contorcerem, convencidos de que, se mantivessem uma perna ou braço no ar, a interferência desapareceria. Ele também conseguiu enfurecer alguns colegas de classe ao atrapalhar a transmissão de uma corrida do Kentucky Derby quando os cavalos estavam cruzando a linha de chegada.

A vida de Wozniak no Colorado girava ao redor do computador de controle de dados da Universidade, o CDC 6400. Ele leu os manuais do computador, aprendeu mais algumas técnicas de programação em FORTRAN e também se familiarizou com outra linguagem de computação, o ALGOL. Para os administradores do colégio, Wozniak era um incômodo que passava muito tempo pendurado na sala do computador e tempo demais usando o computador. Ele rodou alguns programas que cuspiam folhas e folhas de papel dizendo FODA-SE, NIXON E PAPEL PARA O LIXO. "Eu passava dezenas de horas com o computador para cada hora de aula." Sessões de *bridge* na madrugada e passeios de centenas de quilômetros para comer hambúrgueres também não ajudaram seu desempenho acadêmico. Ele ficou marcado por um dos diretores e ameaçado de expulsão. Wozniak retaliou contratando um advogado para escrever uma carta ameaçadora, mas isso não melhorou sua situação. Ao final de seu primeiro ano, ele deixou o Colorado com uma mala cheia de projetos de computadores mais refinados e um monte de notas F. Voltou para a casa dos pais em Sunnyvale, onde se inscreveu mais uma vez no Colégio Comunitário De Anza.

Em casa novamente, Wozniak voltou a ser arrastado ao mesmo pequeno círculo de rejeitados, às folhas de dados e às feiras de ciência. Ele e Allen Baum assistiam às mesmas aulas no De Anza quando Elmer Baum se inscreveu em um curso que ensinava a linguagem de programação FORTRAN. Depois de algumas semanas, ele caiu fora e sua admiração pela capacidade da jovem dupla aumentou. Wozniak angariava a ira de outros professores por brincar com desenhos de computador em aulas de álgebra.

No final do ano, ele e Baum encontraram por acidente trabalhos de verão. Eles estavam procurando pelo escritório local de uma companhia de minicomputadores quando passaram pela sede da Tenet, uma pequena empresa que estava tentando fabricar computadores para clientes como o Departamento de Trânsito da Califórnia. A dupla conseguiu emprego como programadores e, apesar de Baum sair rapidamente para começar seus estudos no MIT, Wozniak continuou e aprendeu como programar um sistema capaz de atender a vários usuários simultaneamente. Ele dava pulos ocasionais em Los Angeles – "Eu queria casar com minha prima de lá, mas ela nunca gostou de mim" – e ficou na Tenet até que ela caiu vítima da recessão de 1972 e ele entrou para a fila do salário-desemprego.

Enquanto isso, ele aprendia muito mais sobre *design* de computadores, de um jeito meio improvisado. Leu cópias de apostilas de computador da Xerox que Baum enviava pelo correio do MIT e continuava visitando feiras de ciência. Durante uma dessas visitas, deparou-se com um item muito interessante. O equipamento que lhe chamou a atenção era uma máquina mecânica que executava passo a passo várias instruções. A cada passo, ela fora programada para emitir determinados sinais. Wozniak copiou a apresentação que acompanhava a máquina e a levou para ler em casa. Ele traduziu o conceito para a eletrônica e teve a ideia de um circuito que passaria por muitas operações simples em uma sequência ordenada antes de executar uma instrução: "De repente, entendi passos sequenciais. Soube imediatamente que eu poderia projetar computadores de um jeito que não teria conseguido um dia antes. É algo que você simplesmente sabe. Assim que uma boa ideia aparece, você sabe que ela levou você a um novo patamar".

Essa lição autoensinada foi uma ajuda considerável quando Wozniak se embrenhou pelas entranhas do minicomputador Nova, da Data General. Projetado por um time de egressos da Digital Equipment Corporation, o Nova ganhou reputação pelo seu *design* inteligente e agressivo. Um pôster chamativo que a empresa enviava pelo correio era um item de colecionador no pequeno mundo dos fãs de computador. Tanto Wozniak quanto Baum o tinham pendurado na parede dos seus quartos junto a seus ídolos, e o primeiro explicou a atração: "Não havia nenhum outro computador no mercado que parecia poder ser colocado em cima de uma mesa".

O Supernova da Data General era uma máquina de 16 *bits* – podia gerenciar 16 dígitos binários simultaneamente – e tudo, exceto a memória, era montado em uma única placa laminada. Mais de cem *chips* semicondutores eram plugados em buracos na placa verde e ligados por tortuosos traços de solda. As linhas de solda eram desenhadas no que era conhecido como placa de circuito impresso, que formava um dos elementos básicos dos computadores. Os *chips* montados na placa-mãe controlavam as funções mais importantes da máquina. Quase todos os aspectos do computador da Data General eram um exemplo dos avanços da eletrônica. No entanto, embora a lógica aritmética do computador fosse muito mais avançada, ainda era semelhante ao Adicionador-Subtrator que Wozniak projetou quando tinha treze anos. Mas aquilo que em 1963 exigia uma placa enorme e centenas de peças agora, em 1970, era contido em um pedacinho de silício.

Junto com Baum, que passava suas férias de verão na Califórnia, Wozniak começou a criar sua própria versão do Nova. Ele escreveu para a Data General pedindo mais informações e recebeu centenas de páginas de documentos internos da empresa. Os dois juntaram folhas de dados sobre novos *chips* produzidos pela Fairchild Semiconductor e Signetics, mergulharam em especificações técnicas e selecionaram aqueles que atendiam suas necessidades. Eles desenharam esquemas – diagramas que ilustravam como os *chips* seriam interligados – para um par de versões diferentes do computador. Um utilizava os *chips* feitos pela Fairchild; o outro usava os *chips* da Signetics.

Wozniak era a força motriz do projeto, mas Baum era bem mais que uma agitadora de torcida. Ele conhecia cada aspecto do *design* e sugeria como o máximo de poder podia ser extraído dos *chips*. Eles se concentraram na eletrônica digital e desprezaram problemas mundanos. Baum relembra: "Nós não nos preocupávamos com coisas como a fonte de força". Em certo momento, eles consideraram construir sua própria versão do computador, encheram uma pasta de esquemas e escreveram para empresas pedindo peças. Wozniak lembra: "Todo computador que eu projetava, eu pretendia construir. Conseguir as peças era o grande problema".

O desafio de projetar várias versões diferentes do Nova deu a Wozniak algumas lições iluminadoras. Para ajudar seu filho a entender algumas sutilezas, Jerry Wozniak arranjou-lhe um encontro com o *designer* de um *chip* semicondutor da Fairchild. O engenheiro explicou que o número de *chips* utilizados em um projeto era apenas um dos aspectos do objetivo final. Ele contou a Wozniak que o espaço ocupado pelos *chips* em uma placa de circuito impresso importava tanto quanto o número de *chips*. A partir daí, Wozniak começou a focar no objetivo duplo de combinar o menor número de *chips* possível no menor espaço.

A experiência com o Nova levou Wozniak a um novo desafio. Ele decidiu construir seu próprio computador. Conseguiu motivar o interesse de um de seus colegas de vizinhança, Bill Fernandez, em ajudar no esforço. Eles se conheciam há vários anos e seus pais jogavam golfe juntos. Ainda que fosse vários anos mais novo que Wozniak, Fernandez, com suas feições finas, marmóreas e tensas, tinha um amplo espectro de interesses. Ele virou um adepto da fé Bahá'í, estudou *aikidô* e parecia ser o tipo de pessoa que se sentiria confortável no Japão feudal como aluno de um guerreiro samurai. Ele também era atraído por feiras de ciência e, certo ano, apresentou uma fechadura elétrica que tinha interruptores achatados pregados em um pedaço de compensado. Ele construía sirenes de osciladores, era, admitiu prontamente, meticuloso e competente e não era levado por impulsos ou vontades momentâneas. Ele era diligente, habilidoso e tinha jeito para instalar equipamentos, como rádios de carro.

Em seu último ano na classe de Eletrônica de McCollum, Fernandez trabalhou como técnico em um laboratório de sistemas espaciais da NASA. Lá, ele construiu, testou e modificou circuitos, aprendeu sobre técnicas especiais de soldagem e como conectar circuitos apropriadamente e ouviu palestras sobre os perigos de se mexer com fios. Fernandez desencavou um canto da garagem de seus pais para trabalhar em seu *hobby*. Instalou suas próprias prateleiras e bancada entre o aquecedor de água e a secadora de roupas: "Espaço na garagem era uma batalha constante. Eles diziam que eu tinha um quarto da garagem quando, na verdade, era um dezesseis avos". Mas a garagem dos Fernandez era um espaço suficiente para construir a máquina de Wozniak.

Wozniak sabia o que queria de seu computador. "Eu queria projetar uma máquina que faria alguma coisa. Em uma TV, você gira um botão e ela faz alguma coisa. Em um computador, você aperta um botão e algumas luzes se acendem." Para construir uma máquina que piscasse, Wozniak e Fernandez saíram à caça de peças em alguns fabricantes de semicondutores. A Intel lhes forneceu oito *chips* de memória, cada um capaz de armazenar 256 *bits*. A Intersil deu um par de *chips* caros que continham unidades lógicas aritméticas. Eles pegaram alguns comutadores de um lote de amostras que pertenciam a um vendedor de uma empresa de componentes, diodos de luz de um engenheiro da Monsanto e um quadro de metal de uma pilha de refugos da Hewlett-Packard. A maior parte das peças veio de dois engenheiros de aplicações da Signetics. Wozniak e Fernandez espalharam seus troféus na sala de estar deste último e separaram os adicionadores, multiplexadores e registradores. Eles checaram os números seriais das peças com as folhas de dados e os armazenaram em filas de pequenos envelopes pardos cuidadosamente etiquetados.

Ao se organizarem para o trabalho, uma divisão de cargos surgiu. Wozniak projetava o computador num par de folhas de um bloco de notas e concentrava o *design* lógico. Fernandez desenhava os circuitos de tempo e os que ligavam o computador às luzes. Wozniak assistia a seu jovem amigo, que ainda estava no segundo grau, brincar de técnico e montar o computador: "Ele não tinha nenhuma formação de Engenharia, mas sabia como construí-lo com fios esticados e um ferro de soldar. Era lento, mas cuidadoso e muito metódico". Por várias semanas, os dois gastaram suas tardes e seus fins de semana construindo o computador e bebendo uma quantidade considerável do refrigerante Cragmont Cream Soda durante o processo. Fernandez ia de bicicleta até a loja da Safeway mais próxima com os cascos e trocava por dinheiro para comprar as poucas peças de que eles ainda precisavam.

O Computador Cream Soda era uma versão reduzida dos minicomputadores que Wozniak adorava – "Era o *hardware* mínimo absoluto" – e o *design* era ditado pelas peças de prateleira que estavam nos envelopes pardos. O centro da máquina era formado por duas unidades de lógica aritmética de 4 *bits* que Wozniak juntou uma atrás da outra para formar um computador de 8 *bits*. O computador foi montado em um quadro de metal. Uma placa trazia os *chips* e uma menor continha os circuitos temporais – um oscilador de cristal e circuito divisor de frequência adaptado de um manual da Signetics. Fernandez prendeu oito comutadores em buracos que furou em uma peça de baquelite.

Assim que o Computador Cream Soda estava finalizado, Wozniak começou a exercitar seu controle sobre ele escrevendo alguns programas. Os programas eram baseados nas folhas de dados dos semicondutores que mostravam quais instruções eram necessárias para fazer os *chips* realizarem funções como adição e subtração. Ele listou os *bits*, descobriu o código de operação e os escreveu. Todas as instruções eram executadas em cinco passos e seguiam uma sequência particular que Wozniak murmurava para ele mesmo: "carregar; carregar o próximo *byte* da instrução no registrador de endereço da memória; levá-lo através do ALU (unidade de lógica e aritmética) até o registro de saída do ALU; descarregar o registrador de saída do ALU na próxima alocação de memória".

O circuito de tempo, que Fernandez projetou, assegurava que os cinco sinais fossem gerados na ordem certa para cada instrução. Os programas realizavam ações como multiplicar os valores inseridos em quatro interruptores pelos valores inseridos nos outros quatro interruptores e mostravam a resposta por meio de luzes. Wozniak refletia sobre a importância das respostas: "Não consigo explicar por que significa tanto para mim. Multiplicar dois números de 4 *bits* um pelo outro não parece muito, mas conseguir fazer algo que você não conseguiria fazer sem um computador deve valer alguma coisa".

Quando o computador estava quase pronto, Fernandez convidou seu amigo Steven Jobs para uma visita à garagem, para ver o computador e conhecer seu projetista. Jobs ficou, do seu jeito, impressionado com a máquina e com Wozniak: "Ele era a primeira pessoa que encontrei que sabia mais de eletrônica que eu".

Wozniak decidiu revelar sua criação ao mundo e chamou um repórter do *San Jose Mercury* que sua mãe conhecia. O jornalista, acompanhado de um fotógrafo, surgiu no quarto de Wozniak para uma demonstração. Enquanto Wozniak explicava algumas das sutilezas da engenhoca horrorosa que repousava no chão, uma fumaça começou a sair dele, causada por uma descarga de alta voltagem na fonte de força que queimou todos os circuitos da placa. Fernandez examinou a fonte e achou o culpado em um *chip* sem marca que ele havia ganhado em troca de uma limpeza no jardim de um vizinho. Ele ficou frustrado: "Nós não ganhamos nossa foto no jornal nem nos tornamos heróis mirins".

"Ele vende peixinhos dourados,"

disse Goldman.

Dentro de um prédio de tijolos vermelhos do século XIX situado entre lojas de antiguidades, restaurantes e escritórios de advocacia na Barbary Coast em San Francisco, um grupo de quatro homens se reunia para planejar as campanhas da Apple para o próximo ano. Era uma tarde de verão canicular e a sala de conferências, que não tinha nenhuma janela, estava lotada. A sala pertencia à Chiat-Day, uma agência de propaganda de tamanho médio eternamente assombrada pelo boato de que perderia seu maior cliente, a Apple Computer. Um par de plantas de longas folhas murchava num canto em virtude do calor, um projetor de filmes estava escondido atrás de uma folha de vidro fumê e, do lado de um barzinho, uma geladeira zumbia como um pulmão de ferro. Os quatro homens estavam sentados em cadeiras macias ao redor de uma mesa de reuniões.

Henry Whitfield, gerente de *marketing* da Apple, estava muito desconfortável. Apesar de ter trinta e poucos anos, ele já parecia ter rodado por muitos aeroportos e o fantasma de um velho aparecia em suas têmporas. Os outros três trabalhavam para a Chiat-Day: Fred Goldberg, que acabara de se mudar da costa leste e havia assumido a conta da Apple quinze dias antes; Maurice Goldman, executivo de contas que já estava ficando careca aos trinta; e Clyde Folley, outro executivo com ar desligado de barba cuidadosamente aparada. Os quatro estavam reunidos para discutir a imagem geral da Apple e começar a trabalhar em um plano que ajudasse os consumidores a perceber as diferenças entre Apple II, Apple III, Lisa e Mac.

Whitfield, tragando profundamente um cigarro, atacou sua principal preocupação com determinação. Uma campanha de *marketing* para o Apple II havia baixado o preço do computador para 1 995 dólares e teve um sucesso tão grande que a introdução de um novo modelo melhorado foi atrasada por vários meses. Mas Whitfield estava preocupado por a Apple estar baixando o preço de seu computador com melhor venda.

"Existem esses caras na Apple", disse Whitfield, "que dizem 'vamos fazer barulho com o preço'. Mas aí a mão esquerda diz 'não anuncie preço' e a mão direita diz 'promova o preço acima de tudo.' Nós ficamos parecendo idiotas se a mão direita não sabe o que a mão esquerda está fazendo. Eu não acho que preço baixo seja uma vantagem para a Apple. O preço do Apple II não é tão baixo quando comparado com outras máquinas. As pessoas não sabem o que o preço significa".

"É quase propaganda enganosa", concordou Goldman enquanto esticava as pernas. "Todo mundo, e também seu irmão, precisa comprar uma caixa, *drives*, monitor e impressora. É totalmente falso. A ideia que passa é que eles conseguem um Apple por 1,3 mil dólares. Aí vão até uma revenda e descobrem que precisam gastar 1,3 mil dólares e sair sem um computador." Ele fez uma pausa e continuou: "E irados".

"Facilita para as pessoas a compra por preço", disse Whitfield, balançando desconsolado a cabeça.

"O preço sugerido de 1 995 dólares", elaborou Folley, "representa uma perda de 8% para as revendas. As revendas estão ficando apertadas".

"Nós temos quinze ações contra nós de clientes de venda direta por tabelamento de preços", disse Whitfield, batendo na mesa com o punho. "Você consegue vê-los tentando convencer um juiz, lamentando sobre essa pequena loja contra um grande fabricante. É concebível que um juiz possa dizer que houve tabelamento. Nós queremos passar uma imagem como Sony ou IBM. Você não vê esses caras veiculando anúncios com preços."

"Todo nosso posicionamento estratégico", disse Goldman, "é o de ampliar a posição da Apple. Temos de acrescentar preferência de marca. Existe muita gente que não sabe nada sobre PCs. As pessoas não sabem nem que elas precisam dessas coisas e nós estamos tentando vender a elas, com base no preço, algo que elas não sabem se lhes é necessário".

Whitfield começou a reclamar de Paul Dali, diretor de *marketing* do Apple II, que defendia anunciar o preço dos computadores. "Como convencê-lo de que não é uma boa ideia? Ele vendeu 33 mil computadores, ou sei lá que número, em julho. Eu quebrei a cabeça e nós não temos pesquisas suficientes para convencê-lo de que preço não é o caminho."

"É o custo-benefício", disse Goldman.

"Ele precisa dar um passo atrás e olhar para si mesmo como parte de uma organização", sugeriu Goldberg, com o pé apoiado contra a beirada da mesa.

"Como dizer isso diplomaticamente?", perguntou Whitfield.

"Acorde, idiota!", disse Goldberg enquanto alisava sua gravata. Ele refez a sugestão: "Tenha uma perspectiva global".

Depois que as risadas arrefeceram, Goldberg se voltou à questão maior: "A Apple tem de tomar cuidado para não cair na vala comum. Um Apple significa mais que um computador. Apple significa plugar você em uma fonte de energia criativa".

"Não podemos brigar pelo varejão", concordou Goldman. "Temos de mostrar que a Apple é uma marca de escolha. Insista no preço e você vira o barateiro."

"Comece a cortar preços", alertou Goldberg, "e você acaba com a sua diferença. E acaba saindo do jogo certa hora. Se a IBM entra para concorrer com você, você acaba caindo fora".

"Como é que o povão lá fora vai descobrir o que fazer?", perguntou Goldman. "Todos estão se matando pela cabeça do mercado atual, que é apenas 3% do que ainda vai ser."

"E tem a história da imagem corporativa", disse Whitfield, "o Crocker Bank não vai querer comprar um computador de uma empresa qualquer só porque ele custa 1 195 dólares".

Whitfield, que aparentava ter o destino e as necessidades da empresa sobre seus ombros, apontou: "A Apple não é como a General Foods. Na General Foods, o cara do café solúvel não tem de se preocupar em atrapalhar o cara da gelatina. Eles são separados. Na Apple, cada gerente de produto afeta outros gerentes de produto".

"Todo gerente quer vender produtos", disse Goldberg.

"Sim", Whitfield concordou, enquanto substituía seu cigarro por um chiclete e continuava a iluminar Goldberg sobre os caminhos da Apple. "Na Apple existe uma discordância fundamental. O trabalho de Dali é vender produtos, mas outros querem vender imagem e a ideia de que um computador é mais do que apenas um computador. Saindo a 1 995 dólares nós estávamos muito caros. Estávamos vendendo uma máquina acima de seu preço. De repente chegam a IBM e a Osborne dizendo: 'Nós vamos lhe dar mais que a Apple por 1 795 dólares.' Aí nós baixamos o preço dizendo: "Ei, Sr. revendedor! Nós gostamos tanto de você que vamos tirar 8% da sua margem de lucro".

"Quais são os objetivos corporativos?", perguntou Goldberg.

"Restabelecer a Apple como uma empresa que não está atrás em tecnologia", respondeu Whitfield. "Estamos pendurados pelas cuecas. A percepção é de que estamos empurrando máquinas velhas. Precisamos mostrar que a Apple está de volta aos trilhos. O público não sabe aonde estamos indo e nós não temos dinheiro para propaganda suficiente para enfiar isso na cabeça deles. Eles ouviram todos os rumores: 'Nossa, eles estão desatualizados. Eles estão atrasados com os novos produtos.' Precisamos reforçar a impressão de que a Apple está aí fora com uma linha completa de novos equipamentos."

"Se vocês fizerem muito barulho sobre a nova interface, correm um sério risco de abalar as vendas do Apple II e III", disse Goldberg.

"Temos de mostrar que a Apple é 'A' fabricante de computadores", acrescentou Maurice Goldman. "O povão não sabe a diferença entre oito e dezesseis *bits*, muito menos entre um *mouse* e uma tela de fósforo verde."

"Preço não é novidade", repetiu Whitfield. "O usuário não sabe se um preço é justo ou não."

"Tecnologia é a novidade", tentou sugerir Folley.

Whitfield embarcou em um caminho diferente de repente: "Estive olhando os números das revendas", disse ele, "A IBM está ficando muito esperta. Eles têm 495 pontos de venda agora. Adicionaram revendas como loucos. Nós temos apenas 490 boas revendas. A IBM foi atrás apenas dos caras que não costumam dar desconto. Os vendedores da Computerland nem pensam em vender Apple. O que devemos fazer é comprar uma revenda, comprar cinquenta caminhões de máquinas IBM e vendê-las por 500 dólares para acabar com o preço deles. Precisamos pôr dois advogados fungando no pescoço deles para acusá-los de tabelamento de preços". Ele recuperou seu fôlego. "A IBM não corre riscos nesse mercado".

Goldberg voltou a insistir na questão do preço. "Nós temos centenas de milhões amarradas na imagem. Se baixamos o preço, baixamos nosso valor de mercado. Estamos denegrindo a franquia."

"A Apple faz dinheiro com as caixas", enfatizou Whitfield. "Nossa estratégia é reduzir as margens de acessórios, periféricos e *software*."

"Mas existem revendas que dão desconto nas caixas", retrucou Folley.

"Como Billy Ladin", disse Goldman.

"Quem é esse?", perguntou Goldberg.

"Billy Ladin é um revendedor no Texas", explicou Goldman. "Tem cerca de quatro lojas e vende peixinhos dourados."

"Peixinhos dourados?", perguntou Goldberg, confuso.

"Sim", respondeu Goldman. "Peixinhos dourados. Ele diz 'Eu dou os peixinhos de graça. O garotinho corre para casa e uma hora depois volta com cinco dólares da mãe e aí eu lhe vendo o aquário, as pedras e a comida'."

Voltando ao problema causado pela introdução dos novos computadores. Whitfield assinalou: “Nós temos uma imagem de uma empresa de um tiro só. Queremos ser sua empresa de computadores pessoais. Não estamos só vendendo o Lisa. Se fosse minha companhia, eu estaria dizendo que essa interface é a melhor coisa desde a banana fatiada e que todos os outros são obsoletos. Eu promoveria eventos em todas as cidades do país. Anunciaríamos o Lisa e botaríamos no mercado. Mas agora não podemos. Já nos queimamos tanto com prazo na Apple que eu sei o que é que vai acontecer. Ele vai atrasar. Daí vão começar os rumores de que o Mac é uma versão mais barata do Lisa e o povo vai começar a se perguntar por que gastar dinheiro com um Apple II ou III se basta esperar alguns meses e comprar um Mac.”

“Nós queremos ser sua empresa de computadores pessoais”, ecoou Folley. “Não vamos lançar o Lisa.”

“Isso aí”, concordou Goldberg.

“A questão não é o Apple, mas qual Apple”, acrescentou Goldman.

“Dessa forma”, disse Goldberg, “não corremos nenhum risco inútil. Não existe lado ruim assim”.

“Nós temos o *slogan*”, disse Whitfield. Ele apontou para Goldman. “Ele me deu um *slogan*. Era tão memorável que eu já esqueci.”

“Evolução. Revolução”, disse Goldman.

Goldman explicou que Regis McKenna, o chefe da agência de relações-públicas contratada pela Apple, estava tentando conseguir histórias na imprensa que coincidissem com o encontro de acionistas da empresa e o lançamento do Lisa. “McKenna está falando em conseguir a primeira página do *The Wall Street Journal* e uma capa da *Business Week*. Isso ampliaria o lançamento desses produtos na imprensa.”

“A reunião dos acionistas deveria refundar a Apple”, disse Goldberg. “Deveria restabelecê-la como a empresa de computadores pessoais de todo o mundo.”

“Eles deveriam dizer: ‘compre ações, compre computadores, compre tudo’”, disse Goldman.

Os quatro tinham de lidar com o fato de que haveria um buraco de quatro a cinco meses entre o anúncio do Lisa e o dia em que ele realmente estaria disponível nas revendas.

"Quando o Lisa estiver nas lojas, faremos uma campanha corporativa", disse Whitfield. "Ela dirá: 'Veja esse computador maravilhoso operado com um *mouse*.' Depois, quando o Mac estiver no mercado, começaremos uma campanha dizendo que computadores com *mouse* estão dominando o mundo."

"Você se preocupa", perguntou Goldberg, "que outro concorrente consiga sair na frente nisso?"

Goldman acalmou seu medo: "Temos uma boa equipe de espionagem. A não ser que haja um projeto altamente secreto."

"No dia da reunião de acionistas, alguém vai subir no palco e anunciar o Lisa", disse Whitfield.

"O que acontecerá se a imprensa apertar McKenna sobre um Lisa de baixo custo?", perguntou Goldman.

"Se fizerem isso, estamos mortos", disse Whitfield. "Estaremos em maus lençóis. Isso mataria as vendas. Se perguntarem, teremos de dizer que uma linha de computadores semelhantes ao Lisa de baixo custo será lançada em dois anos."

O Maestro

Stephen Wozniak, Bill Fernandez e Steven Jobs acabaram vendo suas peculiaridades pelos olhos delatores dos amigos. Eles eram introspectivos e enrolados na privacidade de seus próprios mundos. Quando paravam para olhar, cada um achava o outro tímido e retraído. Eles eram solitários. Fernandez encontrou Jobs pela primeira após este chegar a Cupertino Junior High School. "Por algum motivo, os alunos da oitava série não gostavam dele porque achavam que ele era estranho. Eu era um dos seus poucos amigos." Nem Jobs nem Fernandez eram tão obcecados por eletrônica como Wozniak. Eles não se debruçavam sobre manuais de computadores nem perambulavam em salas de computador ou passavam horas analisando instruções em folhas de papel, mas achavam a eletrônica um passatempo divertido e estimulante.

Fernandez e Jobs se reuniam no silêncio de suas garagens. Eles lutavam com sua ignorância conjunta para construir uma caixa com uma célula fotoelétrica que, quando uma luz se acendia, apagasse ou acendesse outra lâmpada. Não sabiam matemática o suficiente para elaborar um modelo, mas desenhavam diagramas e tentaram construir o equipamento com relés, transistores e diodos. Quando Paul Jobs começou a trabalhar como operador na Spectra Physics, uma empresa especializada em *lasers*, Fernandez e Jobs mexeram com as peças de *laser* que, eventualmente, acabavam pingando em Los Altos. Eles tocavam discos de *rock*, balanceavam espelhos em falantes estéreos, apontavam *lasers* para os espelhos e viam imagens projetadas contra uma parede.

Como Wozniak e Fernandez, Jobs achava o espaço providenciado por feiras de ciência irresistível. Quando ainda estava na escola de Cupertino, ele participou de uma feira para a qual construiu um retificador controlado por silício, um equipamento que pode ser utilizado para controlar corrente alternada. Portanto, quando começou a frequentar a escola Homestead, era natural que entrasse para a classe de Eletrônica de John McCollum. Diferentemente de Wozniak, ele não virou o peixinho do professor nem ganhou acesso livre ao depósito de peças, mas caiu fora depois de um ano. McCollum tirou suas próprias conclusões. "Ele tinha um jeito diferente de olhar para as coisas. Eu o desprezei como um tipo solitário. Ele costumava ficar sozinho, pensativo." Em uma ocasião, quando McCollum não lhe conseguiu uma peça que era necessária, Jobs ligou para o departamento de relações-públicas do fornecedor, a Burroughs, em Detroit. McCollum reclamou, "você não pode ligar para eles a cobrar". Steve retrucou, "eu não tenho dinheiro para a ligação. Eles têm muito dinheiro".

Mas o redemoinho da eletrônica era forte o suficiente para intrigar Jobs. Ele fez algumas viagens ao simulador de voo da NASA construído no Moffett Field, em Sunnyvale. Frequentou encontros do clube de eletrônica da escola. Junto com alguns amigos, foi a encontros do Grupo de Exploradores da Hewlett-Packard, nos quais cientistas da empresa davam palestras. Havia aulas sobre algumas das funções inclusas nas últimas calculadoras da HP, desenvolvimentos em diodos emissores de luz e inframetria a *laser*. Depois de uma palestra, Jobs agarrou um cientista e o persuadiu a lhe conceder uma volta pelo laboratório holográfico da Hewlett-Packard e ganhou um velho holograma. Em outra ocasião, ele ligou para a casa de Bill Hewlett, um dos cofundadores da HP, e pediu algumas peças. Hewlett forneceu as peças e ainda deu a Jobs o nome de um contato para que ele conseguisse um trabalho de verão. Ao final de seu primeiro ano no colégio, Jobs passou o verão trabalhando numa linha de montagem, ajudando a construir analisadores de frequência na HP. Estimulado pelos aparelhos que passavam na frente de seus olhos na fábrica, Jobs decidiu tentar projetar seu próprio analisador de frequência, mas nunca completou o projeto.

Os resistores, capacitores e transistores que eram utilizados por Jobs e Wozniak vinham de lojas locais de eletrônica e empresas de vendas pelo correio. Jobs conhecia essas lojas tanto quanto Wozniak. Conforme cresciam e passavam de bicicletas para carros, suas opções de fornecedores se expandiram. A Eletrônica Sunnyvale era um dos lugares mais convenientes. Perto do El Camino Real, tinha papel de parede de pedras falsas, mas seu conteúdo era mais substancial. Armazenava novas peças, dúzias de revistas e manuais e os *walkie-talkies* de dezoito dólares para os quais Wozniak guardara os 35 centavos de seu lanche de escola no primário. Eles aprenderam a evitar a Radio Shack porque consideravam suas peças como de qualidade inferior. A Radio Shack, com seus vistosos sinais de *neon*, era a última opção, um lugar para ser visitado à noite, quando todos os outros estavam fechados.

A Eletrônica Sunnyvale, a Radio Shack e outras lojas, como a Solid State Music, eram humilhadas pela Haltek, que ocupava um prédio marrom-chocolate que tomava um quarteirão inteiro da autoestrada em Mountain View, em frente a três hangares brobdingnaguianos que a Marinha construíra na década de 1930 para guardar aeronaves. Do lado de fora, parecia uma cantina do Exército. Dentro, havia um ferro-velho eletrônico que, como todo ferro-velho, era um cruzamento entre um cemitério e uma maternidade. As barganhas no caixa da frente e os grossos catálogos de peças grudados em pastas pregadas em pinos mostravam o estado da oferta e da demanda no mundo da eletrônica. Alguns itens, normalmente peças pequenas e baratas, eram novíssimos, mas, em geral, levava alguns meses para os últimos lançamentos chegarem à Haltek. Entretanto, a loja também trazia o equivalente eletrônico aos dentes de dinossauro: tubos de vácuo. Um cliente tinha de saber exatamente do que ele estava atrás e mesmo um caçador experiente não conseguia sempre saber se uma peça era fabricada nos EUA ou na Ásia. Era o tipo de lugar onde engenheiros elétricos paravam depois do trabalho e trombavam com garotos empoleirados no topo de escadas de metal em busca do interruptor perfeito entre uma vastidão de botões de apertar, de ação alternada, de alavancas e de deslizar.

Corredores estreitos eram obscurecidos por prateleiras de madeira montadas em suportes metálicos que iam do chão de concreto ao teto que trazia canos cinzentos e luzes de *neon* empoeiradas. Centenas de milhares de componentes enchiam seções feitas de velhas caixas de papelão. Algumas caixas traziam fios emaranhados. Resistores eram empacotados em rolos e haviam prateleiras inteiras dedicadas a capacitores.

As peças de equipamento mais caras eram acondicionadas em gabinetes de vidro ou em corredores mais largos. Alguns tinham nomes exóticos, como o Speedomac da Leeds & Northrup e o Digitest da Honeywell. Até mesmo geradores, que convertem energia mecânica em elétrica, tinham tantas variedades quanto as rosas: sinal e varredura, multivarredura, varredura *ligna* e *varisweep*. De acordo com um visitante habitual, passear por uma loja de equipamentos como a Haltek era "como andar em uma imensa caixa de ferramentas. Ela dava ideia de coisas possíveis". Era também um lugar aonde os engenheiros vinham ouvir sobre máquinas que precisavam de carregadores de pianos para serem instaladas e sobre outras mais leves que uma folha.

Jobs passou alguns fins de semana trabalhando atrás do caixa da Halted Specialties em Sunnyvale. Ele se familiarizou com o valor e a velocidade de saída de peças que iam do último *chip* semicondutor a instrumentos de medição. Certa vez, ele conseguiu espantar Wozniak quando os dois passaram uma manhã de sábado vasculhando o mercado de pulgas de San Jose, uma enorme mistura de venda de garagem com feira de artesanato que parecia atrair todos os urubus ao sul de San Francisco. Jobs comprou alguns transistores que depois revendeu – com lucro – para seu chefe na Halted. Wozniak lembra: "achei que era perda de tempo, mas ele sabia o que estava fazendo".

Mas havia mais na vida de Jobs do que apenas eletrônica. Ele era curioso e aventureiro e aberto às sensações da vida. Passava tanto tempo com atividades artísticas e literárias quanto com analisadores de frequência e raios *laser*. Era atraído por filmes e literatura clássica, estudou Shakespeare, idolatrava seu professor de inglês e estava encantado com filmes como *O Balão Vermelho*. Quando os treinos de natação começaram a comer muito do seu tempo, ele largou a prática e se inscreveu no polo aquático, que também abandonou quando o treinador o encorajou a dar joelhadas no saco dos oponentes. "Eu não era um atleta. Era um solitário, a maior parte do tempo." Alguns colegas de escola, como Mark, irmão mais novo de Stephen Wozniak, achavam Jobs "muito estranho". Durante um tempo, ele tocou trompete na banda da escola.

Com alguns poucos amigos, formou uma gangue chamada de "Buck Fry Club", nome que podia ser transformado em uma mensagem obscena. Eles pintaram de ouro a tampa de uma privada, cimentaram-na em um jardim e ergueram um fusca até o telhado da cantina da escola.

No final do primeiro ano de Jobs no colegial, ele, Wozniak e Baum engendraram uma brincadeira para os graduandos: um lençol *king-size* tingido no verde e branco das cores da escola, que foi desenrolado do lado de um prédio revelando uma mão gigante pintada fazendo um sinal obsceno mundialmente conhecido. A mãe de Baum pintou a mão convencida de que era um sinal brasileiro de boa sorte. Na parte de baixo do lençol, os três combinaram suas iniciais: SWABJOB PRODUCTIONS. Não demorou muito para Jobs ser chamado à sala do diretor para explicações, com Paul Jobs chegando logo em seguida para servir de advogado de defesa.

Steven Jobs também expandiu seus limites tanto em corpo quanto em alma. A chegada de seu primeiro carro, um Fiat cupê vermelho que Paul Jobs considerava pequeno, apertado e não confiável, facilitou as saídas de Los Altos. Jobs descobriu que seu carro o permitia visitar amigos. Diferentemente de muitos alunos do colegial – época em que a diferença de um ano parece uma década – Jobs era amigo de estudantes vários anos à sua frente. Uma dupla estudava em Berkeley enquanto um ou dois estavam em Stanford. Jobs dirigia seu carro temperamental pela baía de San Francisco até Berkeley e gostava também de passar o tempo na cafeteria da Universidade de Stanford. As escapadas para um mundo maior aumentaram seus interesses. Ele começou a fazer experiências com privação de sono e várias vezes se manteve acordado por duas noites seguidas. Começou a fumar maconha e haxixe em um cachimbo e deixou as drogas no carro, onde seu pai as encontrou.

"O que é isso que eu encontrei no seu carro?", perguntou Paul Jobs a seu filho.

"É maconha, pai."

Quando estava no terceiro ano do ensino médio, Jobs conheceu sua primeira namorada. O objeto de suas atenções, Nancy Rogers, estava um ano atrás dele por ter repetido um ano. Com longos cabelos castanhos claros, olhos verdes e zigomas salientes, ela tinha um ar boêmio e uma fragilidade atraente. Rogers vivia a duas quadras da Homestead, em uma casa onde sua mãe e seu pai, um engenheiro da divisão de sistemas eletrônicos da GTE Sylvania, atracavam-se em brigas amargas. "Eu andava perturbada porque minha família estava se separando. Steve era meio maluco. Era por isso que ele me atraía." Seu pai pensava: "Nancy precisava de alguém em quem pudesse se segurar, e Steve era carinhosos com ela". Os dois se encontraram quando Rogers estava trabalhando em um desenho animado que as autoridades escolares não viam com bons olhos. Para escapar da vigilância, boa parte do trabalho no filme era feita após a meia-noite nos prédios fechados da escola. Alguns alunos, como Jobs, apareciam com luzes e toca-discos. Wozniak, que observava essas atividades à distância, elaborava especulações (infundadas), de que seu jovem amigo estava produzindo um épico pornô.

Jobs e Rogers se tornaram namorados de escola. No último ano de Jobs no colegial, eles cabulavam aula, passavam as tardes bebendo vinho e conversando. Era o máximo de vida bucólica que a suburbana Santa Clara podia permitir. Jobs tomou seu primeiro LSD com Nancy em um campo de trigo. "Foi demais. Eu estava ouvindo muito Bach. De repente, o campo de trigo estava tocando Bach. Foi a experiência mais maravilhosa da minha vida até o momento. Eu me senti como o maestro dessa sinfonia de Bach que saía do campo de trigo."

Quando se graduou do colegial, Jobs era um jovem esbelto. A combinação de longos cabelos escuros e uma barba rala convenceu sua mãe a comprar apenas uma foto de formatura. Depois de deixar Homestead, Jobs decidiu passar o verão vivendo com Nancy. Os dois alugaram um quarto em uma pequena cabana nas montanhas com vista para Cupertino e Los Altos. Nancy se lembra de que "não era nada demais. Nós simplesmente resolvemos. Steve era obstinado e meus pais estavam se separando, então nada nos impedia. E estávamos apaixonados". Jobs contou seu objetivo a seus pais.

> "Eu simplesmente disse um dia: 'estou indo morar com Nancy'."
> "Meu pai disse: 'o quê'?"
> "'É, nós alugamos uma cabana. Vamos morar juntos'."
> "Ele disse: 'Não, você não vai'."
> "E eu disse: 'Vou sim'."
> "E ele disse: 'Não vai, não'."
> "E eu disse: 'Então, adeus'."

Jobs e Rogers compartilharam um romântico verão adolescente. Passeavam para espiar pelos portões do Seminário Maryknoll e faziam longas caminhadas no Monte Baldi, onde Rogers pintou um quadro de uma mulher negra em um poste de madeira. Jobs tentava escrever poesia, tocar guitarra e, junto com Wozniak, gostava da música de Bob Dylan. Eles acharam uma loja em Santa Cruz especializada em coisas relacionadas a Dylan, a qual vendia reimpressões de *songbooks*, perfis de revistas e fitas piratas de sessões de gravação e concertos na Europa. Eles levaram alguns dos *songbooks* para o SLAC e os copiaram em uma máquina Xerox. Houve também o desastre ocasional, quando os laços de família se provaram providenciais. Quando o Fiat de Jobs entrou em curto e pegou fogo na Skyline Drive, seu pai o rebocou até sua casa. Para ajudar a pagar pelos danos no carro e manter as contas, Jobs, Wozniak e Rogers arranjaram trabalho no Shopping Center de San Jose, onde vestiam fantasias pesadas e, por três dólares a hora, desfilavam ao redor de crianças em um parque, um verdadeiro *Alice no País das Maravilhas*. Apesar de Wozniak se divertir com o trabalho, Jobs tinha uma visão mais amarga: "As fantasias pesavam uma tonelada. Depois de quatro horas, você queria matar umas crianças". Nancy interpretava Alice. Wozniak e Jobs se revezavam como o Coelho Branco e o Chapeleiro Louco.

A Pequena Caixa Azul

Em um inglês vitoriano e litigioso, a AT&T (American Telephone and Telegraph) descrevia sua política de forma absolutamente clara: "Nenhum equipamento, aparelho, circuito ou ferramenta não fornecido pela Companhia Telefônica pode ser conectado à estrutura fornecida pela Companhia Telefônica". Dr. No, Cheshire Cat, O Snark, Captain Crunch, Alefnull, O Red King e Peter Perpendicular Pimple discordavam. Eles eram os *phreaks*, os *hackers* de telefone que passavam os dias aperfeiçoando caixas azuis – engenhocas eletrônicas do tamanho de maços de cigarro – que utilizavam para fazer chamadas interurbanas sem pagar e importunar, enganar e enfurecer a maior empresa da Terra.

Na época, e particularmente alguns anos depois, as desculpas para brincar com caixas azuis e o todo-poderoso sistema de telefonia americano eram tão diversas e imaginativas quanto os apelidos. A caixa azul oferecia uma oportunidade única para se explorar a mais larga coleção de computadores imaginados pelo homem. Ela fornecia uma introdução sobre a união de *hardware* e *software* em nível mundial. Era apenas um exercício intelectual, um desafio. Trazia satisfação. Chamava a atenção das pessoas, um meio de expressar uma paixão pelo poder, um privilégio poder conversar com alguns dos lendários *phreaks*. Alguns costumavam explicar, na maior cara de pau, que havia vantagens práticas. As caixas azuis, diziam, forneciam circuitos mais diretos e com menos ruídos que os da companhia telefônica. Mesmo eles sabendo que aquilo era ilegal, poucos admitiam que estavam roubando da AT&T, GTE ou qualquer outra das centenas de pequenas companhias telefônicas independentes. "Achamos aquilo absolutamente incrível", explicou Steve Jobs, "você podia construir essas caixinhas e fazer ligações para qualquer lugar do mundo".

Jobs e Wozniak viraram fabricantes de caixas azuis por acaso, quando Margaret Wozniak leu um artigo na *Esquire* e imaginou que ele interessaria a seu filho mais velho. Ela estava certa. Cerca de um quinto do tamanho de um livro normal, o artigo se intitulava "Segredos da Caixa Azul" e trazia o subtítulo "Uma história tão incrível que pode até fazer você sentir pena da companhia telefônica". A história, publicada em outubro de 1971, com certeza estimularia qualquer um com gosto pelo fantástico, principalmente adolescentes que construíam bombas falsas com osciladores e disparavam raios *lasers* em janelas de dormitórios.

Ele falava de uma sociedade subterrânea composta por *hackers* de telefone espalhados pela América em ilhas de solidão emocional cujas melhores amizades eram vozes do outro lado das linhas telefônicas. Entre os personagens notáveis estava Joe Engressia, um homem cego de vinte e poucos anos que conseguia enganar os equipamentos de comutação telefônica com a clareza de seu assobio e Captain Crunch, que adotou esse nome depois de descobrir que o som de apitos de plástico que vinham de brinde em caixas de cereais Cap'n Crunch podia ser utilizado para fazer chamadas de graça. O tom de 2,6 mil hertz produzido pelo apito era idêntico ao sinal de tom básico utilizado pela telefônica para acionar chamadas de longa distância.

Wozniak devorou a história, intrigado pelo ar autêntico dos detalhes técnicos e a maneira como apareciam referências a frequências e ciclos. Antes mesmo de terminar, ele ligou para Jobs, que ainda estava no primeiro ano da escola Homestead, e começou a ler pedaços da matéria. Telefones e o sistema telefônico eram algo a que os dois nunca haviam dado muita atenção, mas caixas azuis eram claramente eletrônicas e prometiam executar uma função muito útil. A história da *Esquire* detonou nos dois uma caça por informações e uma missão de quatro meses para construir uma caixa azul funcional. Eles correram até Palo Alto e vasculharam as pilhas da biblioteca do SLAC à procura de livros que trouxessem mais pistas. A companhia telefônica, assustada com o nível de detalhes divulgados no artigo, pediu para bibliotecas removerem manuais técnicos de telefone de suas prateleiras. Muitos manuais, como o *The Bell System Telephone Journal* e o *The Bell Laboratories Record*, nos quais cientistas orgulhosos revelavam os mais íntimos detalhes de seus trabalhos, haviam desaparecido. A maioria das prateleiras no SLAC estava limpa, mas os faxineiros deixaram passar alguns trabalhos vitais e Wozniak e Jobs acharam o livro *CCITT Masterdata*, que havia sobrevivido à limpeza. Eles correram pelo índice atrás de referências a tons multifrequência e descrições de como construir os circuitos que emitiam os tons, checaram os detalhes e descobriram que eles batiam com as descrições da história da *Esquire*.

Mas construir uma caixa azul funcional eram outros quinhentos. Para começar, a dupla decidiu construir um oscilador para gerar tons que eles pretendiam gravar em fitas cassete. Eles projetaram um oscilador usando alguns circuitos descritos na *Popular Electronics*, mas logo descobriram que era incrivelmente difícil conseguir tons estáveis. Osciladores eram temperamentais e suscetíveis a mudanças de temperatura e o equipamento da telefônica não era tolerante a trabalho porco. Eles passaram horas ajustando o oscilador manualmente, tentando atingir as notas certas, e Jobs media os resultados com seu analisador de frequência. Finalmente, gravaram os tons de que precisavam para fazer chamadas telefônicas, mas ainda não conseguiam fazer o gravador de fita enganar a telefônica.

Sem conseguir dominar as variações das formas de onda e circuitos analógicos dos osciladores, Wozniak voltou suas atenções para um *design* digital. Ainda que uma caixa azul digital fosse algo mais complicado de se construir que um oscilador, ela gerava tons mais precisos. Wozniak era estimulado pela competição informal que havia entre os *hackers* telefônicos para construir caixas azuis compactas. Ele teve de projetar circuitos que convertiam o apertar de botões em sons consistentes e claros. Para ajudar com a aritmética, ele escreveu um programa para rodar em um dos computadores de Berkeley.

Depois de algumas semanas, ele havia construído sua primeira caixa azul digital. Graças a um truque esperto, a caixa, que continha um pequeno falante movido por uma pequena bateria de 9 volts, não tinha botão de ligar. Qualquer botão que fosse apertado a ligava. Jobs e Wozniak tentaram fazer sua primeira ligação para a avó de Wozniak, em Los Angeles, mas discaram o número errado, provavelmente deixando algum morador da cidade desconcertado tentando entender porque alguém gritaria "Funciona! Funciona de verdade. Nós te ligamos de graça".

Para Wozniak e Jobs, rastrear Captain Crunch e encontrar o rei dos *phreaks* se tornou uma missão tão obsessiva quanto construir uma caixa funcional. Eles ligaram para o autor da história da *Esquire*, que, polidamente, se recusou a revelar o nome verdadeiro de Crunch. Jobs então ouviu que Crunch tinha dado uma entrevista para uma estação de rádio FM de Los Gatos. A dupla se dirigiu à estação e novamente foi comunicada que o nome não poderia ser divulgado. Finalmente, sendo o mundo *phreak* pequeno e intimista, outro *phreak* de Berkeley contou a Wozniak que ele havia trabalhado com Captain Crunch na KKUP, uma rádio FM de Cupertino, e que seu nome real era John Draper. Jobs ligou parra a KKUP, pediu para falar com Draper e a telefonista disse que ele poderia deixar uma mensagem. Poucos minutos depois o telefone tocou: Captain Crunch na linha. Eles combinaram de se encontrar algumas noites mais tarde no dormitório de Wozniak, em Berkeley, onde ele havia entrado em 1971.

O que praticamente correspondia a uma visita papal foi tratado dessa forma. Quando Jobs chegou de Los Altos, Wozniak estava sentado na beirada de sua cama incapaz de esconder sua excitação, e vários outros estavam esperando pela batida na porta. Quando eles ouviram o som, Wozniak abriu a porta e se viu diante de uma figura andrajosa parada no corredor. Ele vestia jeans e tênis, tinha cabelo emaranhado, barba por fazer, olhar vesgo e vários dentes faltando. Wozniak recorda: "ele era absolutamente horrível e eu perguntei 'você é o Captain Crunch'?". Draper replicou: "Sou ele". Apesar de seus maneirismos estranhos e seu visual escabroso, Draper rendeu uma noite muito educativa. Começou brincando com truques no telefone do dormitório, fez algumas chamadas internacionais, acessou alguns serviços de piadas por telefone e de previsão do tempo em cidades estrangeiras.

Também mostrou a seus ouvintes como "empilhar conexões", transferindo ligações de uma central para outra em diferentes cidades por toda a América e terminando com uma chamada para um telefone do outro lado da sala. Uma vez construída a reação em cadeia telefônica, Draper desligava o telefone inicial enquanto Jobs e Wozniak ouviam o telefone do outro lado da sala. Eles conseguiam ouvir as conexões caindo ecoando por toda a linha com a ligação sendo desligada em cascata: ka-chig-a-chig; ka-chig-a-chig.

As lições continuaram depois de eles saírem para ir até a Kips, uma pizzaria de Berkeley. Draper ficou impressionado com a caixa azul de Wozniak: "Ela não variava e nunca precisava ser ajustada, mas tinha um som de lata". Draper deu a Jobs e Wozniak o número de outros *phreaks* de telefone, números de telefone especiais, códigos de países, códigos de cabos submarinos, de satélites e códigos de acesso. Ele os soterrou com detalhes de troncos telefônicos, pontes de conferência, indicadores de rota, sinais de supervisão e estações de posicionamento de serviço de tráfico. Draper alertou Wozniak e Jobs para que nunca carregassem uma caixa azul pela rua e a fazer chamadas por caixas azuis apenas de telefones públicos. Wozniak disse: "foi o encontro mais fantástico que já tivemos".

Na mesma noite, na volta para Los Altos (onde Wozniak havia deixado seu carro) o Fiat vermelho de Jobs quebrou. Pela primeira vez, eles utilizaram sua caixa azul de um telefone público perto de uma saída da estrada e tentaram achar Draper, que estava indo na mesma direção. Eles discaram para uma telefonista para pegar um número 800 e começaram a tremer quando ela ligou de volta para checar se eles ainda estavam na linha. Jobs havia escondido a caixa azul e estava fazendo uma chamada legal quando um carro de polícia parou ao seu lado. O policial mandou que eles saíssem da cabine e começou a investigar os arbustos e matos. Pouco antes de eles serem ordenados a ficar contra uma parede e abrir as pernas para uma inspeção, Jobs passou a caixa azul para Wozniak, que foi logo descoberta.

"O que é isso", perguntou um dos policiais.

"Um sintetizador musical", respondeu Wozniak.

"Para que serve esse botão laranja?"

"Ah, é para a calibração", interrompeu Jobs.

"É um sintetizador controlado por computador", elaborou Wozniak.

"E onde está o computador então?"

"Está aí dentro", disse Jobs.

Finalmente, satisfeito que os dois cabeludos não carregavam nenhuma droga, o policial deu a Wozniak e Jobs uma carona pela estrada. Um dos policiais se virou em seu assento, devolveu a caixa azul e disse: "Pena que um cara chamado Moog saiu na sua frente".

"Ah, sim", disse Jobs, "Ele nos mandou uns esquemas".

Para fechar a noite, Wozniak pegou seu Ford Pinto na casa de Jobs e estava indo pela Nimitz Freeway para Berkeley quando cochilou e destruiu o carro, batendo nas barreiras do acostamento.

Wozniak e Jobs discutiam codinomes apropriados para sua nova atividade. O primeiro escolheu a segurança de Berkeley Blue, enquanto o último decidiu se chamar Oaf Tobark. Ao final de seu primeiro trimestre em Berkeley, Wozniak estava totalmente ocupado com as caixas azuis. Ele começou a colecionar artigos de revistas e jornais, pregava as melhores partes na parede e achava o material de leitura fascinante. Assinou uma *newsletter* publicada pelo TAP (Technological American Party, Partido Tecnológico Americano) e sabia de outros jornais *underground*, como o *TEL* (Telephone Electronics Line, Linha Eletrônica Telefônica), e de células subversivas, como o *Phones Phreaks International* e o *Phones Phreaks of America*. Mas, na maior parte do tempo, ele e Jobs flutuavam pela periferia de um círculo que atraía o tipo de pessoas que estudavam computação no MIT, passavam o tempo no Laboratório de Inteligência Artificial de Stanford e sabiam de arquivos de computador que traziam os últimos truques *phreaks*.

Wozniak e Jobs estavam muito mais interessados em ampliar seus conhecimentos práticos e em expandir sua coleção de *gadgets* do que em ficar enrolando no *campus* da universidade. Seguindo instruções impressas em *Roube Esse Livro*, de Abbie Hoffman, e na revista esquerdista *Ramparts*, Wozniak equipou a si mesmo com uma caixa preta que recebia chamadas gratuitas e uma caixa vermelha que simulava o barulho de moedas caindo em um telefone público.

Mas o item mais divertido e lucrativo dessa coleção de armas era a caixa azul. Wozniak logo mostrou suas virtudes para seus amigos. Ele mostrou seu poder para Allen Baum em duas cabines telefônicas perto da escola Homestead. Wozniak ligou de uma cabine para a outra, o que permitiu que Baum dissesse alô em um telefone e corresse para ouvir sua voz ecoar no outro. Wozniak fez algumas ligações para sua irmã, que estava trabalhando num *kibutz* em Israel. Empurrados pela insistência de Jobs, os dois transformaram seu passatempo em negócio e começaram a vender os equipamentos. “Ele queria dinheiro”, disse Wozniak sobre seu parceiro.

A dupla empregava suas próprias técnicas de *marketing* para descobrir clientes e impulsionar vendas. Eles percorriam corredores dos dormitórios masculinos em Berkeley (convencidos de que poucas mulheres estariam interessadas em seu pequeno aparelho), batendo em portas e avaliando a resposta ao seu ato ensaiado. “O George está?”, um deles perguntava com ar misterioso. “George?”, era a resposta surpresa. “Sim, George. Você sabe, o cara da caixa azul. Aquele que faz truques telefônicos. O cara que tem a caixa azul para fazer chamadas de longa distância de graça.” Jobs e Wozniak observavam a expressão de seu potencial cliente. Se eles eram recebidos com olhares tímidos e desconfiados, pediam desculpas por ter batido na porta errada e continuavam corredor abaixo. Se o seu enredo despertava a curiosidade, o cliente potencial era convidado a assistir a uma demonstração da caixa azul.

Depois de algumas semanas, o esquete de vendas em dormitórios já tinha um padrão. Wozniak plugava um gravador de fita ao telefone com alguns clipes jacaré e ele e Jobs explicavam os princípios da caixa azul. Então, seguiam com uma demonstração de seu poder. Wozniak, em particular, adorava ser o centro das atenções. “Era uma grande autoexibição”. Eles ligavam para a casa de amigos e parentes de alguém na audiência nos EUA. Depois, começavam a ligar para o exterior e, finalmente, tentavam criar uma conexão global – começando em Berkeley e pulando por telefonistas ao redor do mundo – e finalizando em outro telefone em Berkeley. Em uma ocasião, Jobs usou a caixa azul pra fazer reservas para um grande grupo no Hotel Ritz em Londres e, sem conseguir suprimir suas risadas, passou o telefone para Wozniak. Outra vez, Wozniak disse que ia fingir que era o Secretário do Estado Henry Kissinger e telefonou para o Vaticano pedindo para falar com o sumo pontífice. Um funcionário do Vaticano explicou que o papa ainda estava dormindo, mas que alguém iria ser despachado para acordá-lo. Outro oficial entrou na linha e caiu no conto.

As demonstrações atiçavam a curiosidade e Jobs e Wozniak faziam fitas cassete de tons que os amigos iriam precisar para ligar para seus números interurbanos favoritos. Os *shows* noturnos também geravam encomendas. A dupla chegou a um arranjo informal para a manufatura das caixas azuis. Jobs conseguia um suprimento de peças no valor de 40 dólares e Wozniak demorava quatro horas para construir uma caixa que era então vendida por 150 dólares. Para reduzir o tempo que levava para construir as caixas, eles decidiram parar de cabeá-las a mão e encomendar uma placa de circuito impresso. Em vez de passar quatro horas construindo a caixa, Wozniak agora conseguia finalizá-la em uma hora. Ele também adicionou outra função, que transformava um botão em um discador automático. Um pequeno falante e uma bateria eram ligados à placa de circuito impresso, um teclado era colado na tampa e, quando tudo estava pronto, um cartão com uma mensagem escrita em caneta roxa era grudado no fundo. Ele dizia: "Ele tem o mundo inteiro em suas mãos", e era uma espécie de garantia informal. Wozniak prometia que, se uma caixa com defeito fosse devolvida e ainda tivesse o cartão, ele a repararia de graça.

Depois de um ano, Jobs, em razão de um misto de tédio e medo das possíveis consequências, saltou fora do negócio. Afinal, não havia tantos parentes, amigos, serviços de previsão do tempo, relógios automáticos e disque-piadas para se ligar. Havia uma boa razão para ficar preocupado: as companhias telefônicas estavam caindo com força em cima dos *phreaks* e empregavam agentes de segurança para tirar fotografias em convenções de *hackers* telefônicos, colocavam casas sob vigilância, instalavam equipamentos rastreadores em centrais telefônicas, recompensavam informantes, pagavam agentes duplos e patrocinavam *blitze* repentinas. Aspectos sinistros e rumores inquietantes acompanhavam o passatempo. Alguns *phreaks* chegaram a colocar tarântulas em caixas de correio de agentes de segurança e havia o boato de que o crime organizado estava começando a ficar de olho no aspecto lucrativo do negócio.

Jobs também suspeitava de Captain Crunch. O jeito frenético de Draper, seu hábito de interromper conversas telefônicas com chamadas de emergência, seu comportamento histérico quando cigarros eram acesos e seus convites para sessões de exercício físico deixavam Jobs apreensivo. "Ele era esquisito e viajandão." Jobs pensava que a lenda retratada no artigo da *Esquire* estava muito além dos fatos. Até mesmo a estação de rádio pirata de 65 watts, a San Jose Free Radio, que Draper transmitia aos fins de semana da traseira de uma van estacionada nas montanhas perto do Observatório Lick, não compensava suas excentricidades. O julgamento de Jobs estava feito. Apesar de Jobs não saber na época, a General Telephone havia colocado um grampo no telefone de Draper para gravar suas ligações. Entre os números de telefones e nomes que acabaram sendo enviados ao FBI estava o da casa de Jobs. Em 1972, Draper foi preso por uma acusação de fraude, mas escapou com uma multa de mil dólares e cinco anos de liberdade condicional. O *hobby* mostrou ser perigoso de outra forma. Ao se preparar para vender uma caixa em um estacionamento atrás de uma pizzaria de Sunnyvale, Jobs repentinamente se viu em frente a um comprador com uma arma. "Havia 1,8 mil coisas que eu poderia fazer, mas todas elas tinham alguma probabilidade de fazer ele me dar um tiro no estômago." Jobs deu ao bandido a caixa azul.

Durante um tempo, Wozniak tocou o negócio sozinho. Ele descobriu outros truques, como fazer ligações dos telefones que hotéis e empresas de locação de automóveis deixam nos aeroportos. Em uma ocasião, ele utilizou o telefone da zeladora do dormitório em Berkeley e ouviu conversas do escritório do FBI de San Francisco. Cerca de um ano antes de seu interesse murchar e a companhia telefônica começar a refinar seu equipamento da rede, Jobs e Wozniak inverteram os papéis. O primeiro manteve sua distância enquanto Wozniak aceitava encomendas na casa de seus pais e levava a operação em frente. Mesmo assim, ele dividia com Jobs os cerca de 6 mil dólares que ganhou com a venda de duzentas caixas azuis. "Era o meu negócio e Steve levava metade dele."

Alguns amigos de Wozniak distribuíam as caixas ao redor de Berkeley enquanto um estudante do ensino médio que se escondia atrás do pseudônimo Johnny Bagel ajudava com as vendas em Beverly Hills. Algumas das caixas azuis de Wozniak acabaram nas mãos de um estelionatário internacional chamado Bernie Cornfeld e do cantor de *rock* Ike Turner. De vez em quando, os fornecedores irritavam Wozniak, que estava ficando entediado com o trabalho de montagem manual. Ele começou a encomendar com nome falso peças de distribuidores eletrônicos e algumas vezes voava para Los Angeles para entregar caixas azuis, despachando sua pequena mala como bagagem para evitar o detector de raios-X. Em uma ocasião, suas tentativas de subterfúgio terminaram em confusão constrangedora. Ele reservou uma passagem de avião para Los Angeles com o nome Pete Rose, sem se tocar do fato de que ele pertencia a um dos mais famosos jogadores de beisebol do país. Wozniak chegou ao aeroporto, disse ao atendente que estava retirando uma passagem para Pete Rose e depois descobriu que ele não tinha dinheiro suficiente para a passagem, mas também não queria pagar com um cheque que traria seu nome verdadeiro.

Wozniak provou ser um mestre do terminal de *hardware* com a caixa azul. Ela foi construída com um *design* totalmente original e era capaz de competir com equipamentos criados por *phreaks* bem mais avançados. Ele deu uma prova ainda maior de sua maestria ao esconder uma caixa azul dentro de um *case* de uma calculadora da Hewlett-Packard. Seu domínio do *software* era mais questionável. Ele não devotava o tempo necessário para dominar o sistema telefônico tão completamente quanto outros *phreaks* e, apesar de nunca ter sido pego, muitos de seus clientes não tiveram tanta sorte. Na hierarquia informal dos devassadores de equipamentos, Wozniak caía mais no reino dos *hackers* do que nos dos *phreaks*.

Ele nem mesmo tentou fazer chamadas no AUTOVON, um sistema telefônico utilizado para comunicações militares que era um parque de diversões para os *phreaks* tarimbados. Um utilizador do AUTOVON, Burrel Smith, achou que Wozniak "não entendia a rede, que exige devoção e uma paixão em tempo integral". Havia outro problema: seus trabalhos de faculdade. Apesar de Wozniak ter conseguido a grade dos sonhos, com dois cursos que eram ensinados um após o outro na mesma sala em quatro tardes por semana, ele achava telefones mais interessantes. No verão de 1972, ele havia novamente irritado um diretor e estava recebendo cartas o repreendendo pelo seu péssimo desempenho acadêmico.

"Ainda não estamos vendo coisa nenhuma,"

disse Carter.

Garrafas de suco de maçã, sacos de batata frita e pratos de sanduíches de peru, frango e salame repousavam no canto de uma longa mesa de reuniões. Na outra ponta, Steve Jobs, vestindo camisa, gravata e calças de *corduroy*, batia seu pé no tapete e batucava os dedos sobre a mesa. Ele estava esperando para começar o almoço semanal com os gerentes de diferentes departamentos da divisão Mac. Bob Belleville, chefe de engenharia, Matt Carter, chefe de manufatura, Mile Murray, gerente de *marketing*, Debi Coleman, controlador financeiro, Pat Sharp, assistente pessoal de Jobs, e Vicki Milledge, do departamento de recursos humanos, entraram na sala.

"Vamos! Temos um monte de coisas para fazer hoje", disse Jobs para os seis gerentes enquanto eles conversavam e se acomodavam lentamente ao redor da mesa. Ele começou a inquirir Bob Belleville, o engenheiro de óculos, sobre uma disputa entre dois membros de seu *staff*.

"O que você vai fazer sobre George, no final das contas?", perguntou Jobs.

"No final das contas", respondeu Belleville em um tom suave, "eu vou estar morto".

"O único jeito de manter George", disse Jobs ignorando a piada, "é dar a ele toda a parte eletrônica analógica. A não ser que ele se sinta responsável por toda a eletrônica analógica, irá embora. Ele vai ganhar uma ótima oferta de trabalho para dirigir a engenharia em alguma empresa iniciante".

Belleville previu que qualquer promoção desse nível iria incomodar Hap Horn, outro engenheiro que estava trabalhando em um *drive* de disco problemático.

"Se Hap te chantagear e disser que se demite", disse Jobs, "você concorda com ele. Assim que Hap desistir de radicalizar, você continua com o processo de promoção".

"Precisamos terminar essa conversa em separado", disse Belleville timidamente.

Voltando sua atenção para a extensa agenda, Jobs reclamou da produção de manuais de instruções. A atividade no departamento de publicações servia como uma espécie de barômetro do progresso do projeto, já que monitorava as condições em duas frentes. Uma era formada pelo martelar das bancadas do laboratório e a outra pairava na forma da implacável data de lançamento.

"Eu vejo o pessoal de editoração atrasando e atrasando", disse Jobs se voltando para Michael Murray, o gerente de *marketing*. "Eles estão fazendo um ótimo trabalho, mas não estão conseguindo finalizar nada. Fique em cima." Murray concordou com a cabeça.

Jobs continuou seguindo ao redor da mesa e se dirigiu a Matt Carter, que era responsável pela manufatura do computador e pela monitoração do progresso na fábrica da Apple perto de Dallas. "Posso sugerir algo?", disse Jobs. Ele não esperou uma resposta e seu tom de súplica se evaporou rapidamente. "Seu grupo não interage com *marketing* e engenharia. Eles não estão no laboratório. Eles precisam entrar no espírito do Mac. Apresente-os a todo mundo. Você precisa obrigá-los a interagir."

"Estou levando um grupo para Dallas", retrucou Carter, "assim eles vão poder interagir até se acabarem".

Jobs mudou a discussão abruptamente para o crescimento da divisão. Recrutar novas pessoas era uma tarefa perene da vida na divisão Mac e engolia muito do tempo de seus gerentes seniores. Jobs espiou uma folha de papel e disse: "Nós tínhamos 46 pessoas mês passado."

"Temos sessenta hoje", corrigiu Vicki Milledge, a mulher do departamento de recursos humanos.

"Uau! Meu Deus! Estamos explodindo", disse Jobs.

"Há uma fila enorme de gente querendo entrar", observou Michael Murray, e que mencionou um candidato da Xerox. "Ele está no processo de demissão da Xerox, o que demora muito mais que ser admitido pela Apple."

"Quando Rizzo vai dar a resposta?", perguntou Jobs, referindo-se a um candidato à mesma posição.

"Ele está enrolando", disse Murray.

"Eu ficaria com Rizzo", disse Jobs. "Ele vai cair na trincheira mais rapidamente. Foque sua mente no que você quer."

Murray soltou o nome de uma mulher que estava trabalhando para uma firma de capital de risco, mas que indicou que aceitaria uma queda de 40 mil dólares anuais no salário para trabalhar na Apple.

"Ela é bonita e solteira?", perguntou Jobs. "Ela não é solteira", riu Murray.

"Estamos selecionando candidatos para a Escola de Modelos Barbizon?" perguntou Debi Coleman.

Jobs pulou para outro nome. "Ele lida com planejamento", disse Murray.

"Trabalha com capital de risco", arguiu Jobs, "parece um trabalho meio idiota".

"E que tal Steve Capps?", perguntou Jobs.

"Ele está trabalhando no Lisa", lembrou Belleville, como se não concordasse em uma missão de sequestro em outra divisão da companhia.

"Eu ouvi pelos corredores que ele gostaria de trabalhar aqui", respondeu Jobs.

Matt Carter perguntou o que seus colegas pensavam de um determinado candidato para a equipe de manufatura, provocando um comentário de Debi Coleman: "Ele tem um bom discurso. Fez as perguntas certas".

"Sua bateria é muito fraca. Não confio nele", disse Jobs e imediatamente sugeriu uma alternativa. "Eles vão gostar mais de Duke. Ele é esperto. Mais conservador, dirige um Datsun 280-z e usa óculos."

Vicky Milledge reclamou que ela não podia ter uma secretária ou o que na Apple era conhecido como "assistente de área".

"Por que não?", inquiriu Jobs. "Em virtude do orçamento", disse Milledge.

"Dane-se", replicou Jobs.

Pat Sharp, uma garota com cabelo encaracolado e de óculos, colocou em pauta o assunto da mudança de toda a divisão para um prédio maior. O grupo Mac estava espremido na metade de um prédio de tijolos vermelhos de um andar e alguns de seus membros trabalhavam em um anexo. Estava programado para se mudar para outro prédio no lado oposto da Bandley Drive de Cupertino, uma estrada que a Apple transformou em uma vila corporativa. A presença da Apple na estrada era tão importante que os prédios eram conhecidos pela ordem em que a companhia havia se instalado neles, e não pela numeração. "Eu estava pensando sobre a disposição", disse Sharp.

"Eu topo gastar um milhão para ajeitar Bandley 3", anunciou Jobs. "Nós vamos arrumá-lo direitinho e pronto. Ali vai ser nosso descanso final. Ponha suas energias nisso. Vai ter de abrigar umas cem pessoas. Não tenho o menor interesse em dirigir uma divisão com mais de cem pessoas e você não está interessada em trabalhar com mais de cem funcionários. Não vão existir *trailers*, nem puxadinhos nem nada. Se Bob quiser um novo cara de *software*, alguém vai ter de sair."

"Podemos colocar uma academia ou sala de exercícios?", perguntou Murray.

"Não", disse Jobs. "Vamos ter alguns chuveiros e só. Pensem bem sobre o que vocês vão querer", intimou Jobs. "Se o pessoal de *software* ou editoração quer escritórios próprios, agora é a hora de pedir."

Ele se voltou para uma preocupação mais imediata, uma remessa piloto de duzentas placas de circuito impresso do Mac que seriam utilizadas para testes. Matt Carter reportou o progresso: "Os *kits* estão quase aqui. Vamos montá-los na próxima semana."

"Por que não encomendamos mais 25 placas?", perguntou Jobs.

Debi Coleman concordou: "Existe alguma lógica no número duzentos? Da última vez construímos 50 e depois precisamos de 75".

A recordação fez Jobs pensar em voz alta que algumas das placas de circuito impresso poderiam cair nas mãos de um concorrente ou uma das empresas estrangeiras especializadas em desovar cópias baratas de computadores. "Quero pegar as primeiras cinquenta que fabricamos e jogá-las pessoalmente em um triturador de lixo gigante."

"Quando começamos a montar a máquina?"

Ele ouviu a data para o início do projeto piloto e lembrou-se de algo totalmente diferente.

"E quanto às cervejadas?", perguntou, referindo-se a uma festa recente. "Vamos fazer outra daquelas?" Fez uma pequena pausa, então continuou: "Quando é a nossa próxima festa?"

"Natal", disse Murray.

"Essa vai ser em janeiro porque todos estão muito ocupados", disse Jobs. "Que tal no começo de novembro? Que tal uma festa com *rock'n'roll*? Na última fizemos uma festa *country*. *Rock'n'roll*, *country*, isso é a vida. Que tal uma festa *rock* de *Halloween*?"

Carter disse aos colegas que ele estava para partir para uma viagem ao extremo Oriente para inspecionar possíveis fornecedores de peças e que já havia começado a fazer encomendas. Jobs exultou com as notícias.

"Isso aqui é como um trem dando a partida e que precisa de um quarto de milha para parar e nós ainda nem começamos a botar os trilhos." Ele pausou e se virou para Carter e Belleville. "Temos de testar a placa lógica principal, a quente e a frio." Bateu na mesa. "Detalhes. Detalhes. Detalhes. Há muito mais dinheiro na placa digital que na placa analógica. Se nós vamos nos foder, que seja com a placa digital."

"Nós temos um problema real com a placa analógica", contrapôs Carter. "Neste exato instante, estão nos dizendo que ela vai estar pronta em 45 dias, mas até agora não vimos nada dela. Chutamos a bunda deles porque eles queriam noventa dias. Vão ter de se esfolar mais do que pensam." Carter voltou à necessidade de fazer encomendas e Jobs mencionou dois fornecedores: "Eu gosto mais da Samsung que da Aztec. Podemos negociar com eles?"

"Não podemos assumir o risco", disse Carter. "Temos de dar grandes incentivos a ambas."

O grupo então se voltou ao problema do preço do computador. Por alguns meses, o alvo geral tinha sido vender o Mac a 1 995 dólares. Jobs queria garantias da controladora financeira de que ele atingiria as metas de lucro da Apple se custasse 1 495 dólares. Coleman, que havia considerado os efeitos que mudanças de preço teriam sobre o volume de vendas, começou a desenhar gráficos e curvas em um quadro negro. Jobs prestou atenção por alguns momentos. Ouviu Coleman enquanto ela explicava seu diagrama e disparou: "Nós podemos tirar números da bunda para justificar qualquer coisa. Qualquer curva é uma enorme besteira. Se você acredita nisso, está se enganando".

"Podemos imprimir em cores em papel cartão e não vai significar nada", ecoou Murray.

Jobs tinha uma ideia maquiavélica sobre como testar o efeito de uma diferença de 500 dólares no preço: "Nós devíamos fazer um teste de mercado. Devíamos baixar o preço em L.A., aumentá-lo em Seattle e esperar que as revendas não conversem umas com as outras". Ele começou a explicar as conclusões a que uma força-tarefa da Apple chegou sobre como estabelecer diretrizes para definir preços e margens de lucro: "havia 18 milhões de caras de *marketing* que não sabiam o que estavam fazendo. Nós vamos sempre tomar decisões em cima de coisas impossíveis de conhecer. Então acabamos com um número meio de orelhada para a taxa de retorno que queremos". Ele se voltou para Coleman e sua voz subiu uma oitava: "Não nos leve para a terra dos imbecis com seus gráficos. A última coisa que queremos é uma batalha para ver quem faz a melhor planilha de Visicalc".

Murray começou a reclamar que, seja lá qual fosse o preço, a Apple não estava alocando nem perto do montante que deveria ter para lançar o Mac. "Se nós fôssemos a Kodak ou a Polaroid, teríamos um pote gigante de dinheiro para lançar produtos." Jobs bancou o advogado do diabo e fingiu que ele era o encarregado da divisão que vendia os Apple II e III. "Deixe-me pôr outro chapéu e brincar de gerente da PCS. A única maneira que tenho para vender mais Apple II é bombar a propaganda. Não tenho um produto quente. Não ganho artigos grátis na imprensa. Não ganho capa da revista *Byte*."

"Estou vendendo o futuro", disse Murray.

"E eu estou pagando a conta de luz", disse Jobs.

Um encontro de revendas Apple aconteceria em Acapulco com uma reunião de quatrocentos gerentes da Apple, na qual Jobs faria um relatório do progresso do Mac. Eles definiram quais membros da divisão Mac deveriam participar do evento de dois dias. Vicki Milledge riu nervosamente. Ela encarou seu chefe e relatou que todos os gerentes, menos Jobs, haviam dado a ela análises de desempenho de sua equipe.

"Odeio relatórios de desempenho. Prefiro aumentos de salário", explicou Jobs.

"Em toda boa vida alguma chuva há de cair", disse Matt Carter, para consolar.

Mel e Nozes

Quando Steven Jobs começou a selecionar folhetos de universidades, mostrou que era capaz tanto em originalidade quanto em obstinação. Ele encarou a tarefa com toda teimosia que havia tido previamente para persuadir seus pais a mudar para Los Altos. Jobs passeou tempo suficiente pelas faculdades de seus amigos mais velhos para concluir que elas não lhe serviam. Ele achava que Berkeley, com seus enormes auditórios e palestras, era uma fábrica de diplomas e achava Stanford muito careta. Finalmente, depois de visitar um amigo que cursava na Reed College, uma pequena, liberal e cara universidade em Portland, no Oregon, decidiu que iria tentar a vida no noroeste do Pacífico.

Ele voltou de uma turnê de inspeção e contou a novidade em casa. Paul Jobs, horrorizado pelo prospecto de mensalidades enormes, lembrou o ponto principal da discussão: "Nós tentamos convencê-lo a mudar de ideia". Clara Jobs tem uma vaga recordação: "Steve disse que era a única faculdade que ele queria cursar e que, se não fosse para lá, não iria a lugar nenhum". O casal Jobs se rendeu à chantagem emocional, enfiou o seu filho na traseira do carro, dirigiu até Reed e se despediu no meio do *campus* deserto, alguns dias antes do começo do ano letivo de 1972. A despedida ficou gravada na memória de Jobs. "Não foi muito cordial. Eu disse algo tipo 'Então, obrigado, tchau.' Eu não queria nem que os prédios vissem meus pais lá. Eu não queria ter pais na época. Queria apenas ser um órfão do Kentucky que tivesse pulado de trem em trem pelo país por anos. Só queria saber o que era essa tal de vida."

As belezas naturais de Portland forneciam distrações suficientes para dar algum sentido à vida de alguém. O clima era mais melancólico que o do sul da península de San Francisco, mas havia algumas compensações. Havia o esplendor remoto do Monte Hood para acampar, o vigor tonitruante do desfiladeiro do rio Columbia para caminhadas e praias isoladas por toda a costa do Oregon, onde sequoias se inclinavam na beira dos penhascos. Para estudantes que contemplavam seu novo ambiente, a Reed College mostrava uma face enganosa. Seus prédios eram góticos vitorianos – com telhados inclinados, heras, calhas de cobre e sacadas envidraçadas com vista para enormes jardins. Era o lar chuviscoso da intelectualidade de Portland, um palco móvel para poetas, cineastas, artistas e espíritos livres.

Alguns antigos estudantes da Reed criaram a Fazenda Arco-íris, que se tornou um dos polos regionais do movimento *hippie* e gerou ondas psicodélicas do final da década de 1960 que fluíam pelo *campus*. A Reed era um ponto de parada para caravanas de palestrantes, como o autor Ken Kesey, o poeta Allen Ginsberg e o guru criador do *slogan* "ligue-se, sintonize-se, caia fora", Timothy Leary. Mas, por trás do ar elegante e do clima retrô que lembrava a vida parisiense na década de 1920, havia um currículo férreo com longas listas de leituras obrigatórias. Os trezentos e tantos alunos que se inscreviam em cada classe logo descobriam que um grande bando de professores mantinha marcação cerrada sobre seu progresso e que a escola tolerava suas idiossincrasias apenas se eles encarassem seriamente seus padrões acadêmicos extenuantes. No começo da década de 1970, cerca de um terço de cada classe desistia de retornar para o segundo ou terceiro ano depois de descobrir que, em Reed, liberal era soletrado com L maiúsculo.

Jobs encontrou uma coleção eclética de alunos e, pela primeira vez em sua vida, começou a trombar com pessoas de outras partes do país. Como Reed dava bolsas de estudo a uma grande variedade de minorias, Jobs teve seu primeiro contato com costumes metropolitanos. Uma de suas colegas de classe, Elizabeth Holmes, comentou que "No começo da década de 1970, Reed era um *campus* de solitários e malucos". Mesmo em meio a tão colorido ambiente, Jobs conseguia se isolar e seu retrato era o único que faltava no livreto de perfis de calouros distribuído aos novos alunos. Entre os outros membros da classe de calouros estava Daniel Kottke, um adolescente magrelo e barbudo com um jeito de falar gentil e cabelo castanho liso. Kottke crescera em um bairro rico de Nova York, ganhara uma bolsa de mérito nacional e foi para Reed depois de ser rejeitado por Harvard. Ele era quieto, um pouco letárgico, desdenhava de posses materiais e gostava de tocar piano. Em poucos meses, ele considerava Jobs sua principal companhia masculina. "Não parecia que ele tinha muitos amigos."

Outro amigo de Jobs era um dos estudantes mais conhecidos do *campus*. Robert Friedland, que era vários anos mais velho que ele, desfilava pelo *campus* vestido com robes indianos enquanto fazia campanha para presidente estudantil. Seu tema de campanha era curto e grosso. Ele estava concorrendo ao posto para ajudar a apagar o estigma de uma sentença de dois anos de cadeia pelo que tinha sido, à época, a maior apreensão de LSD ao leste do Mississipi. Friedland, um cara de lábia suave, enroscou-se com a determinação do governo Nixon de tirar o LSD da boca da América e cometeu o erro de informar o juiz em seu julgamento de que ele não deveria decidir a sentença antes de provar a droga. O juiz decidiu que não precisava expandir sua mente para definir uma punição e deu a Friedland uma sentença de dois anos por manufaturar e distribuir trinta mil pontos de LSD. Depois de um tempo, Friedland ganhou liberdade condicional e se inscreveu na Reed.

Jobs, que estava tentando levantar algum dinheiro vendendo sua máquina de escrever IBM, encontrou Friedland pela primeira vez em circunstâncias normalmente constrangedoras. Ele chegou com sua máquina de escrever no quarto de Friedland e encontrou o morador ocupado fazendo amor com sua namorada. Friedland não se sentiu pressionado e convidou Jobs a se sentar e esperar. Jobs sentou e ficou olhando. "Ele não ficou nem um pouco intimidado. Eu pensei. Isso é meio louco demais. Meus pais nunca fariam isso."

Para Jobs, Friedland rapidamente se tornou uma figura importante, um mentor e irmão mais velho postiço. "Robert foi a primeira pessoa que encontrei que estava firmemente convencido de que o fenômeno da iluminação existia. Eu fiquei muito impressionado com isso e muito curioso a respeito." Do seu lado, Friedland relembra que Jobs era um dos mais jovens alunos de Reed. "Ele estava sempre andando descalço. Era um dos malucos do *campus*. O que mais me impressionou foi sua intensidade. Qualquer coisa em que ele se interessava era geralmente carregada a extremos irracionais. Ele não era de falar. Um de seus truques era olhar fixamente a pessoa com quem estava conversando. Ele fixava o olhar profundamente, perguntava alguma coisa e esperava a resposta sem que a pessoa evitasse os olhos dele."

O senso de romantismo de Jobs o moveu a se inscrever numa aula de dança quando ele imaginou, como tantos outros estudantes, que iria finalmente encontrar o amor verdadeiro na faculdade. Em vez disso, começou a descobrir que, apesar das atrações do balé, suas ideias sobre educação certamente não coincidiam com um currículo que, para o primeiro semestre, incluía doses cavalares de *A Ilíada* e *As Guerras do Peloponeso*. Ao final de 1972, Jobs havia descoberto muitas outras diversões. A vida acadêmica tinha seus momentos emocionantes, como a vez em que ele correu com um amigo que havia tentado cometer suicídio até o hospital local, além de surpreendentes e imprevisíveis tipos femininos e da pressão dos pais, desgostosos com a ideia de que estavam financiando uma vida de farras. O trabalho acadêmico de Jobs sofreu e, ao final de seu primeiro semestre, ele caiu fora, senão em corpo, pelo menos em espírito. Pelos seis meses seguintes, ele permaneceu no dormitório, pulando pelos quartos abandonados por outros rebeldes.

Em Reed, o interesse na atividade política, típico da década de 1960, havia sido diluído em um ativismo espiritual vagamente reminiscente do movimento nascido com Aldous Huxley na década de 1920. Alguns dos estudantes se interessavam por Filosofia pura e as eternas, desconcertantes e irrespondíveis questões sobre o sentido da vida e a verdade da existência. O que somos? Por que estamos aqui? O que estamos fazendo? Quais os verdadeiros valores da vida humana? Os apelos a uma consciência superior, a "trabalhar você mesmo", ressonava pelos corredores. Conversas sobre carma, viagens espirituais e excursões intelectuais impulsionavam experimentos com dietas e drogas. Jack Dudman, diretor estudantil da Reed, passava horas conversando com Jobs. "Ele tinha uma mente muito inquisitiva que era incrivelmente sedutora. Você não se safava com declarações vagas. Ele se recusava a aceitar automaticamente verdades pré-concebidas e queria examinar tudo por si mesmo."

Jobs e Kottke sugeriam livros um para o outro e aos poucos passaram por toda a literatura chavão da época: *Autobiografia de um Yogue*, *A Consciência Cósmica*, *Atravessando o Materialismo Espiritual*, *Meditação na Ação*. O mais influente, no entanto, era *Mente Zen, Mente de Principiante*. Jobs começou a passar tempo na biblioteca da faculdade lendo literatura budista e se interessou pelo Zen Budismo. "O Zen priorizava o valor da experiência contra o entendimento intelectual. Eu via muita gente contemplando coisas, mas isso não parecia levar a lugar nenhum. Fiquei muito interessado em pessoas que haviam descoberto algo mais significativo que um entendimento intelectual abstrato." Ele também passou a acreditar que a intuição era um estado superior de intelecto e meditava em um espaço no forro sobre o quarto de Kottke, mobiliado com um tapete indiano e incenso.

A dupla também ia de carona até o templo Hare Krishna de Portland para jantares grátis de *curry* vegetariano aos domingos. Em uma ocasião, Kottke e Jobs decidiram passar a noite no templo e foram acordados de manhã cedo e enviados a um bairro nos subúrbios de Portland para pegar flores dos jardins das casas para decorar o santuário de Krishna.

Depois de se mudar dos dormitórios no final de seu primeiro ano, Jobs alugou um quarto, uma garagem modificada, na verdade, a vinte dólares por mês em um bairro aprazível de Portland colado à Reed. Ele era discreto sobre aspectos pessoais da sua vida e mesmo seus colegas mais próximos da faculdade não tinham a menor ideia de que Wozniak, que fazia visitas ocasionais, vendera caixas azuis para alguns estudantes da Reed que foram pegos usando o aparelho em uma cabine telefônica.

Sem grana, Jobs pegou dinheiro emprestado de um fundo que a escola mantinha para tais contingências e aceitou um emprego na manutenção de equipamentos eletrônicos usados pelo Departamento de Psicologia para experimentos de comportamento animal. Ron

Fial, professor-assistente que tomava conta do laboratório e mexia com eletrônica, ficou impressionado com Jobs e o conhecimento que ele trouxe da Califórnia. "Ele era muito bom. Não se contentava em consertar as coisas. Normalmente, acabava trazendo algo que fora totalmente redesenhado."

Mesmo consertando tanques de peixe e ajudando a projetar ratoeiras melhores, Jobs ainda precisava de dinheiro. Seu quarto alugado não tinha aquecimento e, quando se sentava lá jogando o I Ching, ele sempre vestia uma grossa jaqueta. Por várias semanas, ele viveu em uma dieta de três refeições ao dia compostas por mingau de cereais Roman Meal e leite que pegava do refeitório da faculdade. Jobs descobriu que uma caixa de cereais dava pra sustentá-lo por uma semana. "Depois de três meses de Roman Meal eu já estava ficando completamente doido."

Para dar algum sustento a seu amigo, Kottke e sua namorada proviam Jobs de suas únicas refeições decentes. O trio chamava a comida do refeitório de Carne da Monsanto e todos se tornaram vegetarianos. Eles passaram pelas infinitas receitas de arroz integral, pão de banana e pão de aveia sugeridas por livros de comida vegetariana e macrobiótica. Por uma combinação de circunstância e curiosidade, Jobs e seu amigo aliaram sua busca intelectual e interesse em misticismo com experimentos físicos. Eles se interessavam pela estimulação de áreas novas da mente e pelo rejuvenescimento do corpo e experimentaram diferentes drogas e dietas. Drogas eram utilizadas mais por razões metafísicas que por propósitos recreativos e eles associavam dietas com outros aspectos da vida.

Jobs se interessou pelos textos de Arnold Ehret, um prussiano do século XIX que escreveu livros como *The Mucusless Diet Healing System* (O sistema de cura pela dieta sem muco) e *Rational Fasting* (Jejum racional). Jobs ficou intrigado com a afirmação de Erhet de que a dieta era o pilar principal do rejuvenescimento físico, mental e espiritual e que a acumulação de muco e outros dejetos corporais eram certamente maléficos. Ehret afirmava, com toda a confiança de um Arquimedes, que V = F – O, o que na linguagem leiga significava que a Vitalidade é igual à Força menos a Obstrução. Ele ensinava que as doenças mentais eram causadas por "pressão dos gases no cérebro" e podiam ser curadas pelo jejum e que carne, álcool, gordura, pão, batatas, arroz e leite deviam ser evitados a qualquer custo. Ele até receitava "eliminadores de muco" especiais com combinações de figos, nozes e cebolinhas ou raiz forte ralada com mel.

Jobs começou a estudar a dieta dos grandes primatas e até investigou sua estrutura óssea. Anos depois, ele ainda se agarra a suas convicções. "Acredito que o homem é um frutariano. Cheguei a essa conclusão do meu jeito particularmente maluco." Por um tempo, Jobs dava lições a seus amigos sobre os perigos das rosquinhas, insistindo que elas eram recheadas de muco, e começou a almoçar saladas de cenoura. Friedland relembra: "O mundo inteiro girava em torno da eliminação do catarro". Como Ehret, que se vangloriava por ter vivido em uma dieta à base de frutas por dois anos, Jobs experimentava com jejuns. Ele cuidadosamente aumentou sua resistência de jejuns que duravam um ou dois dias alguns que duravam até duas semanas. Ele observava sua pele mudar para cores diferentes conforme o resultado do jejum, aprendeu como quebrar jejuns com uma boa quantidade de fibras e água, convenceu-se de que o homem era um frutariano e se entusiasmava com o resultado dessas experiências. "Depois de alguns dias, você começa a se sentir muito bem. Depois de uma semana, você se sente fantástico. Você ganha uma vitalidade enorme por não ter de digerir toda aquela comida. Eu fiquei em plena forma. Sentia que conseguia me levantar e andar até San Francisco na hora que eu quisesse." Sua amiga Elizabeth Holmes comentou o tamanho da devoção de Jobs: "Quando ele começa uma cruzada sobre alguma coisa, consegue ser insuportavelmente arrogante".

Outros levavam suas próprias cruzadas. Robert Friedland se tornou cavaleiro de uma cruzada que ligava dietas, drogas e filosofia. Quando ele e Jobs meditavam, eram acompanhados pela indefectível música de cítara, rodeados por incenso e observados por uma foto de um homem gordinho com orelhas de abano e barba rente e grisalha enrolado em um cobertor xadrez. A figura rechonchuda era Neem Karoli Baba, um guru indiano celebrado em *Be Here Now* (esteja aqui agora), famoso relato de Richard Alpert sobre as mudanças pelas quais ele passou em sua jornada de uma vida acadêmica americana até a contemplação silenciosa em uma remota parte da Índia. Friedland achou a ideia fascinante e passou o verão de 1973 na Índia ouvindo Neem Karoli Baba e voltou com a mochila cheia de histórias para seus amigos mais jovens. Ele os regalou com contos de sessões de meditação dentro de anéis de fogo e banhos em rios gelados e descreveu "uma atmosfera carregada eletricamente de amor".

No começo de 1974, Jobs decidiu que uma companhia eletrônica podia fornecer os meios de alcançar uma atmosfera carregada eletricamente de amor. Ele deixou as cercanias da Reed College, voltou para a casa dos pais em Los Altos e começou a procurar trabalho. Ele não estava procurando nada grandioso ou permanente, mas apenas algo que permitisse guardar dinheiro suficiente para uma viagem à Índia. Uma manhã, folheando os anúncios classificados do *San Jose Mercury*, encontrou uma vaga de *designer* de *videogames* na Atari. Ele não sabia nada sobre a jovem companhia, mas já havia gastado muitas moedas no Pong, o simulador monotônico de ping-pong que a Atari vendia para casas de sinuca, bares, fliperamas e boliches.

A chegada de Jobs ao saguão da Atari em Sunnyvale foi monitorada por uma recepcionista bastante observadora. Segundo Al Acorn, o engenheiro-chefe, a recepcionista disse: "Há um garoto aqui no saguão. Ou ele é doido ou é um gênio". Jobs parecia um mendigo. Falava mil palavras por minuto e dizia que tinha trabalhado na calculadora HP35. Ele disse que conseguia transformar a HP35 em um cronômetro. Deu a entender que trabalhava para a HP. Eu fiquei impressionado e disse "OK, está bem" e não me importei em checar. Alcorn, um homem jovial e rotundo, ofereceu a Jobs um cargo como técnico por cinco dólares a hora. Jobs, para quem opções de compra de ações e outros benefícios oferecidos por empresas do Vale do Silício eram um completo mistério, aceitou. Bill Fernandez, por exemplo, achou que Jobs não tinha qualificação suficiente. "Ele deve ser um bom vendedor. Eu realmente não achava que Jobs era tudo aquilo."

Jobs se tornou um dos primeiros cinquenta empregados da Atari e teve seu primeiro contato prolongado com a vida corporativa em uma companhia em que uma sucessão de ideias novas conseguiam compensar as bombas gerenciais que caíam sobre ela. A companhia havia sido fundada e dominada por Nolan Bushnell, filho de um vendedor de cimento de Utah, cujo primeiro golpe empresarial se deu na Universidade de Utah, onde ele vendia mata-borrões com propagandas. Em 1972, com 29 anos, Bushnell lançou seu primeiro *videogame*. Computer Space empolgou engenheiros, mas era muito complicado para o público em geral.

Depois do fracasso do *game*, Bushnell decidiu criar sua própria empresa para fazer *videogames* e operar máquinas de *pinball*. Ele batizou a companhia, cuja sede ficava em uma garagem alugada, de Syzygy, pela única razão de que era a última palavra do dicionário que começava com a letra S. Em algumas semanas, Bushnell descobriu que Syzygy já estava sendo usado por outra firma e mudou o nome para Atari (o equivalente ao xeque do xadrez no jogo japonês Go), mas as primeiras propagandas ainda traziam "DA ATARI INC, PRODUZIDO PELA SYZYGY."

Bushnell enxergava os negócios como "um tipo de guerra" e empregava pitadas de diplomacia, charme, sagacidade e força para motivar seus funcionários e enganar os concorrentes. Vestido em ternos finos, camisas floridas e gravatas de bolinhas, ele se tornou o xamã de 1,90 metro da Atari. "A vida era emocionante com Nolan", lembra um dos fundadores. "Ele sempre queria tudo ao mesmo tempo." Para convencer o engenheiro-chefe, Alcorn, a projetar o Pong, Bushnell mentiu que ele tinha sido encomendado pela General Electric. "Eu nunca tive nenhum contato com a General Electric", lembra Bushnel, "mas queria testar as habilidades de Al." Ninguém, nem mesmo Bushnell, botava muita fé no Pong. "Não o encarava como um item capaz de vender muito."

A primeira máquina, com uma caixa de moedas presa do lado de fora, foi colocada na Andy Capp's Cavern, uma casa de sinuca popular em Sunnyvale. Quase imediatamente ficou claro que o jogo eletrônico fazia mais dinheiro que as máquinas de *pinball*. Poucos dias depois de ser instalado, a quantidade de moedas era tamanha que entupia a caixinha. Em poucas semanas já havia uma fila de pessoas do lado de fora do bar querendo jogar Pong.

Mesmo com o Pong atingindo estrondoso sucesso popular, as pessoas que eram importantes ainda tratavam a companhia com suspeita.

Alguns banqueiros achavam que ela era uma operação de fachada da máfia. Fornecedores tinham medo de ampliar o crédito de uma firma que parecia que podia sumir no ar de um dia para o outro. Para acalmar as reclamações, Bushnell abriu outra firma, a Kee Games, que ele encheu de *designers*, gerentes e planos da Atari. De acordo com Bushnell, a nova empresa foi criada para produzir uma linha paralela de *games* e atrair dinheiro que poderia fluir para seus concorrentes. Uma série de *press releases* contava a história inventada do nascimento da Kee Games, e Bushnell, um tempo depois, ironizou, beirando o desprezo: "Existem muitas maneiras de usar a imprensa para ganhar uma vantagem estratégica". Quando a Kee Games começou a prosperar e começaram a surgir rumores de que ela queria romper seus laços com a Atari, Bushnell soltou uma declaração que dizia: "Nós estamos contentes que o pessoal da Kee e da Atari conseguiram resolver os problemas que levaram à sua separação original".

O controle de Bushnell sobre a imprensa era mais refinado que seu controle sobre sua própria companhia. Muitos de seus primeiros empregados eram ávidos em dispensar trabalhos maçantes da rotina corporativa, como memorandos e reuniões de equipe. Atraído pelo anticonvencional, Bushnell alimentava sessões de *brainstorming* com maconha e não fazia segredo de sua crença de que drogas e álcool ajudavam a trazer ideias. O recrutamento era igualmente imprevisível. Um candidato ficou chocado quando Bushnell entrou pela sala, fez uma pergunta – "Você é um espião da Bally?" – e desapareceu, satisfeito em saber que não estava prestes a contratar um traidor. Facilmente entediado pelos trabalhos diários, Bushnell contratou seu cunhado, um psiquiatra, para gerenciar a empresa. O controle financeiro era tão relaxado que o suprimento de três meses de um *game*, TrakTen, foi virtualmente dado de graça até que um contador descobriu que estava sendo vendido por 100 dólares a menos do que custava para ser construído. Bushnell admitiu que "nós escrevíamos contratos dos quais os caras conseguiam escapar facilmente". Ele também era relutante em ceder controle para uma mesa diretora forte e sempre cuidou para ter mais da metade das ações ordinárias.

Mesmo assim, durante seus primeiros três anos, a Atari conseguiu vender 13 milhões de dólares em *videogames* e capitalizou a popularidade do Pong vendendo variações, como Dr. Pong, uma versão em madeira dirigida a consultórios de pediatras, dentistas e hospitais, e Puppy Pong, cujo gabinete era uma casa de cachorro de fórmica. Na agitação de seu sucesso inicial, a Atari construiu uma grande fábrica apenas para descobrir que não havia encomendas suficientes para mantê-la funcionando. Mais dinheiro desapareceu quando Bushnell tentou começar a fabricar seus produtos no Japão. A vida não ficou mais fácil com as subidas e descidas sazonais, uma recessão nacional, um encolhimento do capital de risco e a percepção popular de que um negócio de lazer era um empreendimento frívolo.

Em várias ocasiões, especialmente entre a primavera e o verão de 1974, quando o futuro da Atari estava no sucesso de Gran Trak, um *game* de direção, a empresa enfrentou sete dias de falência. Em um almoço durante essa semana selvagem, Bushnell caiu em prantos achando que estava tudo perdido. Fornecedores se recusavam a entregar peças e credores acampavam nos corredores. O ambiente tempestuoso não escapava aos olhos dos empregados da Atari. Ron Wayne, funcionário na época, disse que "trabalhar na Atari era como dirigir com um volante de borracha mole". Steve Jobs formou suas próprias impressões de uma companhia que estava longe de ser um exemplo para livros de negócios: "Era sempre o caos. Não era uma empresa bem administrada."

Apesar de toda essa emoção e suspense, a maioria dos empregados da Atari era conservadora e Jobs era considerado peculiar. Ele metia o nariz no trabalho dos outros engenheiros e não fazia segredo de seu desdém. Bushnell lembra que Jobs "volta e meia falava para os outros caras que eles eram uns imbecis", e o próprio Jobs disse: "Alguns dos engenheiros deles não eram muito bons e eu era melhor que a maioria deles. O único motivo pelo qual eu brilhava era que todo mundo era muito ruim. Eu nem era engenheiro de verdade". Mas a aparência de Jobs, seus almoços à base de iogurte, sua adesão férrea à dieta sem muco e sua crença de que uma dieta de frutas significava que ele podia viver sem tomar banho faziam que ele fosse considerado um *hippie* rebelde. Ele mesmo não se importava com a animosidade que gerava. Finalmente, para manter a paz no laboratório, Alcorn deu um jeito para que Jobs trabalhasse ao final do expediente e tarde da noite. "Os engenheiros não gostavam dele. Ele cheirava mal."

Mesmo sem um treinamento formal em eletrônica, Jobs rapidamente superou a distância entre ser um técnico e ser um engenheiro. Uma de suas primeiras tarefas foi adicionar refinamentos a um jogo chamado Touch Me, que trazia círculos coloridos que precisavam ser pressionados de acordo com uma sequência de imagens na tela. Trabalhando disciplinadamente dentro de limites especificados, Jobs ajustou o desempenho dos *chips* para o que era desejado na tela. Ele entendeu a sutileza dos *chips*, projetou um novo *design* e fez melhorias substanciais no *game*. Wozniak admirava o trabalho de Jobs. "Ele fazia um trabalho criativo. Descobria como fazer a mesma coisa de maneira muito mais simples e melhor. Isso é engenharia."

Quando Jobs decidiu acompanhar seu amigo de faculdade Dan Kottke em uma viagem à Índia e ver o cenário intelectual e topográfico de alguns dos elaborados contos de Robert Friedland, pediu para Alcorn que ele financiasse a passagem. Alcorn recebeu a requisição com uma resposta grossa: "Nem a pau. Eu não vou lhe dar dinheiro para ir ver um guru". Os dois chegaram a um compromisso conveniente. Algumas máquinas que a Atari havia vendido para a Alemanha Ocidental estavam causando interferência em aparelhos de televisão e os engenheiros alemães não estavam conseguindo resolver o problema. Alcorn deu a Jobs um curso rápido de aterramento e concordou em pagar sua passagem para a Europa, dizendo-lhe que "dissesse 'oi' para o guru por mim".

A chegada de Jobs à Europa causou consternação entre os alemães, que ligaram para Alcorn tentando descobrir o que era aquilo que ele despachou. Da sua parte, Jobs (irritado porque não conseguia encontrar a palavra alemã para vegetariano) habilmente aplicou a cura para as máquinas problemáticas da Atari.

Pelos relatos, a viagem de Jobs e Kottke à Índia foi o retrato típico de dois jovens ingênuos no exterior, ocidentais levemente crédulos ofuscados pela luz branca dos *ashrams*, *swamis* e *sadhus*. Kottke achou que "a viagem foi uma espécie de peregrinação religiosa, exceto que nós não sabíamos para onde estávamos indo". Antes de Kottke chegar, Jobs passou algumas semanas sozinho e, nos anos subsequentes, elas foram relatadas com imagens praticamente surrealistas. Ele participou do Kumbhmela, um enorme festival religioso que acontece a cada doze anos em Hardwar, ao norte da Índia. "Sete milhões de pessoas", observou Jobs, "em uma cidade do tamanho de Los Gatos." Ele viu monges emergirem do rio, chamas de piras funerárias e corpos mortos flutuando Ganges abaixo. Encontrou um *designer* de moda parisiense em um *ashram* e um guru que, impressionado com a suavidade de sua pele, o arrastou morro acima e raspou sua cabeça. Também passou uma noite assustadora em um templo abandonado sentado perto de uma chama que tremeluzia ao lado de um tridente. Sua única companhia era um Shivaíta com cabelo emplastrado e um corpo coberto de cinzas, porque fumou um cachimbo até o amanhecer.

Vestidos com calças e túnicas leves de algodão, Kottke e Jobs usaram Nova Délhi como sua base. Caminhadas noturnas os levaram por favelas de ferro ondulado e caixas de madeira quebradas, por vacas comendo lixo e pessoas dormindo em catres nas calçadas. Suas saídas de Délhi eram feitas em ônibus com para-choques amassados e pequenos assentos de metal, e eles passaram dias mochilando para ver vários iogues. Pegavam carona em rios secos, carregando garrafas de água, seus pés deixados em carne viva pelas sandálias. Atraídos pela promessa do Tibet, viajaram até os pés do Himalaia, mas acabaram ficando na velha cidade de repouso de Menali, onde ambos pegaram carrapatos de lençóis velhos e ensebados.

Apesar de Neem Karoli Baba e seu cobertor xadrez já terem sido consumidos em uma espetacular pira funerária, Jobs e Kottke obedientemente rumaram a Kainchi. Eles caminharam entre ícones extravagantes e Krishnas de plástico e encontraram o *ashram* desvirtuado por músicos que estavam sendo pagos para tocar cantos devocionais. Apesar das mudanças, os dois permaneceram em Kainchi por quase um mês e alugaram um casebre de cimento de um cômodo de uma família que tinha uma fazenda de batatas. Era conveniente, permitia que eles lessem em paz e em silêncio e havia outra vantagem: era perto de um campo com pés de maconha que eles secaram e fumaram. Eles também tinham um serviço de quarto rudimentar fornecido pela mulher do plantador de batatas, o qual lhes vendia leite de búfalo d'água que ela aquecia e adoçava com açúcar. Em uma ocasião, Jobs reclamou que ela misturava o leite com água. Gestos romperam a barreira da língua e a mulher acabou denunciando Jobs como criminoso. No mercado de Kainchi, onde mercadores vendiam vegetais de carros de burro, Jobs também barganhava duro. Kottke se lembra de que "ele olhava os preços em outro lugar, descobria o preço real e pechinchava. Ele não queria ser enrolado".

O verão quente e desconfortável fez Jobs questionar várias das ilusões que havia sobre a Índia. Ele achou a Índia muito mais pobre do que havia imaginado e ficou chocado com a incongruência da condição econômica do país e seus ares de santidade. Viu uma lição crucial enrolada na roupa dos iogues com cartões de saúde amarelos. "Nós não vamos achar um lugar aonde possamos ir por um mês para sermos iluminados. Foi ali que eu comecei a pensar que talvez Thomas Edison tivesse feito muito mais para melhorar o mundo que Karl Marx e Neem Karoli Baba juntos."

Ao voltar à Califórnia, Jobs estava mais magro, graças a um ataque de disenteria, tinha cabelo cortado rente e estava vestido em um traje indiano que ficava a um milênio de distância de osciloscópios e Pong. Nancy Rogers relembra: "Ele estava tão estranho quando voltou. Tentava viver mais distanciado e mais espiritual. Olhava-me com seus olhos separados e fixava o olhar sem piscar. Convidava-me para jantar e bancava o guru. Visitava-me e olhava todos os pequenos presentes que tinha me dado e perguntava 'onde você conseguiu isso?' Era como se ele estivesse quebrando tudo que o prendia à sua vida anterior."

O retorno de Jobs da Índia no outono de 1974 também marcou um período de dezoito meses no qual ele brincou de amarelinha profissional. Ele pulava entre a Atari e as maravilhas da eletrônica de consumo e uma fazenda de trezentos acres no Oregon da qual Robert Friedland estava tomando conta para um parente rico. Mas primeiro ele foi para o norte, para um velho hotel em Eugene, no Oregon, que um aluno do psiquiatra californiano Arthur Janov havia convertido no Oregon Feeling Center. Jobs, que havia lido o *best-seller* de Janov, *O Grito Primal*, pagou mil dólares e se inscreveu num curso de doze semanas de terapia que supostamente trazia soluções para problemas profundamente enraizados. Janov e seus alunos do Oregon Feeling Center prometiam uma faxina de primavera emocional. "Sentir é o que esta terapia proporciona... Nós estamos atrás dos sentimentos que dizem 'Papai, seja bonzinho. Mamãe, eu preciso de você'." A curiosidade de Jobs foi fisgada. "Parecia uma coisa tão interessante! Você podia ganhar um conhecimento maior sobre sua vida e experimentar um novo patamar de sentimentos. Isso não era um lugar para pensar. Era um lugar para se fazer algo de verdade: fechar seus olhos, segurar sua respiração, pular dentro e sair do outro lado com maior discernimento."

Para Jobs, os textos de Janov pareciam ter a chave para uma busca pessoal imensa. Quando completou vinte anos, a questão da sua adoção e o paradeiro de seus pais naturais assumiu maior importância. Nancy Rogers lembra: "Ele às vezes chorava por querer conhecer sua mãe". Robert Friedland tinha sua própria interpretação: "Steve tinha um desejo profundo de conhecer seus pais biológicos para poder conhecer melhor a si mesmo". Perguntas sobre seus pais naturais geravam horas de especulação privada. Seus amigos brincavam que ele provavelmente era armênio ou sírio. Jobs começou uma pesquisa intensa por seus pais biológicos e descobriu um pouco sobre eles. "Ambos lecionavam em uma universidade. Meu pai era um professor de matemática visitante." Jobs concluiu que sua adoção teve pelo menos um efeito: "Me fez sentir um pouco mais independente". Depois de três meses em Eugene, o entusiasmo de Jobs com o método de Janov esfriou. "Ele oferecia uma resposta pré-fabricada que acabou se revelando ultrassimplista. Ficou óbvio que ela não me traria nenhum grande autoconhecimento."

Desapontado com os ensinamentos ministrados no Oregon Feeling Center, Jobs voltou à Califórnia, alugou uma casa em Los Gatos, começou a meditar por uma hora ao amanhecer e voltou a trabalhar novamente na Atari. Lá, ele continuou a irritar os colegas. Bushnell percebeu a tensão que Jobs criava no laboratório de engenharia e acabou indicando o rapaz para o cargo de consultor. "Foi um resgate de um incêndio iminente. Eu disse 'ei, se vocês não o querem, eu quero'." Bushnell gostava do senso de urgência de Jobs. "Quando ele queria fazer algo, apresentava um cronograma de dias e semanas, não de meses e anos." Jobs voltou a trabalhar de madrugada e passava seu tempo em vários projetos diferentes. Wozniak, por sua vez, havia descoberto os *videogames* e era um visitante frequente da Atari, onde passava horas jogando *games* que ficavam na linha de montagem. Ele até passou várias semanas projetando e construindo sua própria versão de Pong e, pela primeira vez, desenhou um aparelho que mostrava imagens em uma tela de televisão.

Wozniak também ajudou Jobs depois que Bushnell decidiu que queria um jogo no qual os jogadores destruiriam uma parede com uma bola saltitante. Bushnell ofereceu um bônus a Jobs, ligando o pagamento ao número de *chips* utilizados no *design*. Com menos *chips*, os jogos não eram só mais baratos de produzir, mas normalmente mais estáveis. Jobs pediu ajuda a Wozniak, que pensou: "Steve não era capaz de projetar algo tão complexo". A dupla passou quatro noites seguidas trabalhando no *game*, com Wozniak projetando e Jobs construindo o protótipo.

Bushnell ficou impressionado com o jogo finalizado e disse que Wozniak poderia ter um emprego na Atari quando quisesse. Entretanto, Al Alcorn, que não soube que Wozniak tinha se envolvido no *game* até muitos anos mais tarde, concluiu que "era um *design* brilhante, mas não era factível, porque os técnicos não conseguiam descobrir como fazê-lo funcionar". O *game* foi totalmente redesenhado antes de ser lançado como Breakout.

Enquanto isso, Jobs, que estava ansioso para voar de volta para o Oregon, descobriu que demoraria duas semanas para que ele e Wozniak recebessem os setecentos dólares que haviam sido prometidos. Jobs insistiu e recebeu o dinheiro no mesmo dia, desaparecendo para a fazenda de Friedland e deixando o caretaço Wozniak gestando pensamentos paranoicos: "Eu não tinha a menor ideia do que eles faziam lá". Houve outro resultado da pressão para terminar o Breakout: tanto Wozniak quanto Jobs contraíram mononucleose.

Jobs começou a sentir os primeiros sintomas quando chegou à fazenda. Friedland aplicou um bocado de misticismo e evocou noções de unidade universal e um conceito de seres superiores quando nomeou seu terreno de Fazenda All One. Ele também deu a seu filho recém-nascido um nome hindu e adotou um para si mesmo ("ele chamava a si mesmo de Dita Ram Das, mas nós o chamávamos de Robert", disse Kottke). O endereço da fazenda foi publicado no *Guia da Comunidade Espiritual* e atraiu uma boa variedade de vagabundos, mendigos psicodélicos, membros de templos Hare Krishna próximos e, em uma ocasião, alguns pacientes de um hospital psiquiátrico. Para a caravana de doze ou mais visitantes regulares, que incluía Jobs, a fazenda se tornou um palco para dramas e crises. Eles transformaram galinheiros em pousadas toscas e canalizaram água do poço para uma sauna a lenha. Quando Jobs instalou eletricidade em um celeiro para que ele pudesse ser usado como uma loja para vender barris, Friedland ficou surpreso com seu entusiasmo com conduítes e diagramas de fiação.

A fascinação pelo Oriente era forte entre os visitantes da Fazenda All One. Eles tinham aulas de meditação, debates prolongados sobre banir a maconha e outras drogas e sobre a possibilidade de adotar uma vida mais simples e pura. Inseticidas e herbicidas foram banidos dos pastos e hortas de verduras, onde eles construíram colmeias artificiais, plantaram trigo e proclamavam as virtudes da agricultura orgânica. Eles também usavam serras para podar um pomar de maçãs que estava cheio de macieiras gravenstein abandonadas. "Steve", disse Friedland, "era o homem das maçãs." A fruta era espremida e transformada em cidra e deixada ao ar livre durante a noite para se transformar em aguardente de maçã.

Jobs estava tão enfronhado em seus experimentos dietéticos que, certa vez, chegou a comer refeições que ele depois se forçava a vomitar. Anos depois, ele considerou que a fazenda proveu "uma lição real sobre a vida comunitária. Eu passei uma noite dormindo debaixo da mesa da cozinha e, na madrugada, vi todos entrarem para roubar a comida dos outros da geladeira". Jobs sentiu que estava se transformando em uma mera engrenagem em uma enorme máquina rural e estava um pouco desiludido com seu amigo. "Robert andava por uma linha muito fina entre um líder carismático e um picareta." Jobs também estava descontente com os caminhos da vida na All One. "Ela começou a ficar muito materialista. Todos começaram a perceber que estavam trabalhando duro para a fazenda de Robert e começaram a ir embora, um a um. Eu me enjoei e fui embora."

BALDES DE BARULHO

O fim da rua sem saída em Menlo Park parecia um depósito tristonho de carros usados. Velhos fuscas amassados, vans desbotadas pelo sol e Ford Pintos derrubados ladeavam a estradinha de cascalho. Os carros estavam estacionados na diagonal, apertados contra uma parede de hera, espalhados por uma transversal, com alguns parados em local proibido ou deixados em frente a uma cerca sem pintura. A maioria dos motoristas e passageiros tinha ouvido falar ou visto um cartaz feito a mão inconspícuo pregado em quadros de aviso no Centro de Computadores da Universidade de Stanford, no Departamento de Ciência da Computação Berkeley e na Whole Earth Truck Store, em Menlo Park. O pôster trazia duas chamadas, GRUPO DE USUÁRIOS AMADORES DE COMPUTADOR e CLUBE DE COMPUTAÇÃO HOMEBREW, e brigava por atenção entre pedidos de colegas de quarto e gatos perdidos. Mas as perguntas impressas abaixo davam algumas pistas: "Você está construindo seu próprio computador? Terminal? Máquina de escrever com TV? Aparelho I/O? Ou algum outro tipo de caixa preta mágica digital? Ou você está comprando tempo em algum serviço de compartilhamento de computadores?"

Stephen Wozniak, Allen Baum e trinta outros engenheiros de *hardware*, programadores de computador, técnicos e fornecedores de peças ficaram suficientemente intrigados com a nota, para dirigir de Palo Alto, Los Altos, Cupertino, Sunnyvale e San Jose pela Interestadual 280 e 101 ou de Oakland e Berkeley pela Bay Bridge e por San Francisco em direção à casa de telhas que pertencia a Gordon French.

No cinza entardecer de cinco de março de 1975, French e seu amigo Fred Moore movimentavam-se freneticamente pela garagem. Programador de computador de quase quarenta anos com uma barba espetada e óculos pesados, French passava seus dias desenhando um sistema de armazenamento de cadastros para o departamento de Seguro Social de Sunnyvale. Moore tinha um ar de austeridade monástica, com fios de cabelo castanho fino amarrados em um rabo de cavalo, um nariz pontudo e dentes da frente de plástico. Os dois pegaram algumas cadeiras da casa e as arranjaram em semicírculo, cobriram as manchas de óleo no chão de concreto com jornais e arrumaram um gravador de fita, dois pratos de *cookies* e jarras de limonada em uma mesa de piquenique ao lado de uma porta que levava a um depósito.

French e Moore eram vítimas do desapontamento. Ambos haviam pertencido à Companhia de Computadores do Povo, que, no meio da década de 1970, era um dos mais proeminentes bastiões para entusiastas de computador na península de San Francisco. Seu fundador fora Robert Albrecht, um dos primeiros apóstolos do poder dos pequenos computadores que queria ajudar pessoas, principalmente crianças, a aprender sobre computadores e como programar em BASIC. Autor de livros como *My Computer Likes Me* (Meu computador gosta de mim) e *What to Do After You Hit Return* (O que fazer depois de apertar *return*), a principal razão para Albrecht começar a Companhia de Computadores do Povo (PCC, da sigla em inglês) foi poder publicar um jornal tabloide. A publicação era coberta de desenhos e rabiscos, fazia piadas com computadores e tentava remover os véus de mistério que envolviam o assunto.

No começo da década de 1970, um pequeno grupo de redatores se juntava nos escritórios do PCC para jantares semanais, aos quais cada um trazia um prato, e conversavam sobre tecnologia e computadores. Quando, no final de 1974, Albrecht decidiu parar os jantares e se concentrar em seu jornal, Moore e French ficaram sem a companhia de suas almas gêmeas. Para piorar as coisas, Moore se sentiu lesado ao ser dispensado do cargo de editor no PCC; ele reclamou que "Bob Albrecht queria ser o Dragão-Chefe de todos os usuários de computadores alternativos" e sugeriu a seu amigo que eles deveriam organizar uma reunião com qualquer um interessado em pequenos computadores.

Para Moore, o Clube Homebrew era outro tema alternativo a se somar à lista de atividades alternativas que ele vinha defendendo por toda a sua vida adulta. Estudante de Berkeley no final da década de 1950, ele ajudou a abolir o alistamento obrigatório no ROTC (Reserve Officers' Training Corps). Em meados da década de 1960, ele saía em turnês de palestras do Comitê de Ação Não Violenta, visitando *campi* de faculdades e cruzando a América em um carro lotado de cartazes e panfletos. Ele cumpriu uma sentença de dois anos por violar a lei de serviço seletivo e foi pai solteiro numa época em que o termo causava estranheza. Depois do Vietnã, começou a se aprofundar em economia alternativa. Ele considerava o trabalho como um presente e pregava contra a economia convencional, o valor do dinheiro, a propriedade da terra e a depredação da natureza. Tentou criar uma Rede de Informação centrada em volta da loja Whole Earth de Menlo Park e passando pelas cidades da península. Seu lema era "Ponha sua fé nas pessoas, não no dinheiro" e insistia em usar *slogans* como: "Riqueza é a sinergia de relações multi-interdependentes".

Ele guardava catálogos de cartões listando pessoas com um alcance peculiar de interesses comuns. Junto com passatempos convencionais, como manutenção de automóveis, acampar, teatro, natação, fotografia e pesca, Moore também listava categorias como *biofeedback*, enterros, domos, lixo, conspirações de *hardware*, encanamento, massagem, desgraças, doenças venéreas e tendas. Seu sistema de indexação listava números de telefones de pessoas interessadas em eletrônica e computadores, e o próprio Moore se tornou um conhecedor do IBM 360 no Centro Médico de Stanford, onde alguns terminais estavam disponíveis para estudantes e visitantes. Para Moore, os fabricantes de grandes computadores – mais notadamente a IBM – eram tão passíveis de suspeita quanto bancos de Nova York, agências governamentais, monetaristas e companhias petrolíferas. Portanto, a ideia para um Clube Homebrew era uma expressão de interesses maiores: "Não havia razão para computadores serem tão caros quanto os da IBM. Eu estava apenas interessado em promover a troca de informações em microcomputadores".

O jeito gentil e meio avoado de Moore era compartilhado por outros que passaram pela garagem de Gordon French. Um deles era

Lee Felsenstein, que havia crescido na Filadélfia e largado Berkeley na década de 1960 para trabalhar de repórter em pasquins como o *Berkeley Barb* e o *Berkeley Tribe*. Armado com língua ferina e mente rápida, Felsenstein havia trabalhado como engenheiro na Ampex, fora rejeitado por Al Alcorn na Atari e viveu em Resource One, uma comunidade de sem-teto em um prédio do bairro de armazéns de San Francisco. Lá, rodeado de filões de pães de banana e pias de cerâmica, ele pajeou um SDS 940, um dos mais admirados computadores *mainframes* da década de 1960. Felsenstein e outros sonhavam que o computador obsoleto, que havia sido herdado do Instituto de Pesquisa de Stanford, transformar-se-ia na base de sustentação do que era chamado de Projeto de Memória Comunitária. Ele havia escrito artigos em revistas, como a *Coevolution Quarterly*, explicando como computadores eram "ferramentas de convivência" que podiam fornecer "informação secundária" e conectar pessoas com interesses em comum. Ligando terminais em um computador maior, Felsenstein e sua corte tentaram criar um Quadro de Avisos Eletrônico. Felsenstein tinha uma visão bipartida: "Podia ser um movimento de raiz. Podia estar em todos os lugares ou em nenhum".

A realidade era bem menos grandiosa e as divisas eletrônicas do Resource One se estendiam apenas até as máquinas de teletipo instaladas no Discos Leopold e na loja da Whole Earth, em Berkeley. Na loja de discos, músicos e clientes trocavam informações sobre concertos e negócios. De tempos em tempos, os teletipos traziam questões memoráveis, como "Onde podemos achar bons *bagels* na área da baía?", o que produzia a resposta "um ex-padeiro pode lhe ensinar como fazer *bagels*". Certa vez, a lista de itens para venda incluía um par de bodes núbios. Diversão à parte, impulsos democráticos eram restritos pelas limitações da tecnologia. Era mais fácil fazer uma chamada telefônica, passar os olhos por um quadro de avisos ou colocar um classificado em um jornal que utilizar os lentos e barulhentos teletipos. O Projeto de Memória Comunitária era uma dessas ideias bem-intencionadas que afundaram porque estavam à frente de seu tempo. Então, para Felsenstein, assim como para Fred Moore, computadores eram um refinamento de alguns aspectos da política subterrânea da década de 1960.

Na época dos primeiros encontros do Clube Homebrew, Felsenstein falava acerca de capitalizar sobre alguns dos avanços da eletrônica para ajudar a fazer a vida mais fácil para o tipo de pessoas interessadas em encontrar bodes núbios. Ele queria projetar uma pequena máquina, que chamava de O Terminal Tom Swift, para substituir as desajeitadas máquinas de teletipo. Era esse exato assunto – o mundo se abrindo a enormes avanços da eletrônica – que formava o tópico de discussão principal na garagem de Gordon French.

O tamanho desses avanços ficou aparente quando um membro demonstrou um novo computador chamado Altair 8800. Aclamado na capa da edição de janeiro de 1975 da *Popular Electronics* (A revista de eletrônica mais vendida do mundo) como um "Projeto Revolucionário" e o "primeiro *kit* de minicomputador capaz de rivalizar com modelos comerciais", o *kit* do Altair era vendido por 375 dólares, tinha o tamanho aproximado de uma caixa de laranjas e trazia alguns interruptores e luzes em um painel metálico frontal. O computador era fabricado pela MITS, uma pequena companhia sediada em Albuquerque cujas iniciais, que significavam Micro Instrumentation and Telemetry Systems, revelavam algo sobre seu propósito inicial. Ela foi criada em 1969 com o objetivo de criar e vender utensílios de direcionamento para foguetes de modelismo.

Um notável aspecto do Altair não era o gabinete de metal ou as filas de interruptores e luzes no painel frontal, ou o entusiasmo da Popular Electronics, ou ele vir de Albuquerque. Na verdade, era um dos componentes eletrônicos dentro dele: um *chip* semicondutor montado em uma peça de uma polegada de plástico preto com um logo em letras minúsculas dizendo INTEL 8080. O *chip*, que não era muito mais largo que o número 8080, como aparece nesta página, continha a unidade de processamento central de um computador e era o mais notável exemplo do que as empresas de semicondutores chamavam de microprocessador.

A estrutura conceitual para o microprocessador correspondia às ideias por trás de todos os computadores eletrônicos digitais produzidos depois da Segunda Guerra. Tanto o ENIAC (Electronic Numerical Integrator and Computer) quanto o IBM 1130, o Varian 620i, o PDP8 da Digital Equipment e o Nova, da Data General, utilizavam os mesmos princípios do Intel 8080. A única diferença era o tamanho. O ENIAC de trinta toneladas com seus 18 mil tubos de vácuo era menos poderoso que o Intel 8080, que, com seus 5 mil transistores, podia ser engolido. A unidade de processamento central de computadores, como o Nova, da Data General, era composta por dúzias de *chips*, cada qual projetado para desempenhar uma tarefa específica. *Chips* como o 8080 chegavam perto do poder de alguns dos primeiros minicomputadores, mas liberavam os engenheiros das tarefas cansativas de assegurar conexões sólidas entre as centenas de linhas de solda que corriam entre os *chips*.

O 8080 era o terceiro microprocessador fabricado pela Intel, uma empresa de semicondutores fundada em Santa Clara, em 1969, cujo nome era uma contração de Integrated Electronics. O primeiro microprocessador da Intel, o 4004, era parte de um grupo de *chips* projetados para controlar uma calculadora de mesa. Apesar de a companhia anunciar o 4004 como o introdutor de "uma nova era da eletrônica integrada", seu conteúdo prodigioso fora difícil de ser apreciado. Sob um microscópio, os padrões no 4004 pareciam com uma mapa de uma cidade populosa. Mas o microprocessador, dúzias do qual eram impressas em uma única bolacha de silício, trazia um avanço mais significativo nas técnicas de produção em massa que a linha de montagem móvel de Henry Ford.

A flexibilidade infinita do microprocessador, que podia ser programado para desempenhar inúmeras tarefas, foi acompanhada pelos igualmente prodigiosos avanços em outra área da tecnologia de semicondutores: *chips* de memória. Programas de computador, compostos de milhões de uns e zeros que, até o final da década de 1960, eram armazenados em grossas memórias principais, podiam agora ser guardados em *chips*. Isso tornava mais fácil e barato escrever programas. Microprocessadores podiam ser conectados a dois tipos de *chips* de memória. Eles podiam ler programas armazenados em *chips* chamados de ROM e podiam ler e modificar programas escritos em um *chip* mais complicado, chamado de RAM. Como o microprocessador podia ser programado para realizar dúzias de tarefas, isso reduzia o custo de qualquer coisa que necessitasse de partes mecânicas, enquanto, simultaneamente, aumentava seu valor.

Os membros do Clube Homebrew eram, compreensivelmente, mais interessados nas aplicações práticas de microprocessadores que na história da produção em massa. A maioria deles conhecia um pequeno *kit* de computador, o Mark 8, que havia sido construído tendo como base o segundo *chip* da Intel, o 8008. Aquele microprocessador havia feito um professor de uma escola do sul da Califórnia publicar a *Newsletter do Micro-8*, cujo propósito principal era manter os entusiastas a par de programas escritos para o 8008. Mas, na primavera de 1975, o 8080 se transformou no interesse central. Ele era vinte vezes mais poderoso que o 4004 e podia gerenciar oito *bits* (em vez de apenas quatro) simultaneamente. Diferentemente do 8008, que precisava de cerca de vinte outros *chips* para se tornar útil, o 8080 podia lidar com seis *chips* periféricos. Ele também podia ser ligado a 65 kilobytes de memória, em vez de 4 K do 4004.

Um dos membros do Homebrew revelou que ele havia dirigido da Califórnia ao Novo México apenas para pegar seu Altair. Mas o computador que era observado com curiosidade na garagem de French não fazia muita coisa: ele ficava parado em cima da mesa com suas luzes piscando. Mesmo para fuçadores e entusiastas inveterados, o Altair era uma proposta ousada. O computador básico precisava de acessórios, como uma máquina de teletipo ou uma tela de TV, placas de *chips* de memória extra e programas, antes de fazer qualquer coisa remotamente interessante. Esses acessórios empurravam o preço para a casa dos 3 mil dólares. Enquanto isso, o dono precisava ter paciência e habilidade para atravessar páginas e páginas de instruções esotéricas, identificar componentes em sacos plásticos, testar os *chips*, saber usar um ferro de solda e lidar com problemas como uma fonte de força pesada que teimava em superaquecer.

Nos primeiros encontros do Homebrew, os membros passavam o tempo especulando sobre para que os microcomputadores podiam ser utilizados. Eles pareciam entender – mais por instinto que por conhecimento – as implicações de dar poder computacional às pessoas. Alguns imaginavam que os microcomputadores seriam utilizados para edição de texto e por empresas. Outros achavam que eles podiam ser utilizados para controlar sistemas de aquecimento, motores de automóveis, alarmes contra ladrões e regadores automáticos de jardim, jogar *games*, fazer música, controlar pequenos robôs e, claro, criar redes de memória comunitária. Suas bolas de cristal enevoadas revelavam visões mais imaginativas que as das companhias de semicondutores. Lá, a maioria dos executivos de *marketing* acreditava que microcomputadores seriam utilizados para controlar máquinas como elevadores, motores e eletrodomésticos.

Quando montou o primeiro boletim de notícias do Homebrew, Fred Moore teve de pedir ajuda a seu inimigo implacável. Datilografado em um compositor IBM no meio da noite na loja da Whole Earth, o boletim de duas páginas continha um sumário do primeiro encontro em que Moore acreditava ter revelado "um espírito espontâneo de compartilhamento". Moore também incluiu os endereços e interesses dos primeiros membros do clube. O boletim divulgava que Stephen Wozniak gostava de "*videogames*, filmes pagos em hotéis, de projetar calculadoras científicas e terminais de TV".

Seja pelo boletim de Moore, pela chegada do Altair ou pelos grandes avanços no *design* de semicondutores, o Clube Homebrew crescia como uma corrente ou um esquema de pirâmide. Em menos de oito meses, o número de membros havia crescido para cerca de trezentos e, depois de um tempo, os membros do Homebrew viraram um bando de vagabundos que mantinham seus encontros quinzenais em salas de aula ou no laboratório de inteligência artificial de Stanford.

Conforme foi crescendo, o clube atraía todo tipo de gente de todas as cidades da península. A maioria era formada por *hackers* e entusiastas, como Wozniak ou o *phreak* John Draper. Alguns, como Addam Osborne, um homem alto de cabelos escuros com um sotaque britânico, tinham razões comerciais para frequentá-lo: de uma caixa de cartões, Osborne pescava cópias de seu livro sobre microcomputadores e vendia-os a membros do clube. Outros vinham de companhias eletrônicas, do instituto de pesquisa de Stanford, do laboratório de inteligência artificial de Stanford e da Universidade Livre de Palo Alto, uma instituição que oferecia cursos de astrologia, Zen e não violência. Entretanto, muitos dos docentes de universidades e faculdades da região e a maioria dos engenheiros nas empresas de eletrônica e semicondutores viam os microcomputadores como brinquedos. O Clube Homebrew era atraente para aqueles com poucos fundos e uma inclinação mais prática que teórica, o que deixava membros como Allen Baum desapontados. "Eu fiquei entediado bem rapidamente."

Quando ficou claro que havia um bando inchado e permanente de amigos andarilhos, as reuniões do Clube Homebrew começaram a ser feitas em um grande e inclinado auditório no Centro do Acelerador Linear de Stanford. Apesar de alguns membros sugerirem que o clube fosse chamado de Eight-Bit Byte Bangers, Cérebros Anões ou Grupo de Computação e Cerveja Barata, o nome Homebrew foi o que pegou. O tom das reuniões foi altamente influenciado pela primeira noite na garagem de Gordon French. Não havia quórum, pagamentos formais ou disputas por eleições para cargos de direção. O Clube Homebrew desenvolveu seu próprio ritual e, como um bazar, tornou-se um centro para demonstrações, negócios e rumores. As reuniões eram divididas entre "períodos de acesso aleatório" e "períodos de mapeamento", nos quais pessoas com interesses em comum podiam se reunir. As reuniões quinzenais proviam incentivo, críticas, fofocas e, para Wozniak, "os encontros do Homebrew eram a coisa mais importante da minha vida".

Novos componentes vendidos a preços incríveis também costumavam aparecer no Clube Homebrew. A Universidade de Stanford, ansiosa para preservar sua reputação, baniu qualquer tipo de negócio em seu *campus*, mas isso só fez membros como Marty Spergel procurarem outros lugares. Spergel se tornou o mais conhecido centro para vendas e dirigia um automóvel cujo porta-malas estava invariavelmente lotado de peças eletrônicas. Ele tinha um forte sotaque do Brooklyn, vestia ternos de três peças, tinha gargalhada profunda e olhos penetrantes e vivia em um estacionamento de *trailers* em Sunnnyvale ganhando a vida montando kits para microcomputadores construídos sobre o Intel 8008. Ele trafegava por um terreno cinzento, onde um telefone ocupado provia conexões com distribuidores, representantes de vendas e fabricantes estrangeiros e ele se orgulhava do que chamava de sua "logística global". Dizia a membros do clube que conseguia achar em cinco dias qualquer semicondutor, conector, cabo ou seja lá qual fosse o obscuro utensílio eletrônico de que eles precisassem.

Algumas das peças importadas do Oriente passavam pelos olhares curiosos dos inspetores da alfândega. Uma caixa, descrita pela nota fiscal que a acompanhava como contendo *joysticks*, ficou presa até

Spergel conseguir provar que eram apenas controladores de jogos e não apetrechos sexuais. Spergel e outros faziam negócios nos estacionamentos da Stanford até os guardas de segurança saberem o que estava acontecendo. Finalmente, eles se retiraram para as sombras e a segurança de um estacionamento vazio de um posto Shell próximo.

Entre as reuniões, o boletim do clube, que em um ano atingiu a tiragem de seiscentos exemplares, mantinha os membros a par dos acontecimentos. Ele incluía um sumário da reunião anterior, aplaudia a chegada de aparelhos interessantes, publicava um calendário de eventos de eletrônica, anunciava a publicação de artigos úteis e também provia um fluxo contínuo de conselhos práticos. Explicava, por exemplo, como teclados de máquinas de escrever podiam ser construídos a partir de interruptores de plástico pintados com tinta Krylon (esmalte demora mais para secar) e decorados com letras compradas em uma papelaria. Ele consistentemente publicava apelos por mais *software*, e seus guias para os estoques de lojas de eletrônica local eram escritos em uma taquigrafia que só os entusiastas conseguiam desvendar: "*Kit* soquete, IC *kit*, *kit* transistor, *kit* diodo, gerador de taxa de transmissão, *trim pots*, 2 546 *cristal*, capacitores tântalo."

O boletim também continha dicas de interesse mais abrangente e quase desde o início mostrava sinais de que os sonhos de vida de Moore sobre redes comunitárias tinham finalmente virado realidade. Assim que isso aconteceu, Moore foi forçado a sair do clube em virtude de problemas maritais. Quando clubes similares começavam em Boston ou San Diego e até mesmo na Columbia Britânica, a notícia logo aparecia no boletim da quinzena. O jornal do Homebrew trazia até apelos solitários de além-mar. Salvatore di Franco escreveu de Biccari, na Itália: "Na Itália não existem revistas, nem livros, nem dados onde eu possa pegar informações e conhecimento dos quais preciso. Esta é a principal razão de eu estar me juntando a seu clube". E F. J. Pretorious mandou uma carta de Sasolburg, na África do Sul, comentando o estado das coisas: "É muito desencorajador que nenhum circuito esteja disponível para os processadores 8008 ou para o 8080".

Mas, mais do que tudo, o Clube Homebrew fornecia uma audiência para um grupo de solitários, como Wozniak, cujo principal interesse na vida era algo que a maioria das pessoas não conseguia entender. E, apesar de, em anos posteriores, o clube ser carinhosamente lembrado como uma feira de ciências móvel no qual almas do mesmo tipo se juntavam para compartilhar seus segredos, mostrar suas máquinas e distribuir esquemas – como qualquer outra versão mais antiga de feiras de ciência escolares –, também era um fórum cético e crítico em que *designs* malfeitos eram atacados como sendo "um balde de barulho". Apesar das intenções róseas de Fred Moore, os membros mais brilhantes do Clube Homebrew gostavam de trabalhar por conta própria e Lee Felseinstein se lembra do tom dominante: "Nós estávamos todos de olho para ver se alguém mais estava infringindo em nossa especialidade ou copiando nosso pequeno truque. Era difícil juntar gente para trabalhar junto na mesma coisa. Nós todos tínhamos grandes planos e ninguém para ouvi-los a não ser outras pessoas com seus próprios grandes planos".

> ***"Johnny Carson não seria nada mal,"***
>
> ***disse Jobs.***

No Vale dos Superlativos, inventar um *slogan* criativo para um novo computador era um negócio complicado. Por meses, os gerentes de *marketing* do Mac coçaram suas cabeças tentando bolar uma frase memorável que capturasse as virtudes de seu computador. De vez em quando, dependendo do formato, do temperamento e da engenhosidade do locutor, o Mac havia sido nomeado como O Novo Apple II, A Interface para os Anos 80, O Computador sem Manivela, O Volkswagen sem Manivela, O Mercedes sem Manivela. Como empresa, a Apple havia gastado todas as variações sobre o tema computador pessoal. Havia anexado o artigo definido para descrever o Apple II como O Computador Pessoal e, pouco depois, anunciou (assumindo uma cara de pau magnífica) que, na verdade, ela havia inventado o computador pessoal.

Concorrentes contra-atacaram com arrogância do mesmo nível. As propagandas da Digital Equipment Corporation diziam: "Nós mudamos o jeito de pensar do mundo", a Radio Shack se autointitulava "O maior nome em pequenos computadores" e o fundador da Osborne Computer Corporation, antes de sua empresa ir à falência, comparava a si próprio com Henry Ford. Conforme a corrida dos *slogans* acelerava, a Apple ia lançando múltiplos adjetivos, descrevendo sua máquina mais vendida como "O computador mais pessoal", um *slogan* que gerou uma piada ácida de que o Mac seria simplesmente "o computador ainda mais pessoal".

Em parte para evitar subtítulos capengas, Marcia Klein, chefe de conta da Apple na agência de relações-públicas Regis McKenna, chegou ao prédio do Mac uma manhã para ter uma conversa com Mike Murray. Ela queria debater algumas ideias para um *slogan*, mas também queria começar a preparar encontros com a imprensa. Vestida em um terno verde-oliva e com batom vermelho-bombeiro, Klein trouxe um toque de elegância *fashion* à sala de conferência do Mac enquanto Murray esperava com sua calça de sarja, camisa esporte azul e *topsiders*.

Depois de passarem das amenidades, Murray disse: "Mais para frente nós vamos querer que as pessoas pensem que, quando elas forem contratadas para um novo emprego, encontrarão lápis, um cesto de papel e um Mac. Mas isso é impossível de se conseguir de cara. Eu queria deixar claro que há uma necessidade gigantesca de um utensílio desses no escritório. Estou firmemente convicto sobre o conceito do Mac como utensílio de escritório".

Klein ouviu e perguntou como o Mac se encaixava entre os outros computadores da Apple. "Quando alguém nos perguntar sobre o futuro do Apple II e do Apple III, o que iremos dizer?"

"Nós não sabemos o que vamos falar sobre o Apple III", admitiu Murray. "É algo que ainda não foi definido. Estamos nos esquivando. Temos de ser claros sobre o futuro dos produtos. Não podemos ser tímidos. As pessoas ficam paradas esperando que o Apple III se levante e vá embora."

Klein resumiu seus objetivos: "Nós estamos tentando passar a impressão de que a empresa tem um plano de *marketing* geral, que existe um posicionamento corporativo geral e que o que nós dissermos quando introduzirmos o Lisa será o mesmo que diremos quando introduzirmos o Mac".

Murray suspirou. "Muita gente tende a ignorar isso porque é realmente um problema complicado. O povo não entende a gravidade do problema."

Klein começou a explicar a Murray como lidar com jornalistas. "A imprensa prefere que você converse com eles. É melhor que preparar um discurso de vendas com luzes e espelhos. Você não precisa de nada rebuscado como *shows* de *slides*. Você não precisa ser impressionante."

"Não basta dizer que o Mac é fofo e aconchegante", disse Murray. "Eles terão de colocar seus braços em volta dele e dizer que ele é fofo e aconchegante."

"Temos de bolar uma frase para toda a sociedade", disse Klein.

"Algo como utensílio de mesa", disse Murray esperançoso.

"Temos de aparecer com uma nova linguagem", disse Klein. "Utensílio é linguagem velha. Um utensílio é algo que você compra na K-Mart. Algo chato e funcional. Não tem personalidade."

"Não quero chamá-lo de ferramenta de mesa", disse Murray.

Klein brincava com uma caneta. "Você precisa de algo assim para as propagandas, mas pode ter o luxo de falar em parágrafos quando estiver com a imprensa. Você não precisa usar apenas duas palavras. A imprensa é mais sofisticada, mas o público leitor não o é, necessariamente. O ponto central de falar com a imprensa é educá-los para que eles possam educar seus leitores. Para cada publicação você muda um pouco do que tem a dizer. Cada publicação é um pouco diferente e vai perguntar coisas diferentes. A *Business Week* vai querer algo diferente da *Time*."

A porta se abriu e Steve Jobs, meio desarrumado e rabugento, entrou, caiu numa cadeira e jogou seus pés sobre a mesa. Ele estava vestido em *jeans*, meias bege, camisa listrada e mocassins. Alguém havia acabado de dizer a ele que um professor do MIT havia descrito o funcionamento do Lisa e do Mac em um programa da Cable News Network. Jobs estava incomodado e se voltou para Klein. "Aposto que foi Marvin Minsky. Só pode ter sido ele. Consiga uma fita e, se foi Minsky, quero pendurá-lo pelos dedões."

Murray e Klein continuaram a debater vários enfoques para a imprensa até que Jobs os interrompeu bruscamente. "Nós precisamos decidir o que queremos e então começar a plantar algo, porque eu tenho a sensação de que conseguiremos o que quisermos." Ele continuou: "O que nós precisamos é de uma capa da *Time* ou da *Newsweek*. Eu até consigo ver a capa: uma foto de toda a equipe do Mac. Nós temos mais chances com a *Newsweek* que com a *Time*", ele previu. "Nós almoçamos com o presidente da *Newsweek* e um punhado de editores em uma sala no topo do prédio e eles ficaram e conversaram algumas horas depois do almoço. A coisa foi indo, indo. Tecnologia. Reindustrialização. Toda essa espécie de coisas." Ele concordou consigo mesmo. "Eles realmente gostam disso. Novos computadores feitos por garotos *high-tech* e coisa e tal."

"Eu consigo ver a história agora", disse Murray. "Vai ter uma dúzia de fotos com pequenas biografias embaixo."

"Depois podemos fazer um programa de uma hora na TV com Dick Cavett entrevistando Burrell e Andy", disse Jobs.

"Precisamos de algo mais popular que isso", arguiu Klein.

"Johnny Carson ou algo parecido", sugeriu Murray.

"Johnny Carson não seria nada mal", disse Jobs.

"Que tal aquele inglês que fez as entrevistas com Nixon?", Murray perguntou.

"Uma vez que a coisa comece, vai ser uma bola de neve", disse Jobs. "Já consigo ver a revista *People* colocando Andy Hertzfeld na capa. Vai ser o máximo. Nós vamos ter histórias dizendo 'Este é o cara que o criou', 'Essa é a fábrica que o produziu.' As pessoas vão ficar sabendo de tudo sobre o Mac. Temos de conseguir um monte de espaço editorial gratuito."

Jobs avistou uma propaganda falsa deixada sobre a mesa. "Oooohh, eu gosto disso", disse ele numa voz mais suave. "Oooohh, isso é quente". Ele leu o *slogan*: "Apple Computer consegue de novo". Gostei disso. Isso é muito bom."

"Podia ser uma bela capa da *Newsweek*", sugeriu Murray.

"É boa para a *Byte*", contrapôs Jobs, já de melhor humor. "Parece tão diferente da IBM."

"É muito estiloso para a *Byte*", retrucou Klein.

"Seria ótima para a *Newsweek*", concordou Jobs. "Eles venderiam milhões de cópias."

A conversa voltou ao problema de se criar uma imagem para um computador. Jobs suspirou: "Sabe, a coisa mais próxima foi o anúncio da IBM com Charlie Chaplin. A IBM conseguiu dar personalidade ao seu computador". Ele pausou. "Tive uma ideia para um anúncio. Nós mostraríamos uma espécie de Carlitos espasmódico, mas ele foi fabricado, então, não é realmente engraçado. Conseguiríamos fazer isso porque a IBM não tem direito sobre Charlie Chaplin. Então aparece o Mac Man e ele destrói Chaplin ou passa por cima dele, ou aparece na frente e atira flechas que saem de dentro do seu casaco". Ele fez uma pausa dramática. "Aí uma voz diz: 'Charlie Chaplin encontra o Mac'."

Murray e Klein sorriram e não disseram nada. Jobs continuou: "Precisamos de propagandas que batam na sua cara. Elas têm de ter alto conteúdo visual. Temos uma oportunidade de fazer um anúncio que não fala sobre um produto. É como se nós fôssemos tão bons que não precisássemos mostrar fotos de computadores".

"O lema da propaganda é", disse Murray assim que Jobs terminou, "dizer algo sem dizê-lo e depois seguir em frente e dizê-lo".

"Não temos a menor chance fazendo propagandas com funções e benefícios, RAM, tabelas e comparações", disse Jobs. "A única chance que temos de comunicar é com um sentimento".

"Tem de ser como o Sony Walkman ou Cuisinart. O Mac tem de ser um produto *cult*", disse Murray.

Jobs franziu a testa. "Sim, nós dizemos 'Isso é *cult*' e depois dizemos 'Ei, tome este suquinho'." Ele caminhou até a porta e disse "Queremos criar uma imagem que as pessoas não esquecerão. Temos de construí-la e temos de construí-la cedo."

Murray teve uma ideia, olhou para Jobs e disse esperançoso: "O Computador Pessoal que lhe dá personalidade."

Jobs ignorou a sugestão, parou e examinou algumas fotografias penduradas na parede que mostravam crianças e estudantes usando Macs. "Talvez, se dermos essas fotos à imprensa, eles as publiquem." Ele então se voltou para Klein: "Você não acha que eles publicariam algo assim?"

"Talvez o *San Jose Mercury*", disse Klein.

STANLEY ZEBER ZENSKANITSKY

Alex Kamradt era um eterno otimista. Alto, largo, porém não gordo, com um rosto redondo e a cabeça coberta de um espesso cabelo preto e crespo, ele parecia frequentemente estar num dilema ou simplesmente confuso. Era o jovial e generoso fundador da Call Computer, um empreendimento caseiro que ele administrava a partir de um escritório caótico em Mountain View. O epicentro corporativo era uma escrivaninha de tampo de correr abarrotada de papéis, revistas, formulários de computador impressos, cartões de visita, canetas e lápis. A escrivaninha era rodeada por teletipos, paredes esverdeadas imundas, havia uma mesa de jantar, algumas cadeiras de espaldar reto e prateleiras repletas de fichários inchados.

Ex-físico da Lockheed, Kamradt se interessara por computadores quando tentava criar programas a fim de resolver cálculos científicos. Ele vendera a casa, comprara um minicomputador com uma parte do dinheiro e fez planos de usá-lo para acompanhar os negócios imobiliários da região. Em vez disso, acabou alugando tempo de uso do computador para empresas pequenas na península de San Francisco. Juntamente com alguns estudantes, começou a criar programas para auxiliar pequenos negócios a administrar contas a pagar, contas a receber e inventários. Os clientes conectavam-se ao seu computador por meio do teletipo, da mesma maneira que o pessoal de Berkeley fazia em permuta com o Community Memory Project da Resource One.

Mas Kamradt percebera que a chegada do microprocessador iria alterar a área de atuação da Call Computer. Ele queria vender ou alugar aos seus clientes um terminal mais conveniente, baseado num teclado de digitação conectado a uma televisão. Ele começou a frequentar as reuniões do Clube Homebrew com a intenção de achar alguém que projetasse o terminal para ele. "Comecei a perguntar às pessoas quem era o engenheiro mais hábil, e eles disseram: 'Wozniak'."

Em meados de 1975, Kamradt e Wozniak fundaram uma subsidiária da Call Computer, que eles chamaram de Computer Conversor. Kamradt entrou com cerca de 12 mil dólares de capital inicial e ficou com 70% da empresa; Wozniak ficou com 30% e uma conta livre no minicomputador. Embora fosse um acordo casual, Wozniak comprometeu-se a criar um *design* para um terminal que pudesse, como sugeria o nome do negócio, conversar com outro computador. Kamradt via o terminal como parte de um plano maior. "Eu queria o terminal de computador para vender e alugar. Sabia que o estágio inicial seria criar o terminal e, então, pouco a pouco, adicionar mais memória e transformá-lo em um computador. Wozniak e eu tínhamos um acordo pelo qual construiríamos o terminal e, a seguir, o computador."

Wozniak tinha uma razão prática para projetar o terminal. Ele tinha visto com inveja uma máquina similar que o *phreak* telefônico John Draper instalara no porão de sua casa em Los Altos. O aparato acrescentava uma nova dimensão ao *phreaking*. Conectado a um telefone, o terminal permitia que Draper mergulhasse na ARPANET, uma rede de computadores financiada pelo governo federal para interligar universidades e estabelecimentos de pesquisa. Munidos de alguns números de telefones e dos códigos de acesso certos, pessoas de fora como Draper podiam se conectar a computadores espalhados pelos EUA; alguns destes serviam como pontes para outros computadores em universidades da Europa. Estudantes e entusiastas de computação se intrometiam nos arquivos da ARPANET, deixavam mensagens eletrônicas uns para os outros em fóruns eletrônicos informais e, às vezes, bolavam maneiras de apagar registros em computadores distantes.

Wozniak usou como base para o terminal da Computer Conversor a máquina que ele mesmo construíra para jogar Pong. Tanto ele quanto Kamradt achavam que os microprocessadores eram muito caros e, por isso, desde o princípio o terminal não seria mais que uma televisão combinada a uma máquina de escrever. Em sua versão final, o terminal permitia ao usuário escrever um texto na tela e funcionava um pouco mais depressa do que um teletipo. Também possuía um par de acoplamentos de borracha que, encaixados num telefone, permitiam que a informação viajasse entre o terminal e o computador de Kamradt.

Wozniak tratou de resolver os problemas no seu protótipo e o considerou confiável o bastante para entrar com ele na ARPANET. "Era bem fácil compreender como pular de um computador para outro." Embora o terminal satisfizesse Wozniak, o protótipo trouxe um problema a Kamradt. "Como era útil para Wozniak, ele o considerou acabado. Ele conseguia consertar o que desse errado. Mas ninguém mais podia. Ser um gênio não significa nada se você não consegue reproduzir o que foi realizado. Eu não pude. Ele era pouco acessível e não tinha a intenção de nutrir uma empresa."

Wozniak achava que sua responsabilidade primária estava no seu emprego de tempo integral. Depois de um ano de *phreaking* telefônico em Berkeley, ele tinha largado a universidade e passou seis meses trabalhando na linha de montagem da Electroglass, uma empresa que fornecia equipamentos para fabricantes de semicondutores. Ele nunca considerou a possibilidade de trabalhar para a empresa de seu pai, Lockheed, que perdera o brilho genuíno que possuía no final da década de 1950. De certa forma, a Lockheed era uma vítima da moda; ao final da década de 1960, boa parte do seu trabalho era vista por um enfoque sinistro. Em vez do brilho patriótico que fulgurava em torno de qualquer empresa que protegesse o povo norte-americano contra as hordas de Sputniks, a Lockheed estava intimamente ligada ao imbróglio no sudeste da Ásia. Sofria com a desaceleração do programa espacial, estava enredada em escândalos de suborno, era o alvo de comissões parlamentares de inquérito que investigavam superfaturamentos em contratos com o governo e só escapara do colapso com auxílio financeiro federal.

A vida na Lockheed adquirira um tom antiquado. O vocabulário corporativo estava perpassado do linguajar do crescente industrial; havia muitas menções a "mandatos", "reuniões em massa" e "questões econômicas espinhosas". Mais importante ainda, a geração que crescera junto com as antenas parabólicas da Lockheed agora estava em dúvida quanto à competência técnica daquele pessoal que deixava seus carros estacionados em vagas diagonais. Achavam que os cientistas da Lockheed estavam mais para funcionários públicos que para engenheiros elétricos. Al Alcorn, da Atari, tinha suas impressões: "os engenheiros da Lockheed eram famosos por serem bitolados. Eles eram capazes de projetar o *aileron* de um míssil, mas não de trocar uma lâmpada." Stephen Wozniak conhecia todos os estereótipos e, da mesma maneira que tantos outros, procurou trabalho entre as dúzias de pequenas companhias de eletrônica que floresceram enquanto a Lockheed envelhecia. "Eu não era de beber muito. A imagem padrão do engenheiro da Lockheed era de que ele era um bêbado ou que batia na mulher."

Uma das empresas que cresceram enquanto a Lockheed queimava o filme era a Hewlett-Packard, e seus engenheiros tinham conquistado reputação própria. Eram mais jovens que os da Lockheed, muitos possuíam doutorado e todos tinham a vantagem de trabalhar numa empresa com raízes locais, em vez de ser oriunda de alguma cidade distante. A Hewlett-Packard foi fundada por estudantes de Stanford em uma garagem de Palo Alto, imediatamente antes da Segunda Guerra Mundial. Embora os fundadores tivessem ficado ricos (um deles chegou a ser secretário da Defesa), seus funcionários ainda os chamavam de Bill e Dave. No fim da década de 1960 e no início da de 1970, a HP era um sólido pilar empresarial na península e já possuía uma reputação notável por produzir ótimos instrumentos de laboratório, computadores e calculadoras. Certamente era uma empresa tão respeitável quanto a Lockheed de uma década atrás, mas, em razão de sua juventude, capitalização na Bolsa de Valores e tamanho, a HP tinha uma vivacidade maior.

Allen Baum era um dos brilhantes jovens graduados recrutados pela Hewlett-Packard. De cara, ele sugeriu que a empresa fizesse uma entrevista com um amigo mais velho que projetava computadores, Stephen Wozniak. Assim, em 1973, a HP ofereceu a Wozniak um emprego como *designer* associado na sua Divisão de Produtos Avançados, e ele não hesitou em aproveitar a oportunidade. A divisão produzia calculadoras de bolso que eram uma verdadeira guinada em relação à afinidade natural da empresa por criar aparelhos eletrônicos de alta qualidade em pequenas quantidades. Em 1972, a calculadora HP 35, primeiro modelo de mesa a fazer frente à régua de cálculo, sacudiu a divisão inteira. Era um lugar inovador para se trabalhar e, conforme a concorrência baixava o preço de suas calculadoras, a HP concentrava-se em acrescentar recursos à HP 35 e renomeá-la como HP 45 e, posteriormente, HP 60. Seis meses após juntar-se à equipe, Wozniak foi promovido a engenheiro sênior. Por sua vez, ele convenceu a HP a contratar seu amigo do bairro, Bill Fernandez, como técnico de laboratório.

Para Wozniak, o mundo das calculadoras e seus problemas intrínsecos eram muito distantes das suas explorações com minicomputadores. Ele foi designado para um projeto de refinamento da HP 35 e sofreu o destino de muitos engenheiros que trabalham em empresas grandes: após dezoito meses de trabalho, o projeto foi cancelado. Myron Tuttle, um engenheiro que trabalhou com Wozniak no projeto de codinome Road-Runner, lembra: "Não acho que ninguém no laboratório fosse considerado excepcional. Wozniak era um dos poucos sem diploma. Ele não se sobressaía. Não parecia nada fora do normal. Ele era um engenheiro competente". Wozniak ficou intrigado ao saber dos rumores sobre um produto que estaria sendo desenvolvido nos laboratórios de pesquisa da HP: um terminal de mão para pessoas com deficiência. Ele pediu transferência para esse projeto, mas não foi aceito. "Eles julgaram que eu não tinha educação suficiente."

Tirando os comentários constantes sobre sua falta de formação acadêmica, Wozniak apreciava a maneira como a HP permitia que ele deixasse sua mente vaguear. Também gostava das rosquinhas e do café conduzidos num carrinho a cada manhã, os contracheques regulares, a atenção dedicada aos engenheiros (que incluía poder pedir recurso ao presidente, caso alguém enfrentasse a demissão), a forma como a empresa cortara todos os salários por igual, em vez de recorrer a cortes de pessoal, e as salas de almoxarifado que eram território livre para os engenheiros trabalharem nos seus próprios projetos. Usando peças do inventário, Wozniak construiu para Allen Baum uma HP 45, converteu a HP 35 de Elmer

Baum numa HP 45 (e grudou nela uma etiqueta oficial com os dados da garantia em japonês), descobriu uma nova maneira de calcular raízes quadradas na menos poderosa HP 35 e ainda desafiou Fernandez para ver quem era "a raiz quadrada mais veloz do Oeste".

No seu tempo na HP, Wozniak tirava a hora do almoço para passear em aviões leves de colegas de trabalho. Em seu apartamento em Cupertino, ele levava uma vida pessoal excêntrica, mantendo uma espécie de versão solteira do zoológico do Bronx. Camundongos de estimação passeavam entre os manuais das calculadoras e computadores; havia caixas contendo tocadores de fitas de vídeo construídos em lote pelos engenheiros da HP. A única peça de mobília propriamente dita era um sofá, convertido em mesa de sinuca. O quarto de dormir tinha o colchão no chão e a pia vivia lotada de roupas sujas. Tirando o aparelho de som moderno, o ponto central da existência de Wozniak ainda era o telefone. Ele se apropriara de um número de telefone para fazer o que denominou de primeiro disque-piada da Bay Area. Todo dia, ele gravava na sua secretária eletrônica uma nova mensagem, pinçada de um livro de duas mil piadas de polonês, na linha de: "Como o polaco morreu de beber leite? Quando a vaca se sentou". Algumas vezes, ao voltar do trabalho, Wozniak atendia ao telefone, apresentava-se como "Stanley Zeber Zenskanitsky" e começava a ler piadas. Após receber cartas iradas do Congresso Polonês Americano, ele passou a contar piadas de italianos, mas continuou a fazer o mesmo sotaque e a se apresentar como Stanley.

Quando o excesso de uso quebrou a sua secretária eletrônica da Pacific Telephone, Wozniak construiu a sua própria e pediu a quem ligasse que fizesse uma reclamação à companhia pelo serviço moroso. A companhia, monitorando o tráfego pesado e cansada das queixas de uma loja local que tinha um número telefônico muito parecido ao de Wozniak, finalmente cedeu e forneceu-lhe uma linha "do banco de linhas da estação de rádio", destinadas a uso intenso. Uma das pessoas a ligar foi Alice Robertson, uma colegial de San Jose cheinha, com cabelos longos, olhos grandes e risada poderosa. Wozniak atendeu à ligação, conversou com ela por alguns minutos, anunciou abruptamente "aposto que eu consigo desligar mais rápido que você" e bateu o fone na cara dela. Esse ato peculiar marcou o início de uma série de ligações nervosas que acabou culminando num encontro.

Enquanto embarcava na sua primeira grande aventura amorosa, Wozniak também tinha de lidar com as pendências chatas para Alex Kamradt e Computer Conversor. Kamradt tinha mobilizado outros engenheiros durante meses para decifrar o *design* de Wozniak. A fim de conseguir converter um protótipo e um punhado de diagramas num produto, Kamradt pediu uma mão à pessoa que acompanhara várias das visitas de Wozniak à Computer Conversor: Steven Jobs.

Segundo Kamradt, Jobs comprometera-se a coordenar a produção do terminal em troca de salário e ações. Kamradt recorda: "Ele se ressentia de eu ter dinheiro. Era um pouco inescrupuloso e queria tirar o quanto pudesse; mas eu gostava de sua confiança". Wozniak, que raramente visitava o quartel-general de apenas uma sala da Call Computer, não tinha noção da abrangência do interesse de Jobs. "Steve ouviu com muita atenção a explicação de Alex sobre o que um terminal poderia fazer em prol de um negócio."

Por vários meses, Jobs trabalhara com Robert Way, o chefe de uma pequena empresa de engenharia que fornecia *designs* para empresas de eletrônica. Jobs monitorava o *layout* das placas de circuito impresso e o *design* de um gabinete moldado a vácuo. Junto com Way, ele criou uma lista de materiais e um sistema de numeração de peças e também adquiriu da Atari uma licença de uso para um circuito de vídeo que conectava o terminal a uma televisão. Para Way, Jobs era um capataz implacável. "Nunca nada era suficientemente bom para ele. Ele era o rejeitador." Way também reparou na divisão das responsabilidades. "Todo cheque que eu recebia era assinado por Kamradt. A responsabilidade de fazer o *design* ficar pronto era de Jobs." Após alguns meses, Way, perplexo pelo otimismo perene de Kamradt, jogou as mãos ao alto e se ejetou do projeto. "Eles eram o grupo de pessoas mais estranho que já vi na minha vida."

Enquanto Kamradt cogitava se o terminal algum dia ficaria pronto, Wozniak, estimulado pelas reuniões do Homebrew, trabalhava em seu próprio computador. Ele inspecionou minuciosamente alguns dos novos microprocessadores e descobriu que eles não mudavam a essência do computador. "Fiquei surpreso de ver como eles eram semelhantes aos minicomputadores a que já estava acostumado." Embora os microprocessadores não tivessem alterado a natureza do negócio, os veteranos ainda pensavam nos grandes *mainframes*, quando o *design* de computadores era feito por equipes numerosas, e louvavam essa era como os dias em que homens eram homens de verdade. Todavia, nas décadas de 1940 e 1950, o grande desafio aos engenheiros já era o de minimizar o *design*, mesmo com o tamanho do computador sendo limitado, na prática, a uma sala.

Para um *designer* de microcomputadores como Wozniak, o desafio ainda era extrair o máximo de desempenho de uma quantidade mínima de peças. Uma máquina compacta não apenas manteria o custo baixo como também seria uma fonte substancial de orgulho. Com as dimensões dos novos componentes, um computador poderia ser enfiado numa caixa do tamanho de uma mala, em vez de instalado num escritório via guindaste. E também tornava possível que uma pessoa sozinha tivesse controle sobre a máquina inteira. "No *design* de microcomputadores", segundo um dos frequentadores do Homebrew, "você poderia se expressar de uma forma que não fora possível antes em toda a história da computação eletrônica".

No entanto, os microprocessadores trouxeram, sim, uma mudança de foco. Com a unidade central de processamento reduzida a um único *chip*, engenheiros como Wozniak e Baum perceberam que alguns dos problemas mais abrangentes do *design* de computadores tinham evaporado. Em vez disso, eles foram forçados a se concentrar nas melhores maneiras de conectar o computador de um *chip* a uma placa contendo *chips* de memória, a uma tela de televisão ou impressora e também a um teclado. Os folhetos de especificações técnicas dos microprocessadores ditavam as regras que delimitavam o *design* de um microcomputador, o que deixava alguns dos puristas severamente restritos. Allen Baum reclamou: "Você está preso ao que tem na mão e ao que pode fazer para que funcione. Se alguma coisa não funcionar, você não pode recriá-la. É muito menos divertido".

Os problemas de dimensões físicas tinham acabado, mas o custo ainda era um entrave para os malvestidos engenheiros. Em 1975, microprocessadores como o Intel 8080 custavam 179 dólares, e gente como Wozniak não podia comprá-los. Baum tinha ouvido dizer que a divisão da HP no Colorado andava fazendo experiências com o Motorola 6800, um microprocessador lançado cerca de um ano depois do Intel 8080. Ele estava sendo oferecido com um generoso desconto aos funcionários da HP, juntamente com os *chips* acessórios. Wozniak fez sua encomenda, enquanto seu colega de trabalho Myron Tuttle dava uma escapada para comprar um manual técnico que descrevia as entranhas do *chip*. A escolha do microprocessador era a decisão mais importante de um entusiasta de computadores. Ela se tornava a causa de frustração e exasperação, prazer e satisfação, e também dava o tom da máquina inteira.

A escolha de processador de Wozniak foi contra a moda do verão de 1975. Naquele momento, o Intel 8080 era o centro do universo do Clube Homebrew. O Altair fora construído a partir do 8080 e sua popularidade inicial criou espaço para um grupo de pequenas empresas que construíam máquinas capazes de rodar programas escritos para o Altair ou então funcionavam anexadas ao computador. As peculiaridades dos microprocessadores implicavam que um programa ou dispositivo projetado para um deles nunca funcionaria no outro. O conector entre esses dispositivos periféricos e o Altair era chamado de barramento S-100, porque ele usava uma centena de linhas de sinal. Discípulos do 8080 desenvolviam apegos religiosos a ele e ao S-100, mesmo admitindo que este tinha um *design* deficiente. As pessoas que escreviam programas e construíam periféricos para os computadores baseados no 8080 achavam que os processadores concorrentes mais novos não iriam vingar. A lógica era de que o simples peso da quantidade de programas e da variedade de periféricos tornava a sua escolha mais útil para um número maior de usuários e mais lucrativa para um número maior de empresas. Gostavam de dizer que o 8080 tinha massa crítica suficiente para condenar qualquer outra coisa ao esquecimento. Lee Felsenstein tinha muitos colegas que compartilhavam de sua crença de que "o 6800 era outro mundo e não merecia a menor atenção."

Wozniak peitou a tendência e escolheu o 6800. Seu interesse no *chip* da Motorola foi baseado quase totalmente no preço, mas ele também pensou que o *chip* seria mais parecido com seus minicomputadores favoritos do que com o 8080. Por exemplo, os sinais que saíam do 6800 eram síncronos, o que compartilhava um conceito da arquitetura do Nova, da Data General, enquanto os sinais do 8080 eram menos previsíveis. Wozniak passou a empregar seu tempo na HP fuçando as capacidades do 6800: descobrindo com quanta memória ele podia lidar, a voltagem de que necessitava, sua velocidade para executar instruções e os padrões de seus sinais. No papel, ele traçou o *design* para um computador em torno do 6800. O projeto era um aperfeiçoamento do protótipo que ele construíra para a Computer Conversor. "Eu o criei por pura diversão. Ali, pude fazer muitas coisas que já queria fazer cinco anos antes, mas não podia por falta de dinheiro."

A economia da indústria de semicondutores também estava a favor de Wozniak. Raramente um *chip* era vendido pelo preço de lançamento por muito tempo. A competição entre a dúzia de grandes fábricas de semicondutores garantiu a queda rápida e dramática nos preços. No outono de 1975, a dinâmica da indústria seguiu firme e bagunçou o esquema de preços dos microprocessadores de oito *bits*. A primeira vez que Wozniak se deparou com a mudança foi quando ele e Baum compareceram relutantemente a uma feira de eletrônicos em San Francisco. Lá, viram um novo microprocessador, o MOS Technology 6502, feito por uma empresa de Costa Mesa, na Califórnia. Seus criadores visavam mercados de grandes volumes, como copiadoras, impressoras, sinalização de trânsito e máquinas de *pinball*, não o pequenino mercado do *hobby* de computadores. O 6502 era praticamente idêntico ao Motorola 6800, e os vendedores da MOS Technology ressaltaram que sua empresa tinha a intenção de fazer uma versão menor e mais simples do *chip* anterior. As similaridades eram tão descaradas que acabaram causando uma disputa judicial entre as duas empresas; mas, para Wozniak e os outros entusiastas, brigas em tribunais eram coisas vagas e distantes. A questão crítica era mesmo o preço. O Motorola 6800 custava 175 dólares; o MOS Technology 6502 custava 25 dólares. Wozniak pescou um 6502 de um vaso de vidro cheio de microprocessadores e alterou seus planos de imediato. Abandonou o 6800 e resolveu escrever uma versão da linguagem de programação BASIC que pudesse rodar no 6502.

Sua decisão de primeiro desenvolver a linguagem e depois construir a máquina foi um reconhecimento tácito da importância do *software*. Ele tivera o vislumbre de um dia usar o microcomputador para jogar o mesmo tipo de *videogame* das máquinas de grande porte, que consistiam em jorros de comandos escritos e respostas que apareciam num teletipo ou numa tela de televisão. Um dos jogos baseados em texto mais populares era o "Caça ao Wumpus", que colocava os jogadores num labirinto cheio de perigos à caça de um monstro. Em todos os encontros dos clubes, o BASIC era a linguagem de programação mais popular no Altair e no microprocessador 8080. Wozniak lembra: "No clube, só falávamos de BASIC. Eu tinha a oportunidade de criar o primeiro BASIC para o 6502. Precisava demonstrar a máquina depressa".

Wozniak tomou todas as medidas técnicas necessárias para satisfazer seus interesses próprios e elevar o mote "adequado é o suficiente" à categoria de arte. Os prazos, a pressão e o ímpeto eram impostos pelas reuniões quinzenais do Homebrew e também pelo seu plano de se casar com Alice Robertson. Ao final de algumas semanas de hesitação, Wozniak se decidiu pelo noivado ao jogar para o alto três moedas até que as três caíssem com a coroa para cima. Ao começar o trabalho no *software*, ele teve crises de asma e seu peito chiava tanto que os vizinhos conseguiam ouvir o ruído através das paredes finas. Temendo que seus pulmões se enchessem de líquido durante o sono, Wozniak se habituou a programar madrugada adentro.

Ele descobriu que escrever *software* era uma tarefa muito mais árdua que projetar *hardware*. O formato e o estilo da sua primeira aplicação real de *software* foram ditados pela necessidade. Ele passou várias semanas estudando as regras gramaticais do BASIC e viu que elas eram similares às do FORTRAN, com o qual ele tinha mais familiaridade. Tendo de escolher entre duas versões de BASIC, Wozniak ficou com a mais simples. Com papel e lápis, fez uma listagem dos seus programas, enquanto um colega na HP criava outro programa para simular o funcionamento do 6502 dentro de um minicomputador da HP. Assim, o computador da HP pôde ser usado para testar alguns dos programas de Wozniak para o 6502 antes de ele ter o micro construído. Wozniak fez uma concessão: "Felizmente, durante as minhas aulas de matemática, em vez de resolver problemas matemáticos, eu passava o tempo tentando escrever compiladores em linguagem de máquina, numa época em que eu não tinha a máquina. Eu acabava tomando direções que não tinha maneira alguma de saber se eram boas ou ruins".

Depois de terminar o código, ele passou a projetar o computador e revisitou os esquemas que tinha desenhado para o Motorola 6800. Comparou as características do 6800 com as do MOS Technology 6502 e seu irmão ligeiramente mais barato, o 6501. Wozniak viu que, fora um par de mudanças em alguns dos sinais eletrônicos que afetavam o *timing* dos *chips*, seu *design* anterior não precisava de alterações. "Não precisei mudar um só pino ou fio no meu *design*."

Ele aplicou algumas das técnicas que usara no terminal Computer Conversor, fazendo avanços significativos em relação a *designs* mais antigos, como o Cream Soda. A maior diferença era, naturalmente, a adoção do microprocessador. Mas outros avanços ajudaram a tornar o computador mais fácil de usar. Em vez de utilizar interruptores para dar as instruções ao computador, Wozniak incluiu um teclado. Ele também usou alguns *chips* tipo PROM (memórias programáveis somente para leitura) contendo as instruções que antes teriam de ser introduzidas a mão toda vez que o computador fosse ligado.

Ele era muito específico acerca da maneira como os *chips* de seu computador deveriam ser distribuídos na placa. Passou horas investigando como os *chips* deveriam ser colocados antes de plugar os seus soquetes na placa. Wozniak era mais meticuloso que outros engenheiros na hora de fazer as conexões com fios entre os pinos dos componentes. Ele não gostava do método popular do *wire-wrapping*, ligações diretas que transformavam as placas em um incompreensível macarrão de fios. Preferia o sistema *point-to-point*, que exigia cortes e soldas elaborados entre os pinos e os fios. Essa abordagem fastidiosa compensava ao caçar falhas, pois tornava mais rápido encontrar os pinos mal conectados.

Os interesses pessoais de Wozniak consumiam cada vez mais do seu tempo. Ele carregou seu protótipo para o local de trabalho e investiu muito tempo no laboratório fazendo refinamentos, mais ainda após a HP anunciar que a divisão de calculadoras seria transferida para o Oregon. Segundo Tuttle, "gastávamos metade do nosso tempo trabalhando nos nossos próprios projetos". Tuttle também tinha comprado um 6502 e andava varando noites; levara seu protótipo para casa e testava uma abordagem diferente. Assim que os protótipos ficaram prontos, Tuttle, Wozniak e mais um colega falaram com seu gerente de laboratório para sugerir que a HP considerasse a possibilidade de fabricar microcomputadores. Tuttle lembra: "Era uma daquelas reuniões informais. Não era um grande evento. A gente só pediu cinco minutos para mostrar a placa de Woz. Eles disseram: 'a HP não pretende entrar nesse tipo de mercado'."

Quando Wozniak levou para o Clube Homebrew seu computador ainda sem nome, ele também teve uma recepção gélida. Não era de surpreender; segundo uma enquete feita durante uma reunião do clube em outubro de 1975, dentre os 38 computadores em posse dos membros, 25 eram Altair ou baseados no 8080 e apenas um usava o 6502. Wozniak conectou seu computador a uma TV preto e branco, ligou uma placa de 4 KB de memória emprestada por Tuttle e digitou o BASIC pacientemente. Era surpreendente que o BASIC pudesse rodar numa máquina com tão poucos *chips*, mas a maioria dos membros do clube nem se dignou a inspecionar o computador. Wozniak mostrou os esquemas aos poucos interessados e mais tarde pôs sua nova máquina em perspectiva: "Não foi tão difícil quanto alguns dos outros computadores que eu projetei".

"O tempo necessário para terminar é uma constante,"

disse Andy Hertzfeld.

A luz morna da tarde de sábado pintava as portas de vidro nos fundos do laboratório do Mac. O ar condicionado, que nos dias úteis vibrava através das placas do forro do teto, estava desligado. A densa escuridão era cortada em dois lugares. Uma luz suave escapava do cubículo de programação de Andy Hertzfeld, e um cubo de neon frio iluminava uma bancada de engenheiro, onde Burrell Smith roía a pele dos dedos. Hertzfeld deixou seu cubículo e caminhou até a bancada; Smith deslizou de seu banco. Ambos eram mais baixos que as divisórias que separavam os escritórios. Eles fitaram uma placa de circuito impresso crivada de fios e pontas de prova que tinha a aparência de uma cavidade abdominal aberta com suturas, retratores e hemostáticos. As pontas de prova estavam conectadas a um analisador lógico e as fileiras de luzes na sua tela verde monitoravam os sinais que emergiam do microprocessador.

Smith não voltara para casa desde o dia anterior às 23h30 e ficara acordado até as 3 da manhã tentando elucidar porque os *chips* de memória do Mac não estavam sendo corretamente alimentados. Nem ele nem Hertzfeld tinham trabalhado antes em um mesmo projeto por tanto tempo. A fadiga de criar um computador estava impressa em ambos, e eles estavam trabalhando mais duro que nunca. Smith tinha 26 anos, e Hertzfeld, 29, embora ambos parecessem mais velhos. Por trás dos óculos, as pálpebras de Hertzfeld pareciam sanguessugas inchadas, e o seu rosto estava barbudo e pálido. Os círculos claros ao redor dos olhos de Smith traziam a marca das inúmeras noites em claro. Ambos tinham cinturas frouxas de *fast-food*. Hertzfeld achava que desenvolver um computador distorcia o tempo. "Pensava que seis meses fossem um tempo longo. Mas não são. Parecem só um instante."

Smith, de cabelo castanho preso por trás de uma das orelhas e suspenso num cacho fino por trás da outra, tropeçou nas palavras. "É tão estranho", balbuciou para Hertzfeld. Num tom lânguido, Hertzfeld perguntou: "Como você sabe que consertou algo se nem sabe como isso aconteceu?" Smith respondeu: "É tão frustrante... eu não provei que não posso resolver esse problema, nem provei que posso resolver". Hertzfeld deu um suspiro. "Vamos ter de apelar para a superstição. Vamos fazer que funcione sem termos certeza disso."

Smith já estava há um par de dias tentando resolver o quebra-cabeça. Ele percebeu que o computador não funcionava corretamente bem na hora em que os demais engenheiros festejavam o que eles consideravam a finalização do primeiro protótipo do Macintosh. Smith ignorou o champanhe, que na Apple (e em especial dentro do grupo de desenvolvimento do Mac) tinha o hábito de aparecer com o cumprimento das metas mais insignificantes. Sentou-se, olhando sozinho para o computador. Usou um soprador quente, semelhante a um secador de cabelos, e um *spray* congelante para aquecer e resfriar determinados *chips* até atingir as temperaturas em que algum mau funcionamento pudesse aparecer. Smith concluiu que o problema estava no *chip* mais volumoso da placa, o processador Motorola 68000.

O 68000 e os demais *chips* eram um tributo aos avanços contínuos da tecnologia de semicondutores. O 68000 era um processador de 16 *bits*, o que dava ao Mac dez vezes o poder de processamento do Apple II, embora usasse apenas metade dos *chips*. Smith comparava a diferença de complexidade entre as máquinas a assistir a um jogo de beisebol normal e depois acompanhar a ação em um jogo com oito rebatedores e 54 campistas. Smith transpirava e alternava as imagens do analisador lógico para verificar os sinais eletrônicos dos *clocks*. Ele disse: "Se você fica zanzando dentro do *design* por um tempo suficiente, acaba aprendendo as idiossincrasias."

Algumas pessoas na Apple achavam que o projeto Mac inteiro refletia uma série de idiossincrasias pessoais e não um *design* unificado. Não havia um plano de proporções napoleônicas. Inícios em falso, dispersões, equívocos, experimentos, rebelião e competição formavam a matéria-prima da nova máquina. O Mac, assim como outros produtos dependentes de avanços tecnológicos, das idas e vindas incertas de uma empresa em crescimento acelerado e das predisposições individuais dos diversos gerentes, era a direção para onde a Apple seguiria com o tempo. Durante quase dois anos, fora um daqueles projetos que poderiam ter naufragado por causa da saída de um programador ou de um protótipo defeituoso. Hertzfeld, que tinha vivenciado os altos e baixos e os atrasos, chegara à sua própria conclusão sobre a maneira de medir o progresso: "O tempo necessário para terminar é uma constante".

O ponto inicial do projeto se tornou o único ponto de referência concreto. Em meados de 1979, o gerente do departamento de publicações da Apple, Jef Raskin, foi convidado a tomar conta de um grupo pequeno que iria criar um computador capaz de ser vendido por 500 dólares, funcionar em conjunto com um aparelho de TV, incluir um modem e rodar as linguagens PASCAL e BASIC. Raskin, errando a grafia da sua variedade de maçã favorita, deu ao projeto o codinome Macintosh e desenhou a sua concepção para um computador. "Eu achava que era mais importante dar às pessoas uma opção de cor de gabinete que uma opção de quantidade de memória. Eu queria que ele virasse parte indispensável de um domicílio, algo em que as pessoas ficassem viciadas." Raskin sugeriu que a Apple poderia vender um computador portátil com bateria por menos de mil dólares. Ele montou um modelo de papelão e resolveu que o computador deveria ter tela embutida, nenhum *slot* de expansão e um manual bem fino. Cerca de um ano após iniciar o seu trabalho no projeto, ele ressaltou: "O Apple II é um sistema, o Macintosh é um eletrodoméstico".

Raskin, um homem atarracado e barbudo com uma paixão por aeromodelos e música, montou a oficina no final de 1979 e trabalhou em vários prédios da Apple, incluindo o escritório original da empresa, nas proximidades do restaurante Good Earth. No começo de 1981, Raskin, de acordo com a memória de Hertzfeld, ficou farto da política interna da Apple. "A equipe do Lisa mandou Steve dar o fora. Steve disse: 'eu vou montar outra equipe para criar um computador barato que fará que eles sumam da face da Terra.' Então, Steve notou que Raskin tinha massa crítica: ele era um engenheiro de *hardware* e também de *software*. Como Steve era um menino maior que Raskin, disse 'gostei desse brinquedo!' e se apossou dele."

Raskin foi uma vítima imediata de Jobs, que queria impor sua marca pessoal no projeto. Jobs recrutou veteranos dos primeiros dias da Apple para a equipe de Raskin. Tentou mudar o codinome do Mac para Bicicleta, após ler um artigo na revista *Scientific American* que descrevia o computador pessoal como um análogo da bicicleta para o século XXI, mas ele recuou sob protestos do grupo. Após assumir o controle do Mac, Jobs deixou suas intenções claras. Ele apostou 5 mil dólares com John Couch, o chefe da divisão Lisa, que o Mac seria lançado primeiro.

No começo, Smith e Hertzfeld viam Steve com suspeita. Smith fora criado no interior do Estado de Nova York, estudara literatura na faculdade e se interessara por um computador UNIVAC e *phreaking* telefônico. O primeiro aparelho eletrônico montado por ele era uma caixa azul, construída na mesa da cozinha da sua mãe. "Achei que seria impossível encontrar uma daquelas na rua e quis ter a satisfação de construir a minha própria." No *phreaking* ele adotou o nome Marty. Quando visitou a Califórnia pela primeira vez, esteve com John Draper. Participou de encontros do Homebrew e, ao se mudar definitivamente para lá, desenvolveu um sistema de controle de escritório para médicos e dentistas. Comprou um Commodore Pet porque não podia pagar por um Apple. Desempregado, ajudou um amigo a erguer um muro e fazia o *tour* pelas empresas numa caminhonete emprestada quando chegou a oferta de trabalho como técnico no departamento de serviço da Apple. Ele consertava Apple II de dia e estudava os esquemas do computador à noite. "Eu queria descobrir sozinho como a placa funcionava. Quase tinha visões subconscientes de que acabaria lidando com elementos lógicos. Sempre tive atração pelo nível mais básico do sistema. Não gosto de trabalhar com coisas que não sei como funcionam."

Smith foi pescado do departamento de suporte por um programador que reconheceu seu talento e o recomendou a Raskin. Na primavera de 1980, ele tinha criado um protótipo baseado num processador de 8 *bits*. Durante uns seis meses, o computador ficou parado à espera de *software*. Um programador contratado para desenvolver parte do *software* tinha uma fé inabalável nas linguagens de computação usadas no campo da inteligência artificial, mas nenhuma simpatia pelas necessidades dos microcomputadores. Então, Smith passou a trabalhar com o Motorola 68000 e, no Natal de 1980, já tinha desenvolvido o seu segundo Mac. Hertzfeld, que trabalhava no *software* do Apple II, assistia a esses desenvolvimentos com uma inveja crescente. Certa noite, ele ficou até mais tarde e criou um programinha que mostrava uma imagem do Sr. Scrooge e a saudação: OI, BURRELL.

Hertzfeld crescera na Filadélfia e começara a programar com quinze anos. "Eu ficava pasmo de como você conseguia fazer coisas tão bacanas com uma máquina de escrever." Estudou ciência e matemática na Universidade Brown, em Rhode Island, e se mudou para Berkeley porque queria morar na Califórnia e preferia os estudos de graduação à vida corporativa. Ele comprou um Apple II seis meses após seu lançamento e nutria impaciência com seus colegas universitários. "Eles não gostavam de programar, só gostavam de falar sobre programação." Ele criou um jogo de I Ching, apresentado num clube de computação local, e também projetou um periférico para o Apple II. Ficou perplexo quando descobriu o quanto as empresas estavam pagando pelo seu ofício. "Eu não achava que fosse o tipo de coisa que se faz por dinheiro. Agora eu estava corrompido pelo dinheiro e só pensava em quanto poderia ganhar."

Smith e Hertzfeld haviam aprendido gradualmente a conviver com Jobs, e ele com eles. Era um jogo delicado de relacionamentos, todos unidos pela necessidade mútua. Hertzfeld e Smith contornavam a natureza imprevisível de Jobs. Hertzfeld explica: "Ele parava e dizia 'isso é um monte de merda' ou 'essa é a melhor coisa que eu já vi'. O que dava medo é que ele podia dizer uma das duas frases acerca da mesma coisa". A dupla vivia incerta se Jobs gostava ou não deles ou se apenas gostava do trabalho que eles desempenhavam. E Hertzfeld, no terceiro ano do projeto, admitiu: "Eu gosto de trabalhar para Steve por causa do Mac, mas não sei se gosto dele".

Mas Jobs tinha instilado urgência no projeto do Mac e sua influência dentro da empresa lhe dava uma proeminência crescente. Um dos programadores que trabalharam nos estágios iniciais do Mac dissera que Jobs tinha um "campo de distorção da realidade"; o apelido de ficção científica pegou. Jobs fizera muitos dentro do seu grupo acreditar que criariam o próximo Apple II, e sua fé era quase forte o suficiente para persuadi-los de que eles estavam trabalhando dentro de uma garagem, em meio a tantas evidências tangíveis sugerindo o contrário.

Como qualquer funcionário, Hertzfeld e Smith resmungavam contra seu chefe. Eles reclamavam que Jobs os havia proibido de mostrar o Mac aos seus amigos e, ao mesmo tempo, fazia desfilar pelo laboratório visitantes como o seu ex-caso, a cantora *folk* Joan Baez. A irritação aumentou quando Jobs levou meses para admitir que a tela do Mac e os 64 KB de memória eram muito pequenos e só então ordenar um *redesign*. Eles esbravejaram mais um pouco quando Jobs se recusou a dar a permissão para vender uma interface de *mouse* para o Apple II. Quando Jobs fez um acordo com o programador que trabalhava no processador de texto do Mac, pelo qual ele receberia o *royalty* de um dólar por cópia vendida, a revolta ebuliu. Hertzfeld e Smith não demoraram em entender que, dadas as ambições da Apple com o novo computador, o autor do processador de texto teria um enrosco com o imposto de renda. Smith receava que Jobs não estivesse pensando nos futuros computadores com suficiente ousadia; ao saber que a divisão do Mac se mudaria para um prédio ocupado pela divisão de sistemas de computadores pessoais, murmurou: "Isso quer dizer: 'obrigado, rapazes, mas agora vocês são como todo o resto; vocês são caras comuns, os Macs serão só mais um tipo de PC e nós seremos apenas mais uma empresa grande'." Em várias ocasiões, Hertzfeld ameaçou se demitir, mas, toda vez, Jobs o convenceu a ficar.

Jobs exercitava muitos traços paternais. Ele deu medalhas a Hertzfeld, Smith e outros membros do grupo do Mac e ajudou a estabelecer o ritual das saídas para *sushi bars*. Quando um programador ficava doente, era ele quem ligava para o hospital. Passava pelo laboratório do Mac no fim de semana e era com evidente prazer que entregava pessoalmente os envelopes contendo papéis de ações. Chegou a anunciar que convidaria a atriz Brooke Shields para uma festa de Natal e sorriu ao ver Smith e Hertzfeld enrubescidos. Jobs tinha a astúcia de saber que podia enfeitiçar tanto Hertzfeld quanto Smith. Sua conclusão: "Andy está lutando contra ele mesmo; quer ganhar dinheiro e também ser famoso".

Fama e notoriedade, que cercavam Jobs e Wozniak e também os programadores descritos no livro *best-seller* de Tracy Kidder, *The Soul of a New Machine* (A alma de uma nova máquina), funcionavam como estimulantes poderosos. No cartão de visitas de Smith lia-se MAGO DO HARDWARE, e no de Hertzfeld, ARTISTA DO SOFTWARE. Os dois salpicavam o discurso com o equivalente dos engenheiros para o papo macho de pilotos de caça, como gambiarra, pau e pelímetro. Hertzfeld, assim como Wozniak, falava de seu público e declarava: "A energia de todas as pessoas que usarão o Mac reverbera dentro da programação". A fim de garantir um encontro com a posteridade à sua dupla favorita e aos 45 demais membros do grupo do Mac, Jobs fez que a assinatura de cada um fosse gravada no molde do interior do gabinete do Mac.

A montanha-russa emocional, o trabalho brutal e o flerte com a fama foram o que tornou Hertzfeld e Smith amigos próximos. Eles se divertiam com aquilo que Smith, com sua tendência a reduzir tudo a iniciais, chamara de BFR: uma *Best Friend Relationship*. Às vezes, eles viajavam na ideia de abandonar a Apple e montar uma companhia para eles mesmos, mas, toda vez que Jobs pedia alguma coisa, trabalhavam dia e noite até que ficasse pronta. Smith embarcara numa tarefa colateral de seis meses para enfiar uma porção de circuitos dentro de um *chip* customizado. Quando o esforço fracassou, ele teve de reprojetar o Mac completamente. Em certa sexta-feira à noite, Jobs ameaçou remover alguns *chips* que controlavam o som do Mac, a não ser que eles estivessem funcionando na segunda-feira seguinte. Hertzfeld e Smith, alarmados, trabalharam fim de semana adentro; na segunda-feira o som de fato funcionava. Era um tipo de tática gerencial (somada à dificuldade de encontrar prêmios ainda mais importantes que dinheiro e fama), calculada para exaurir os engenheiros.

Hertzfeld e Smith puseram em suspenso suas vidas pessoais até que completassem o Macintosh. Eles não tinham namoradas e passavam os domingos debruçados sobre uma placa de circuito ou atrás de um terminal. E, naquele domingo em particular, Smith, como já tinha acontecido em dezenas de outras ocasiões, resolveu desistir do sono até que solucionasse o problema. Disse: "Ter amigos é ortogonal a projetar computadores. Quando eles ligam, eu me pego desligando o telefone".

Meio Certo

Enquanto Wozniak finalizava o projeto de seu computador, Jobs transitava nervosamente ao fundo, entrando e saindo da Call Computer e continuando a trabalhar na Atari, onde lhe pediram para desenvolver um equipamento que gerasse horóscopos a partir de datas, locais de nascimentos e outras pequenas informações. O poder computacional necessário para tabelar o progresso de um indivíduo com o curso dos planetas acabou sendo muito alto e o projeto foi cancelado. Jobs não tinha certeza sobre o que queria fazer e estava infeliz com o caminho óbvio. "Eu não me via crescendo e me tornando um engenheiro." Apesar de acalentar o sonho secreto de ter uma BMW320i, ele se sentia desconfortável com a ideia de entrar em uma rotina de carros e casas. Em vez disso, voltou à sua natureza inquisitiva e passou dois semestres como ouvinte em um curso de física oferecido pela Stanford a calouros exemplares. Jobs deixou uma boa impressão em Mel Schwarz, o professor que ministrava a aula. "Muito pouca gente aparece dizendo que quer aprender algo. Eu fiquei impressionado com o entusiasmo de Steve. Ele era realmente interessado e curioso."

Ao contrário de Wozniak, Jobs considerava os debates sobre detalhes técnicos do Clube Homebrew tediosos. Ele participou de alguns encontros, mas ficou entediado com o bla-bla-blá sobre ciclos de tempo, acesso direto à memória e relógios síncronos, mas acompanhava de perto as batalhas de Wozniak com seu computador. Quando os dois falavam ao telefone, quase sempre debatiam sobre os desenvolvimentos ou problemas com a máquina. Quando se encontravam ou quando Jobs visitava a casa de Wozniak, o computador era invariavelmente o centro da conversa. Jobs analisou a razão de ele e Wozniak, uma dupla estranha, separada por idade, temperamento e disposição, continuarem amigos e observou: "eu era um pouco maduro demais para minha idade e ele era um pouco maduro de menos para a dele".

Durante janeiro e fevereiro de 1976, Jobs começou a questionar Wozniak sobre a possibilidade de fabricar e vender algumas placas de circuito impresso para que outros pudessem construir suas próprias versões do computador. Wozniak não tinha pensado em fazer nada além de distribuir esquemas da máquina para qualquer membro interessado do Homebrew. "Armar uma barraquinha e vender algumas placas foi ideia do Steve." Jobs gostava da ideia de um empreendimento rápido e informal que seria mais uma parceria entre amigos que uma empresa. Ninguém falava em Wozniak sair da Hewlett-Packard ou em Jobs cortar seu acordo casual com a Atari. Jobs achava que o mercado potencial estava limitado a alguns amigos, a membros do Clube Homebrew e a uma ou duas lojas. Os dois não pensavam em permissões, licenças, contratos de seguro e outras demandas legais porque achavam que para formar uma empresa bastava seguir a lei que dizia que novas parcerias deviam colocar um anúncio formal em um jornal local.

Os dois discutiram nomes para sua companhia. Uma tarde, dirigindo pela Highway 85, entre Palo Alto e Los Altos, Jobs, relembrando imagens de sua dieta e vida rural no Oregon, sugeriu que chamassem a empresa de Apple Computer. Por mais que tentasse, Wozniak não conseguia nada melhor. "Continuamos tentando achar um nome melhor, mas todos que tentávamos eram piores." Eles brincaram com nomes como Executek e Matrix Electronic, mas a simplicidade de Apple sempre parecia mais charmosa. Por alguns dias, os dois temeram que sua escolha os colocaria em uma disputa legal com a Apple Records, a gravadora dos Beatles, e Jobs teve medo de que Apple Computer fosse por demais extravagante para uma empresa de verdade. Finalmente, ansiosos por publicar o tal anúncio no *San Jose Mercury*, Jobs lançou um ultimato. "Eu disse: 'a não ser que encontremos algo melhor até as cinco da tarde de amanhã, vamos com Apple'."

Jobs descobriu que custariam 25 dólares para fazer cada placa de circuito impresso e que, se tudo corresse bem, eles poderiam vender 100 delas a 50 dólares cada. Eles concordaram que cada um contribuiria com cerca de 1,3 mil dólares, o que Jobs calculava que seria necessário de investimento. Nenhum deles tinha muito dinheiro. Wozniak ganhava 24 mil dólares por ano na Hewlett-Packard, mas gastava a maior parte deles em seu sistema de som estéreo, discos e no computador que engolia componentes vorazmente. Sua conta bancária em um banco de Cupertino oscilava entre o azul e o vermelho e o seu locatário, cansado de receber cheques sem fundo, insistia que o aluguel devia ser pago em dinheiro. Jobs, por sua vez, guardava cuidadosamente os 5 mil que havia economizado do trabalho na Atari.

Para conseguir sua parte, Wozniak decidiu vender sua calculadora HP 65 por 500 dólares. Ele sabia que a Hewlett-Packard estava para lançar uma versão melhorada, a HP 67, que estaria disponível para os funcionários por 370 dólares. "Achei que teria lucro e uma calculadora melhor." O comprador, entretanto, pagou a Wozniak apenas a metade do preço combinado. Jobs teve um problema semelhante quando decidiu usar parte dos 1,5 mil dólares que havia conseguido com a venda de uma Kombi branca e vermelha. Esta curiosa peça de mecânica importada nunca conseguiu o selo parental de aprovação. Paul Jobs tinha acompanhado o filho na missão de compra, dado uma olhada na perua e concluído: "Era um traste cansado e acabado que não iria a lugar nenhum". Ele contou para seu filho que peruas Volkswagen tendiam a ter problemas com rolamentos e o mecanismo de redução de marcha, mas seu conselho não foi ouvido. O jovem Jobs planejava consertar todos os problemas e comprou um livro chamado *How to Keep Your Wolkswagen Alive: A Manual of Step-by-Step Procedures for the Compleat Idiot* (Como manter seu Volkswagen vivo: um manual de procedimentos passo a passo para o completo idiota). Quando a perua mostrou ser problemática demais, ele se dobrou aos conselhos paternos e vendeu o carro depois de passá-lo por checagens em um centro de diagnósticos automotivos. Paul Jobs riu silenciosamente quando "duas semanas depois o cara voltou com o motor em um balde". Steve Jobs prontamente se dispôs a dividir o custo do conserto e seu bolo de 1,5 mil dólares murchou.

Jobs, que nunca recusava a oferecer sua opinião, olhava Wozniak fazer algumas mudanças em seu computador. Em vez de utilizar a placa de *chips* de memória de alguém, Wozniak decidiu construir sua própria. Para os que tinham o *hobby* de construir computadores, o *design* de uma placa de memória confiável era um problema persistente e a memória frequentemente era a diferença entre uma máquina estável e uma errática. Os *chips* de memória eram tão complicados de gerenciar quanto o microprocessador, e o casamento dos dois – as partes mais importantes da máquina – trazia problemas sem fim. Um *chip* de memória defeituoso podia explodir o computador e os defeitinhos que se escondiam nas fileiras de *chips* de memória eram notoriamente difíceis de encontrar. Wozniak estava escolhendo seus *chips* de memória em uma época em que todas as maiores empresas de semicondutores estavam lutando para estabelecer um padrão da indústria para eles. Havia diferenças claras em tecnologia, desempenho e preço entre os *chips*, então escolher o certo era um pouco como apostar num jogo de pôquer. Wozniak se decidiu por um *chip* que ele havia visto no Clube Homebrew fabricado pela American Microsystems Inc., uma empresa de Santa Clara. Jobs, horrorizado com a escolha, achou que Wozniak podia ter uma melhor opção e embarcou na caça a um novo *chip* da Intel que ainda não tinha aparecido nas lojas de suprimentos eletrônicos.

Ambos os *chips* eram de RAM dinâmica, muito superior à RAM estática, que era a escolha da maioria dos entusiastas de computador. A RAM dinâmica consumia menos energia que a estática e, ao longo do tempo, era mais barata. Entretanto, elas eram mais complicadas e a maioria dos construtores amadores de computador se agarrava ao lema "memória estática funciona, memória dinâmica, não". A diferença crucial entre os dois tipos era que a informação gravada em *chips* dinâmicos desaparecia, a não ser que o *chip* fosse refrescado com disparos de eletricidade a cada dois milésimos de segundo, enquanto a RAM estática não necessitava desse tratamento de choque constante. O *chip* da Intel também era compatível com a lógica utilizada pelos microprocessadores, tinha menos pinos que o *chip* da AMI e acabou se transformando no padrão da indústria – e a escolha instintiva de Jobs se transformou em um triunfo considerável. Wozniak se lembra de longos debates sobre os *chips* de memória adequados –, "Steve estava sempre insistindo para que eu usasse o componente certo. Tivemos a sorte de pegar o caminho certo. Foi um dos passos tecnológicos mais acertados de todo o desenvolvimento. Todos os outros computadores amadores estavam utilizando o 2102 1 K de RAM estática."

Enquanto Jobs empurrava em uma direção, Wozniak aguentava Alex Kamradt puxando para outra. Na primavera de 1976, Kamradt e sua pequena equipe ainda estavam tentando converter o terminal que Wozniak havia projetado durante o verão de 1975 em um produto final para a Computer Conversor. Kamradt telefonava para Wozniak no trabalho, em casa e o caçava nas reuniões do Clube Homebrew, mas ele descobriu que Wozniak estava mais interessado em adicionar funções a seu novo computador que finalizar projetos antigos. Kamradt também tinha de lutar contra todo o poder persuasivo de Jobs, que estava implorando para Wozniak colocar sua fé na Apple em vez de depositá-la nos planos incertos da Call Computer. Para aumentar a convicção de seus argumentos, Jobs apresentou Wozniak a Ron Wayne, um engenheiro ligado ao setor de vendas da Atari, responsável por assegurar que potenciais distribuidores de *videogames* tivessem condições para o posto. Wayne concordou em ajudar Jobs informalmente a bolar um plano para a Apple e a desenhar esquemas para acompanhar a placa de circuito impresso. Jobs argumentou que o computador de Wozniak estava fadado ao fracasso se ele o colocasse nas mãos de Kamradt. Ele insistiu que as perspectivas para a máquina eram muito mais brilhantes se ela fosse produzida por uma aliança entre Wozniak, Jobs e Wayne.

Wayne tinha quarenta e poucos anos, um homem robusto com o cabelo encaracolado de um garotinho, mas que estava ficando grisalho. No final da década de 1960, ele havia montado uma empresa em Nevada para projetar e construir máquinas caça-níqueis, mas ela fracassou durante a recessão do começo da década de 1970. Desesperado por dinheiro, Wayne pediu 600 dólares emprestados para financiar uma viagem à Califórnia e acabou pagando suas dívidas. Na época em que Jobs se aproximou dele pedindo conselhos sobre a Apple, Wayne acreditava que "já tivera fracassos suficientes para poder se tornar um cara muito esperto". Ele também acreditava piamente na transformação permanente que os engenheiros podiam criar no mundo e gostava de falar sobre "engenharia holística multifacetada". Solteiro, Wayne vivia sozinho em Mountain View, onde lia livros sobre desastres financeiros e a derrocada de moedas. Ele havia se convencido de que a economia global estava à beira de um colapso e começara a se proteger do desastre iminente colecionando selos raros, moedas velhas e ouro. Ele também estava construindo uma réplica de mais de dois metros de um relógio náutico de Júlio Verne com pedaços de cartão cuidadosamente recortados. Mesmo considerando semicondutores e objetos de circuito integrado um mistério completo, Wayne foi convocado para ajudar Jobs a reunir argumentos para evitar que Wozniak caísse nas garras de Kamradt. Wayne consolou Wozniak e explicou que o engenheiro sempre seria lembrado ao unir-se com o vendedor certo. Ele lembrou como Eiffel deixou seu nome na história com uma torre, e Colt, com uma arma.

Não era fácil convencer Wozniak. O trio varava a noite discutindo sobre a forma da parceria proposta. Wayne sugeriu que eles deveriam balancear o total do investimento com o mérito da invenção. Era uma ideia que agradava a Jobs, mas Wozniak tinha problemas em entender as noções de propriedade do século XX. Ele queria liberdade completa para usar seus truques de *design* e estava preocupado que a Hewlett-Packard o designasse para um projeto em que ele teria de utilizar alguma das estratégias que havia utilizado no Apple. Wayne pensava que "Era quase como se Wozniak estivesse deixando a Apple utilizar esses princípios, mas quisesse reservar o direito de poder vendê-los para outros".

Por fim, Jobs prevaleceu e Wayne escreveu um acordo de parceria de dez parágrafos cheio de "data vênias", "destartes" e "não obstantes". O acordo dizia que nenhum dos três poderia gastar mais de 100 dólares sem o consentimento de outro. Também estabelecia que Wozniak iria "assumir a responsabilidade geral pela condução da Engenharia Elétrica; Jobs iria assumir a responsabilidade geral pela Engenharia Elétrica e pelo Marketing; e Wayne iria assumir a responsabilidade geral pela

Engenharia Mecânica e pela Documentação". Uma vez persuadido a concordar com o empreendimento, Wozniak não demonstrou problemas em dar a Wayne 10% da empresa e dividir o restante com Jobs. Ele estava convencido de que, se Jobs cuidasse de toda a trabalheira comercial, a divisão seria equitativa. O que o acordo não dizia, mas que todos entendiam, era que Wayne teria o voto de Minerva caso Wozniak e Jobs não conseguissem concordar em algo. Na noite de primeiro de abril, em 1976, no apartamento de Wayne, em Mountain View, com o amigo de Wozniak, Randy Wigginton, assistindo, os três assinaram o acordo formando a Apple Computer Company. Jobs assinou o documento em uma caligrafia infantil, enorme, com todas as letras em maiúsculas. Wozniak rabiscou uma assinatura cursiva e a caneta de Wayne deixou seu nome ilegível.

Enquanto definiam as formalidades, Jobs acelerava. Ele havia utilizado os 1,3 mil dólares que ele e Wozniak haviam reunido para encomendar o desenho da placa de circuito impresso. Visitou Howard Cantin, que havia preparado o desenho para as placas dos jogos da Atari (e desenhado a placa original do Pong) e pediu que ele preparasse a placa para a Apple Computer. Cantin topou – "Eu aceitei como um favor a Steve". Assim que Wozniak terminou de encher a primeira placa de circuito impresso com *chips* e terminou as ligações, ele e Jobs fizeram um lançamento formal do computador Apple no Clube Homebrew, em 1976. Seus discursos evidenciavam a divisão do trabalho. Wozniak descrevia os aspectos técnicos da máquina: coisas como o tamanho da memória, a versão de BASIC disponível e a velocidade do *clock* da memória. Jobs perguntava aos membros quanto eles aceitavam pagar por um computador que, diferentemente do Altair, tinha todas as funções essenciais reunidas em uma única placa de circuito impresso. A reação geral foi o silêncio. A maioria dos outros engenheiros do Clube Homebrew nem se importou em inspecionar o Apple. Uns poucos, como Lee Felsenstein, olharam o computador preto e branco com seus 8 quilobytes de memória e concluiu que "Wozniak pode muito bem estar caminhando para um tombo. Achei que ele levaria um tombo muito grande e eu não ficaria no seu caminho".

Jobs, que na primavera de 1976 atendia religiosamente a todos os encontros do Clube Homebrew, estava ocupado selecionando pessoas com tino comercial entre os engenheiros. Isso não era difícil, já que os membros podiam divulgar seus interesses durante os encontros. Paul Terrell era um dos vendedores mais destacados e tinha se tornado uma figura influente no mercado cinzento de distribuidores e fornecedores de *kits*. Ele vendera periféricos para minicomputadores até assistir a uma demonstração do Altair – após a qual ele rapidamente conseguiu representar a MITS no norte da Califórnia. Nos encontros do Homebrew, Terrell empurrava máquinas Altair e se irritava profundamente com as reclamações dos membros do Homebrew quando tentava cobrar 500 dólares por uma versão de BASIC em fita de papel.

Como outros, Terrell subestimou o entusiasmo dos fãs de computador e, quando o Altair começou a ser comentado de boca em boca, ele passou a encontrar engenheiros esperando do lado de fora da porta de seu escritório enquanto seus clientes de costume reclamavam que não conseguiram completar ligações com seu PABX. Terrell então sucumbiu. "Decidi que nós devíamos ir até El Camino, abrir uma loja, pendurar um cartaz e atrair todos aqueles *nerds* que ficavam sentados em engarrafamentos às quatro da tarde." Em dezembro de 1975, ele transferiu 12,7 mil dólares em inventário da MITS de sua empresa para uma loja de computadores em Mountain View, que ele batizou de Byte Shop.

Mas as ambições de Terrell se estendiam muito além da paróquia. Ele estudou e planejou emular a enorme cadeia de distribuidores da Radio Shack e esperava um dia estocar suas lojas com computadores que ele mesmo fabricaria. Reservadamente, ele falava sobre uma cadeia nacional de Byte Shops como um criador de gansos entusiasmado. Falava de "alimentar o canal à força" e "empurrar o produto para fora", mas tinha de começar por algum lugar, e El Camino era um centro de compras maior, talvez melhor, que a maioria. Então, El Camino, onde quase toda ideia à procura de um mercado achava facilmente um lar temporário, abrigou mais um. No começo do verão de 1976 havia três Byte Stores espalhadas por El Camino entre empórios de banheiras, lojas de *hi-fi*, vendedores de automóveis e lanchonetes. Para os entusiastas e qualquer pessoa esperando vender um microcomputador, a recomendação da Byte Shop se tornou um selo que valia a pena ter.

Terrel era um dos poucos membros do Clube Homebrew com meios para comprar mais de um computador, então Jobs, esperando obter encomendas antes de fazer um pedido firme de cem placas de circuito impresso, visitou a Byte Shop. Terrell tinha certa cautela com relação a Jobs nos encontros do Homebrew. "Você sempre consegue perceber os caras que vão lhe dar trabalho. Eu sempre fiquei um pé atrás com ele." Mesmo assim, quando Jobs passou pela loja, Terrell lhe arranjou tempo. Jobs mostrou a Terrell um protótipo do Apple e explicou seus planos. Terrell disse a Jobs que ele não tinha interesse em vender simples placas de circuito impresso e que seus clientes não tinham interesse em vasculhar lojas de componentes por semicondutores e outras peças. Terrell disse que ele só se interessaria em comprar computadores totalmente montados e testados. Jobs perguntou quanto ele estaria disposto a pagar por um computador completo e ouviu que seria algo entre 489 e 589 dólares. O Imperador das Byte Shops disse a Jobs que toparia fazer uma encomenda de cinquenta computadores Apple e pagaria em dinheiro na entrega.

Jobs não conseguia acreditar em seus olhos e ouvidos – "Eu só via cifrões na minha frente" – e correu para telefonar para Wozniak, na Hewlett-Packard. Wozniak, igualmente pasmo, dividiu a notícia com seus colegas de laboratório, que não acreditaram muito. Wozniak colocou a encomenda de Terrell em perspectiva – "Aquele foi o maior momento da história da empresa. Nada nos anos seguintes foi tão grande e tão inesperado". A encomenda de Terrell mudou completamente a escala e o escopo do empreendimento. O tamanho do negócio havia se expandido dez vezes e, em vez de contemplar custos de cerca de 2,5 mil dólares para cem placas de circuito impresso, Jobs e Wozniak estavam olhando para uma conta de cerca de 25 mil dólares para cobrir os custos de produção de cem máquinas montadas. Cinquenta iriam para a Byte Shop de Terrell, enquanto Jobs e Wozniak tentariam vender as outras cinquenta para amigos e membros do Clube Homebrew. Wozniak lembrou que "não era o que pretendíamos fazer" e a encomenda de Terrell disparou uma corrida por peças e por dinheiro.

Algumas opções óbvias eram inúteis. Jobs foi até um banco de Los Altos, encontrou o gerente, pediu um empréstimo e recebeu um previsível não. "Eu já percebia que iria receber o mesmo tipo de resposta de outros bancos." Ele foi até a Halted e perguntou a Hal Elzig se ele não toparia ficar com uma parte da Apple em troca de algumas peças. Elzig, que declinou a oferta, recorda: "Eu não tinha a menor fé naqueles garotos. Eles andavam para lá e para cá descalços." Jobs se reuniu com Al Alcorn e perguntou se ele podia comprar peças da Atari. Alcorn concordou, mas pediu o pagamento adiantado em dinheiro. Jobs recorreu a Mel Schwartz, o professor de Física de Stanford, que havia montado uma pequena empresa de eletrônica em Palo Alto e tinha uma linha de crédito junto a um distribuidor de produtos eletrônicos, e Schwartz concordou em comprar algumas peças para Jobs.

Jobs então foi até três lojas de componentes eletrônicos e negociou acordos de pagamento a prazo que permitiriam que eles montassem e entregassem os computadores para as Byte Shops antes de pagar pelas peças. Ele foi recebido com reações variadas que iam da diversão ao total ceticismo.

Em uma loja, Jobs persuadiu o controlador financeiro da empresa a fazer uma averiguação de referências. Paul Terrell ficou surpreso ao receber um *bip* durante um seminário em uma conferência de eletrônica e ser chamado ao telefone, onde ele assegurou ao controlador que as duas figuras sentadas do outro lado da sua mesa não estavam inventando contos de fadas. O maior golpe de sorte da Apple aconteceu quando Bob Newton, o gerente de divisão da Kierulff Electronics, de Palo Alto, encontrou Jobs e examinou a ele e seu protótipo. "Ele era somente um garoto agressivo que não se apresentava muito profissionalmente." Mesmo assim, Newton concordou em vender a Jobs 20 mil dólares em peças e explicou que, se a conta fosse paga em trinta dias, Jobs não teria de pagar juros. Jobs, desfamiliarizado com tecnicalidades contábeis, relembra: "nós não sabíamos o que significava 'trinta dias líquidos'."

Com o suprimento de componentes assegurado, Jobs e Wozniak voltaram suas atenções à montagem e ao teste de seu computador. Eles estavam relutantes em alugar um espaço em algum dos parques de garagens de concreto e aço que pontilhavam Sunyvale e Santa Clara. O apartamento de Wozniak, inchando com os primeiros meses de casamento, era pequeno demais para suportar a carga de uma linha de montagem em miniatura. A segunda mulher de Wozniak, Alice, relembra: "O Apple consumia todo o seu tempo. Eu o via muito pouco. Ele saía para a HP e comia alguma coisa no McDonald's no caminho para casa. Nunca voltava para casa antes da meia-noite. Eu estava ficando maluca de chegar em casa do trabalho e ver coisas em cima da mesa de jantar que eu não podia tocar". Com Alice reclamando da sua presença, os fundadores da Apple se voltaram ao local mais prático que era a casa da família de Jobs em Los Altos. Jobs, que voltara a morar com os pais, tomou posse do único cômodo desocupado da casa de três quartos, o qual havia pertencido à sua irmã mais jovem, Patty, antes de ela se casar. O quarto estava mobiliado com uma cama de solteiro e um pequeno gaveteiro perfeito para armazenar os sacos plásticos cheios de peças que chegavam dos distribuidores eletrônicos. As peças eram montadas em computadores Apple naquele quarto e no próprio quarto de Jobs, onde ferros de soldar pingando solda deixaram marcas negras em uma mesa estreita.

As peças que chegavam eram submetidas a um sério controle de qualidade. Jobs se lembra: "nós não as examinávamos muito. Apenas víamos se elas funcionavam". As placas de circuito impresso eram uma grande simplificação com relação a cabear cada computador. Elas cortavam o tempo de montagem para cada máquina de sessenta horas para seis. As placas também traziam uma nova tarefa, conhecida desdenhosamente na indústria eletrônica como "enchimento de placas", que exigia que semicondutores e todas as outras peças fossem inseridas em buracos especialmente numerados nas placas verdes. Jobs delegou a tarefa à sua irmã, que estava esperando seu primeiro filho. Ele ofereceu pagar-lhe um dólar por placa preenchida. Depois de algum tempo de prática, ela descobriu que conseguia terminar quatro placas em uma hora. Ela se sentava no sofá da sala, com placas e peças espalhadas à sua frente em uma mesinha de fórmica, com a enorme televisão colorida dos Jobs provendo entretenimento de fundo. A distração de novelas e programas de calouros, junto com eventuais ligações de amigos, acabava gerando *chips* plugados erroneamente e alguns delicados pinos dourados meio tortos e bambos.

Enquanto as placas eram montadas, Jobs e Wozniak batiam cabeça sobre o preço ao consumidor final. Wozniak estava pensando em vender os computadores a seus amiguinhos do Homebrew por pouco mais que o custo das peças, ou seja, algo em torno de 300 dólares. Jobs tinha ideias mais amplas e fez algumas pesquisas básicas. Ele decidiu que a Apple devia vender as placas pelo dobro do custo das peças e permitir a revendedores uma margem de lucro de 33%. A aritmética ficou perto da oferta de Paul Terrell e também coincidiu com um preço de varejo que tinha um som eufônico: 666,66 dólares.

Quando Jobs voltou à Byte Shop de Mountain View carregando doze placas de circuito impresso recheadas e empacotadas em caixas de papelão cinza, Terrell ficou desapontado. "Não era nada demais. Steve estava 50% certo." Os computadores totalmente montados não eram nada mais que placas de circuito impresso totalmente montadas. Havia uma grande diferença. Era necessário fazer um grande esforço antes que as placas pudessem fazer qualquer coisa. Terrell não conseguiu nem testar as placas sem comprar dois transformadores para gerar energia para o computador e a memória. Como o Apple não tinha um teclado, nem uma televisão, nenhum dado podia ser colocado para dentro ou para fora do computador. Uma vez plugado um teclado na máquina, ela ainda não podia ser programada sem que alguém laboriosamente digitasse o código do BASIC, já que Wozniak e Jobs não forneciam a linguagem em fita cassete ou em um *chip* de memória ROM. Apesar de Wozniak conseguir digitar 4 quilobytes de código em uma hora, esse era um arranjo muito pouco prático mesmo para o mais entusiasmado entusiasta. E, para terminar, o computador estava nu. Não tinha gabinete. Apesar de todas as deficiências e reservas, Terrell pegou a encomenda e pagou pelas máquinas a Jobs, como havia prometido, em dinheiro.

Jobs estava tentando pesar tudo, escorando-se em seus instintos e senso comum para lidar com a corrida diária de surpresas. Ciente da importância da imagem, ele conseguiu um endereço corporativo elegante alugando uma caixa postal em Palo Alto. Contratou um serviço de secretária virtual para ajudar a dar a impressão de que a Apple era uma empresa sólida e não uma operação pós-expediente. Também começou a recrutar ajuda e foi atrás de rostos familiares para suporte.

O firme e confiável Bill Fernandez não tinha sido convidado pela Hewlett-Packard a ser transferido com o resto da divisão de calculadoras para sua nova sede no Oregon e estava procurando por trabalho. Ainda vivendo em casa em Sunnyvale, Fernandez pensou que a Apple poderia um dia oferecer-lhe a chance de virar um engenheiro. Jobs elaborou uma entrevista de araque, lançou algumas perguntas chavão sobre lógica digital e fez sua primeira oferta de emprego. Fernandez pediu um contrato formal de trabalho por escrito e se tornou o primeiro empregado em tempo integral da Apple. "Eu era o único índio legítimo. Todos os outros eram caciques... Eu basicamente era o *office boy*."

Para controlar o dinheiro, Jobs pediu à sua amiga de faculdade Elizabeth Holmes, que estava trabalhando como cortadora de joias em San Francisco, para tomar conta do talão de cheques da Apple e manter um diário anotando os gastos em dinheiro vivo. Holmes, que passava pela casa dos Jobs uma vez por semana e recebia o piso-padrão de quatro dólares por hora, notou que "Steve estava trabalhando muito, muito duro. Ele era muito direto e nem um pouco sentimental". Enquanto isso, Jobs, que também mantinha Dan Kottke a par do progresso, convidou-o a Los Altos para o verão e prometeu trabalho. Quando Kottke chegou, Clara Jobs transformou o sofá da família em uma cama.

Quando começou o trabalho na segunda leva de cinquenta computadores, Paul Jobs caiu na real e sugeriu que a Apple continuasse seus negócios na garagem. "Era mais fácil esvaziar a garagem que tentar expulsá-los de dentro de casa. Meus carros podiam ficar do lado de fora, as coisas deles, não." Jobs temporariamente parou com a recauchutagem de carros, que no verão de 1976 eram Nash Metropolitans, e se pôs a reformar a garagem. Ele limpou uma bancada marrom comprida que havia pegado em um escritório em San Francisco anos antes. Partes soltas eram enfiadas em pequenas gavetas cuidadosamente etiquetadas, PARAFUSOS DE MÁQUINAS, LAVADORAS, LAVADORAS DE DENTES, PINOS DUPLOS e CLIPES INSULADOS DE BORRACHA. Itens maiores eram guardados em um mezanino pequeno acima da garagem junto com itens como *lasers* desmontados. Jobs forrou a garagem com placas de plástico, montou luzes extras, instalou mais um telefone e pendurou novamente um certificado que comemorava sua primeira travessia do Equador em Outubro de 1944. Ele se recusou a mover um item: um carrinho vermelho brilhante lotado com chaves-inglesas, alicates, chaves de fenda e martelos.

Gradativamente, a garagem começou a encher. Um grande esquema do computador foi pendurado na parede. Paul Jobs construiu uma "caixa de testes" na forma de um longo caixão de madeira balsa para testar os computadores. Ela era grande o suficiente para guardar doze placas que podiam ficar ligadas à noite inteira sob o olhar descompromissado de algumas lâmpadas de aquecimento. Jobs filho comprou uma bancada de metal com uma luminária de *neon* da empresa que fornecia para Hewlett-Packard, um porta-fitas adesivas para o empacotamento das caixas e uma balança de postagem de última geração. Bill Fernandez examinou as compras. "Steve era sempre muito mão fechada com o dinheiro. Ele sempre queria obter o melhor benefício com o menor custo. Steve sempre quis fazer coisas de alta qualidade e ter equipamentos à altura. Ele sempre quis fazer a coisa do jeito certo."

Clara Jobs, que corria para a garagem para usar sua máquina de lavar, secadora e pia, estava se recuperando de uma operação na bexiga. Quando seu filho ocupou a mesa da cozinha e a transformou em um escritório em miniatura, ela trabalhou em volta dele. Quando o serviço de secretária virtual ligava com mensagens, ela as anotava e as repassava para Jobs. Quando a campainha tocava, ela agia como recepcionista, servindo café para vendedores de peças e potenciais clientes. Ela tolerava o fascínio de seu filho pelas cenouras e limpava as embalagens de hambúrgueres do McDonald's e copos de refrigerante de Wozniak depois de uma das frequentes noites de vigília atrás de bugs ardilosos no computador. Quando a recém casada ligava aos prantos, era Clara Jobs quem a consolova. E quando os humores esquentavam na garagem, Paul Jobs invariavelmente dava uma nova perspectiva ao assunto. "Qual o problema?", perguntava ele, "Vestiu a cueca do avesso?" Depois de um tempo, Paul e Clara Jobs já estavam brincando com os amigos, dizendo que estavam pagando a hipoteca da casa em troca de quarto, cozinha e banheiro.

Steve Jobs pediu a Ron Wayne que desenhasse esquemas do computador que pudessem ser impressos em um pequeno manual e também bolasse um logo para a empresa. Em seu apartamento, Wayne equilibrou uma mesa de luz em uma mesa de centro e produziu um divertido desenho a bico de pena que se assemelhava a uma gravura monocromática de um calendário escolar do século XIX. Era um retrato de Isaac Newton empunhando uma pena, descansando contra o tronco de uma árvore que carregava uma maçã envolta em um brilho etéreo. Enrolado nas bordas da figura havia um pergaminho que trazia uma frase do Prelúdio de Wordsworth: NEWTON – UMA MENTE VIAJANDO ETERNAMENTE PELOS MARES OBSCUROS DO PENSAMENTO, SOZINHO. Wayne também começou a trabalhar em um manual de quatro páginas usando uma máquina de escrever elétrica da IBM que, com uma manipulação cuidadosa, conseguia justificar textos em ambas as margens. Isso gerou um argumento sobre o uso de tons de fundo, com Jobs insistindo que uma sombra cinza fosse utilizada em partes do esquema. Quando o cinza sumiu com alguns detalhes do desenho, Wayne disse. "A culpa é de nós dois. Sua por sugerir, minha por te ouvir."

Jobs mostrou uma preocupação similar pela aparência quando Kottke e ele desenharam a primeira propaganda da Apple. A dupla se sentou na mesa da cozinha com Jobs disparando ideias enquanto Kottke revisava a gramática. Kottke lembra que Jobs era "meticuloso com relação ao letreiramento". Kottke, por sua vez, tentava se imergir na eletrônica, lendo manuais sobre o microprocessador 6502 e tentando recuperar o terreno que perdeu na adolescência. Em uma ocasião, ele e Jobs tentaram converter um dos computadores em um relógio temporário. Incapaz de manter seu amigo em um emprego integral, Jobs achou um trabalho extra para ele na Call Computer, onde Kamradt ainda estava xingando as idiossincrasias escondidas do Computador Conversor de Wozniak.

Os cutucões de Paul Terrell da Byte Shop forçaram Jobs a pressionar Wozniak para criar uma interface que pudesse carregar o BASIC no computador a partir de um gravador de fita cassete. Wozniak, totalmente ocupado com o computador, achou outro engenheiro da Hewlett-Packard para desenhar a interface em troca de participação nas vendas. O *design* não ficou satisfatório; não conseguia ler os dados propriamente da fita e os dois tiveram de comprar a participação do engenheiro por mil dólares. Wozniak ficou revoltado. "Nós não íamos seguir em frente com nosso *design* e ainda pagar a ele por cada unidade vendida." Wozniak, que não tinha a menor experiência com *design* de interfaces e nunca havia lidado com dados armazenados em fitas cassete, criou o *design* mais simples possível. "Funcionou." Montado em uma pequena placa de circuito impresso de duas polegadas, a interface era plugada na placa principal.

Como incentivo de vendas, uma fita cassete com BASIC foi incluída com a placa de interface de 75 dólares e um folheto de propaganda da Apple que dizia: "Nossa filosofia é prover *software* para nossas máquinas de graça ou a um custo mínimo". O anúncio de uma página trazia o *slogan* MORDA UMA MAÇÃ – BYTE INTO AN APPLE, um trocadilho com BITE (MORDA) – e se vangloriava da "Pequena placa para cassete que funciona", apesar de ela só funcionar com fitas rodando em caros gravadores. Havia um tom hesitante no anúncio que se refletia na frase "O Computador Apple está disponível em quase todas as grandes lojas de computador".

Com certeza ele estava disponível nas Byte Shops. Estava quase sempre no estoque. Apesar de os gabinetes de acácia fornecidos por um fabricante de armários local, Paul Terrell e seu bando de engenheiros e programadores refugiados descobriram que os computadores da Apple não tinham tanta saída quanto o Altair ou o IMSAI 8080, um computador que rodava *software* escrito para o Altair e era vendido pela IMS Associates, outra pequena empresa da península. Terrel, que estava no meio de onze meses frenéticos

durante os quais ele organizou a abertura de 74 lojas Byte Shop pela América do Norte, não podia segurar estoques de 10 mil dólares de computadores que eram vendidos vagarosamente em lojas que vendiam apenas 20 mil dólares por mês. Em seu quartel-general, ele passava boa parte de seu tempo perguntando a visitantes céticos – que resmungavam sobre seu balanço precário e desdenhavam dos balcões de fórmica – se eles lembravam como era a cara do centésimo McDonald's. Com relação aos Apple ele lembra: "tínhamos problemas para descarregá-los".

Por algumas semanas, Jobs e Kottke passaram por El Camino, entregando computadores e encontrando adolescentes nas lojas. Alguns, muito jovens para dirigir, haviam descoberto que, se cronometrassem bem o tempo, eles conseguiam alcançar os ônibus 21 e 22 do Santa Clara Transit Districs e visitar todas as lojas Byte Shop em uma tarde. Os adolescentes formavam uma parte permanente da decoração, brincando com os computadores deixados sobre a mesa, alimentando-o com programas baseados em fitas de papel e fazendo pequenas tarefas de programação em troca de revistas grátis.

Em outras visitas semanais, Jobs digitava no programa de demonstração do Apple a mensagem ESTE É UM COMPUTADOR APPLE, que era mostrada em uma tela de televisão. Alguns gerentes da Byte Shop achavam Jobs um cara difícil de se lidar. Um deles, Bob Moody, disse: "Ele era, no mínimo, difícil. Steve não era um cara para se trabalhar junto. Ele era muito instável e abrupto". Terrell era um pouco mais paciente e tranquilizou Jobs quanto ao nome Apple Computer. "Ele apareceu voando Byte Shop adentro, falando a cem milhas por hora: 'É o maldito logo. Todos acharam uma merda. Nós vamos ter de mudar o nome. Ninguém vai nos levar a sério'." Terrel, que já havia aguentado provocações similares depois que deu à sua loja um nome que a maioria das pessoas confundia com uma lanchonete, transmitiu um pouco de sua sabedoria caseira: "Uma vez que as pessoas entendam o que o nome significa, eles nunca mais esquecerão. Se for difícil, as pessoas vão se lembrar dele". O preço de 666,66 dólares do Apple também trouxe problemas. Ele provocou uma torrente de telefonemas raivosos de um grupo de *Sikhs* que estavam convencidos de que o preço tinha um significado maligno. Quando o filme de terror *A Profecia*, que também continha referências assustadoras ao triplo seis, começou a passar nos cinemas locais, as chamadas aumentaram. Depois de explicar inúmeras vezes que não havia referências místicas no preço, Jobs, totalmente exasperado, finalmente falou a um interlocutor irado: "Peguei os dois números mais espirituais que consegui pensar: 777,77 e 111,11 e subtraí um do outro".

Ron Wayne estava preocupado com assuntos mais materiais. O tamanho do contrato com a Byte Shop, que havia ganhado uma reputação de não conseguir pagar suas contas em dia, e a perspectiva de ter de subscrever um décimo de qualquer perda que a Apple pudesse incorrer provaram ser um peso muito grande. Wayne deixou a parceria no verão de 1976 e datilografou uma carta formal que ele esperava que tirasse dele qualquer responsabilidade. "Eu já tinha aprendido o que me dava indigestão e estava sentindo os meses se esvaindo. Se a Apple falhasse, eu teria hematomas sobre hematomas. Steve Jobs era um tornado ambulante e eu havia perdido a energia necessária para cavalgar um tornado."

Apesar da perda de Wayne, na época em que decidiram construir uma nova leva de cem computadores, Jobs e Wozniak já tinham estabelecido algum crédito na praça. Os gerentes de banco locais ainda se recusavam a colocar qualquer fé na Apple, mas havia outros que faziam isso. Wozniak tinha uma linha de crédito informal com seu amigo Allen Baum, que o havia socorrido em enrascadas anteriores. Jobs e Wozniak explicaram sua situação difícil e pediram um empréstimo de 5 mil dólares, que prometeram pagar assim que os computadores fossem vendidos. Baum e seu pai, Elmer, botaram o dinheiro na mesa e escreveram um acordo de empréstimo por um ano com a opção de ser renovado trimestralmente. Allen Baum considerava seu dinheiro a salvo. "Eu não tinha dúvida de que ele seria devolvido. Steve Jobs tinha uma língua afiada que podia convencer qualquer um a fazer qualquer coisa." Elmer Baum não estava tão certo. "Só dei o dinheiro porque era um amigo de Allen. Eu estava em uma situação financeira bem complicada e Steve tentou me passar uma conversa. Se não o conhecesse, teria caído."

A maioria das pessoas ligadas à Apple era cautelosa e, ao contrário da imagem normal de pequenos negócios, todos estavam preparados para possíveis perdas. Cada um tinha seu próprio método para absorver qualquer risco que pudesse aparecer. Wozniak se apoiava no salário regular da Hewlett-Packard. Ron Wayne decidiu que não poderia correr nenhum risco e os Baum asseguraram sua aposta cobrando juros pesados em seu empréstimo. Bill Fernandez fez questão de ter um contrato assinado. Steve Jobs arriscou algo mais – devotando anos de sua vida ao negócio e sendo consumido pela Apple.

A contradição entre seu misticismo e a vida como dono de uma empresa de computadores foi captada em uma troca de cartas levemente sarcástica com Dan Kottke, que havia voltado da escola no Leste. Em uma ocasião, Kottke enviou a Jobs uma fotografia mística e anexou uma nota que dizia em um trecho: "depois de fazer um extenso prana ao pé de lótus do 'Aquilo que é', olhe amorosamente esta imagem com pensamentos de relevância cósmica e profundidade até tocar o telefone. Atenda ao telefone, barganhe furiosamente e se recuse a vender por menos de 2,3 milhões de dólares".

Mas havia alguns aspectos da Apple de que Jobs gostava. "Eu estava tendo a chance de fazer coisas do jeito que eu achava que elas deviam ser feitas. Senti que não tinha nada a perder largando a Atari porque eu sempre poderia voltar." Para Jobs, corporações eram grandes e feias como a Lockheed. Elas subornavam senadores, descolavam propinas, pagavam por almoços com três martínis. Jobs relembra: "Eu não queria ser um homem de negócios porque não queria ser como nenhum dos homens de negócio que eu conheci. Eu achava que viver num monastério era melhor que ser um homem de negócio". Seu turbilhão privado era o centro e o motivo para longas discussões com aqueles em volta dele. Bill Fernandez o acompanhava em caminhadas à meia-noite nos arredores de Los Altos e Cupertino e servia de caixa de ressonância. Ron Wayne notou que "Steve estava em uma busca. Ele se perguntava seriamente se deveria continuar com a Apple". Wayne, por sua vez, não dava muita segurança, dizendo a Jobs que ele corria o mesmo risco que Frankenstein e previu que ele podia ser engolido pela própria empresa que estava criando.

Mas havia uma fonte mais velha e sábia de conselhos. Kobin Chino era um monge *Zen* que Jobs havia encontrado depois que voltou da Índia. Chino tinha sido membro ativo do Centro Zen de San Francisco e discípulo de Suzuki Roshi, autor de *Mente Zen, Mente de Principiante*, um livro de princípios e reflexões para os seguidores do Zen. Chino vivia em um pequeno templo *zen* em Los Altos, e Nancy Rogers, que havia seguido Jobs e Kottke para a Índia, vivia em uma tenda perto do rancho, frequentando cursos de meditação. Jobs a visitava frequentemente e conversava com ela e Chino sobre abandonar a Apple e seguir para um mosteiro *zen* no Japão. Tanto Chino quanto Rogers ouviam. O primeiro se divertia com o dilema e, em um inglês de pé quebrado, aconselhava Jobs a continuar seus negócios, dizendo a ele que ele iria descobrir que comandar negócios era a mesma coisa que sentar em um templo. Jobs continuou sua busca espiritual. "Eu tinha a sensação de que a Apple seria algo desgastante. Era uma decisão muito dura não ir para o Japão. Parte de mim estava um pouco preocupada porque eu estava com medo de que se eu fosse eu poderia não voltar." Nancy Rogers sentiu que "Steve estava com medo da Apple. Ele achava que ela poderia transformá-lo em um monstro".

No final do verão de 1976, os gerentes e engenheiros de companhias de computadores, semicondutores e *videogames* não consideravam a Apple uma ameaça monstruosa. Na Atari, de acordo com Nolan Bushnel, "estávamos afundados até o pescoço em *games*", então o mercado de *hobby* de computadores seria uma distração periférica para uma empresa cuja linha central de negócios girava em torno de entretenimento e *videogames*. Em fábricas de semicondutores como a National Semiconductor e Intel Corporation, alguns entusiastas formavam pequenas forças-tarefa, debruçavam-se sobre revistas como *Byte* e *Interface Age*, rasgavam propagandas de algumas das pequenas companhias que anunciavam computadores de placa única e faziam reuniões em lugares apropriados e previsíveis. Eles batiam em portas de empresas como a MITS. Assistiam a demonstrações do computador Alto que estava sendo desenvolvido no Centro de Pesquisa da Xerox em Palo Alto. Falavam com os editores da Companhia de Computadores do Povo. Liam pesquisas da indústria feitas por institutos de pesquisa – que, na maioria dos casos, eram pouco mais que um homem, um computador e uma bola de cristal embaçada. Conversavam com alguns analistas de investimento em bancos de Nova York e eram totalmente meticulosos e minuciosos. Eles então voltavam a seus lares e escritórios para elaborar argumentos e planos de *marketing* para convencer seus superiores do brilhante futuro dos microcomputadores. Falavam sobre o grande número de entusiastas, da fraca concorrência e de como os semicondutores representavam pelo menos a metade do custo de um microcomputador.

A maioria dos chefes não se abalava. Eles achavam que o mercado para microcomputadores montados seria limitado a entusiastas e a maioria ainda trazia as cicatrizes de tentativas anteriores de vender produtos de consumo. Alguns anos antes, outros jovens executivos haviam reunido argumentos semelhantes e os persuadiram a construir relógios e calculadoras digitais. Os resultados foram dolorosos. Os chefes descobriram que a *expertise* em uma área não era algo que podia ser transferido para outra e que superioridade técnica não era o suficiente para atrair o consumidor. Cortes de preço rápidos e concorrência do Oriente deixaram algumas empresas de semicondutores com depósitos cheios de relógios e calculadoras.

Os fabricantes de semicondutores também enfrentavam suas próprias demandas. William Davidow, vice-presidente da Intel, recorda: "Tínhamos problemas suficientes tentando manter as rodas coladas em nossa própria máquina sem precisar nos preocupar com outra coisa". Enquanto isso, as empresas de minicomputadores decidiram que fazia mais sentido encolher suas máquinas que tentar construir microcomputadores. Tanto a Digital Equipment Corporation, que lançou o DEC LS1-11, e a Data General, com seu micro Nova, começaram a vender máquinas com interruptores nos painéis que pareciam com irmãs mais novas das máquinas maiores.

Então as pequenas empresas de microcomputadores foram deixadas em seu anonimato. A maioria delas nem havia ouvido falar da Apple, que era muito pequena, muito frágil e muito excêntrica para ser levada a sério. Aqueles com uma índole profética decidiram que a empresa estava fadada ao fracasso pela decisão rebelde de Wozniak em escolher o microprocessador 6502 enquanto a maioria das outras construíam seus computadores com o 8080. Distribuidores e revendas como Paul Terrell haviam decidido que o futuro estava com o 8080, o *bus* S-100 e padrões da indústria e estavam planejando descontinuar o estoque de máquinas com o 6502. As grandes propagandas em revistas como a *Byte* eram de empresas como Southwest Technical Products, Processor Technology e IMSAI. O computador Apple era uma curiosidade local e exótica.

Pouco depois do Dia do Trabalho, em 1976, Wozniak e Jobs viajaram à costa leste para uma feira de computadores que estava sendo realizada em um velho hotel de Atlantic City. Eles encheram uma mala com computadores Apple e um monte de folhetos de propaganda. Junto com os computadores, Wozniak carregava outra máquina montada em um gabinete conhecido pelos entusiastas como Caixa de Charutos. Junto a engenheiros e vendedores de outras empresas de computadores da Califórnia, Jobs e Wozniak pegaram o voo 67 da TWA de San Francisco para a Filadélfia. Boa parte do voo foi gasta com o bla-bla-blá de conversas técnicas, fofocas e olhadelas em novos computadores. Os vendedores da Processor Technology estavam levando uma nova máquina chamada o Computador Terminal Sol, em homenagem a Les Solomon, editor da *Popular Electronics*. Vestido em um gabinete de folhas de metal com um teclado embutido, ele fazia os outros computadores parecerem datados e amadores. Seus inventores estavam confiantes que seu computador devoraria a concorrência. Eles os chamavam de ceguinhos – computadores que não tinham nada além de um botão de força no painel frontal – e de caolhinhos, como o Altair, com apenas luzes piscantes no painel frontal. Em suas mentes, o Sol era uma categoria totalmente nova. Lee Felsenstein, que era um consultor da Processor Technology, debruçou-se sobre o espaldar da cadeira de Wozniak, olhou para o protótipo do novo computador que repousava na bandeja retrátil e tirou sua própria conclusão. "Era totalmente inexpressivo. Esses dois caras tinham apenas uma caixa de cigarros. Não sabiam de nada."

Um Monte de Cocô

A caixa de charutos que Jobs levou a Atlantic City naqueles dias de cão em 1976 continha um computador Apple muito deformado. A placa de circuito impresso aparafusada à base de madeira estava trespassada de fios que contornavam os *chips*. Apesar da aparência detonada, Wozniak e Jobs tomavam conta da máquina com todo o cuidado. Durante o dia, enquanto eles tentavam vender alguns Apples sobre uma mesa de aglomerado no salão da convenção, a máquina ficava trancafiada no seu despojado quarto de hotel. À noite, depois de a multidão deixar a feira, Jobs e Dan Kottke (que viera de Nova York para ajudar os amigos) se esparramavam numa sala dominada por um volumoso aparelho de televisão. Wozniak esticava um cabo sobre o carpete, digitava alguns comandos no computador e o fazia despejar surpreendentes respingos de cores na tela da TV.

Wozniak vinha trabalhando em aperfeiçoamentos no Apple desde a sua apresentação no Clube Homebrew. No bate-papo após o anúncio original, alguns membros perguntaram quais novos recursos estavam nos planos de Wozniak. Ele disse que estava criando um circuito com apenas um punhado de *chips* que seria capaz de converter o computador monocromático em colorido. Era uma afirmação extravagante, já que naquele tempo os *designers* achavam que um circuito de vídeo para cores exigiria pelo menos quarenta *chips*. A determinação de Wozniak em adicionar cores ao Apple surgira da demonstração de um minicomputador com essa capacidade no clube. Era o Dazzler, máquina produzida pela Cromemco, uma companhia pequena cujos fundadores participavam dos encontros do Homebrew. O computador também podia produzir efeitos gráficos coloridos que impressionaram Wozniak. "Era tão impressionante ver as imagens coloridas se movendo. Eu sabia que precisava de cores." Assim, a sua declaração de que pretendia criar circuitos para cores era vista como um desafio praticamente masoquista, e cumprir a tarefa equivalia a uma prova de virilidade. A principal razão de Wozniak para adicionar cores era prática: ele queria fazer um computador em que pudesse jogar Breakout, o jogo criado por ele e Jobs para a Atari.

Wozniak voltou à sua bancada de laboratório na Hewlett-Packard e começou a atacar dois problemas completamente diferentes. Um deles consistia em inventar um circuito para exibir cores. O outro era reduzir a quantidade de *chips* na placa mediante a simplificação da memória. O computador Apple tinha dois bancos de memória. Um deles – uma placa com 8 quilobytes de memória em *chips* – servia ao microprocessador. O outro – composto de *shift registers* (registradores de deslocamento, um tipo mais antigo e mais lento de memória) – alimentava a tela em preto e branco. Em seu esforço de reduzir o número de *chips*, Wozniak buscava alguma maneira de servir ao mesmo tempo ao computador e à tela, usando a mesma memória. Ele investigou a maneira como uma imagem era mostrada numa televisão e descobriu que a varredura horizontal gastava dois terços do tempo gravando o fósforo do monitor com elétrons da esquerda para a direita, e o tempo restante era usado para retornar ao ponto inicial à esquerda. Munido desse conhecimento, Wozniak decidiu forçar o microprocessador e a tela a compartilharem a memória. Enquanto a varredura atravessava a tela, lendo *bits* da memória, o microprocessador ficava em suspenso. Durante o retorno da varredura, ele retornava à ação. Essa abordagem já tinha sido tema de um debate no Homebrew; um colaborador do boletim especulara, em agosto de 1975, se o problema do *timing* para um monitor poderia ser resolvido por um circuito "capaz de ler a memória do microcomputador enquanto ele não a estivesse usando". Para fazer a alocação da memória funcionar, Wozniak teve de reduzir a velocidade do microprocessador. "A única função do computador seria jogar *videogames*, então ninguém chegaria a perceber. Era divertido. Só de ter pensado em dois assuntos sem relação um com o outro, acabou surgindo um *design* mais simples." Wozniak tinha praticamente adicionado a cor de graça e criado um computador mais poderoso que a primeira versão, só que usando metade dos componentes.

Wozniak também queria expandir a capacidade do Apple. Boa parte do poder dos minicomputadores tinha surgido dos *slots*, fendas na placa-mãe que acomodavam outras placas menores. Os *slots* eram uma parte crucial do *design*, pois permitiam que os computadores fossem expandidos para desempenhar uma grande variedade de tarefas. Placas de expansão nos *slots* poderiam conter mais memória, uma interface para uma impressora ou para um telefone. Algumas das empresas de minicomputadores mais bem-sucedidas encorajavam empresas menores a desenvolver periféricos que trabalhassem em conjunto com seus computadores. Assim, os *slots* beneficiavam todo mundo: desde o fabricante do computador, que podia se gabar da sua versatilidade, até os fabricantes de periféricos, criando produtos novos, e também o consumidor, proprietário de uma máquina capaz de realizar mais de uma função. Parte da causa do sucesso do Altair entre os entusiastas era que ele tinha *slots*, à maneira de um minicomputador. Wozniak gostava da ideia dos *slots*: "eu estava habituado a computadores com vinte *slots*, sempre cheios de placas". Decidiu que seu computador colorido teria oito *slots*. Jobs discordou, e essa diferença de opinião se tornou uma das mais prolongadas disputas entre os dois. Wozniak relembra: "Tudo o que Steve enxergava era um computador para fazer duas coisas: escrever programinhas e jogar games. Talvez adicionasse uma impressora e um modem, mas nunca exigiria mais do que dois *slots*. Recusei-me a ficar só em dois slots".

Enquanto Jobs e Wozniak digladiavam-se pela quantidade de *slots*, faziam aparições regulares no Clube Homebrew, reuniões essas que iam consolidando o desenvolvimento do computador colorido. Nas sessões de entusiastas, Wozniak ganhou uma dupla de seguidores adolescentes: Randy Wigginton, que tinha dezesseis anos no verão de 1976, e Chris Espinosa, então com quinze anos. Wigginton tinha escrito alguns programas para a Call Computer e chegara a ver Wozniak com seu terminal "burro", ficando mais impressionado com este que com aquele. O pai de Wigginton era um engenheiro da Lockheed; a casa da família ficava em Sunnyvale. Com a língua pesada mas uma aparência ensolarada, Wigginton tivera a sua parcela de dores de crescimento. "Eu era viciado em drogas no colegial." Ele testemunhara um de seus conhecidos, um traficante, ser preso por assassinar um cliente devedor enfiando-o num esgoto. Wigginton tinha treze anos quando descobriu uma diversão menos perigosa: os computadores. Nas aulas de verão da Homestead High School, havia um terminal de teletipo conectado a um computador da HP. "Quando conheci os computadores, foi definitivo." Transferido pelos pais para uma escola particular em San Jose, ele ficou totalmente fascinado com os computadores. No seu ano de calouro, ele organizou uma turma de computação; no segundo ano, ensinava BASIC a alunos dois anos mais jovens. Ganhou o apelido de "Computer Randy" e, ao explicar envergonhado que não teria par para o baile de debutantes, o vendedor de ingressos sugeriu que levasse um computador. Wigginton soubera que Wozniak, alvo de gozações similares, era muito mais compassivo. Wozniak fornecia peças e auxílio e ajudou Wigginton, cujo ferro de soldar tosco lhe causava problemas, a construir seu primeiro item de *hardware*: um Apple.

O curso de computação de verão na Homestead foi tão viciante para Chris Espinosa quanto para Wigginton. "Assim que nos equipamos com o conhecimento elementar, já sabíamos mais que o professor." Espinosa fora criado em Los Angeles, onde fora matriculado em nove escolas seguidas em oito anos, mas se assentou em Cupertino, quando seu pai passou a comparecer a aulas de Direito em Santa Clara. "Cupertino tinha uma atmosfera totalmente diferente. Em Los Angeles, a maioria dos meus amigos tinha virado ladrões, músicos ou viciados em drogas. Em Cupertino eu tinha amigos novos que eram inteligentes, com inclinações acadêmicas, de classe média e mentalidade progressista." Durante o colégio, Espinosa fora um porta-voz da turma de alunos nas discussões públicas para a conversão de um pomar em um *shopping center*. Também fora um aliado ferrenho do departamento de Trânsito de Santa Clara, argumentando nas conferências públicas a favor da expansão do serviço de ônibus e exaltando os méritos dos transportes leves sobre trilhos. Ele viajava de ônibus por horas a fio – "para mim, a rede de ônibus era um sistema vasto e intrincado" – e neles ia até as Byte Shops, onde aprendera a programar um Apple. Mas, assim como Wigginton, que o apresentara a Wozniak, Espinosa era jovem demais para poder ir às reuniões dirigindo um carro. Já que nem os tentáculos da rede de ônibus nem a solicitude de seus pais se estendia até a sombria divisa de Palo Alto nas noites de quarta-feira, Wigginton e Espinosa iam às reuniões do Homebrew de carona com Wozniak.

Os dois garotos se tornaram acólitos de Wozniak. Espinosa convenceu Wozniak a ceder um computador ao colégio Homestead e demonstrou seu senso de humor brilhante e vistoso instalando-o numa caixa com a marca da IBM. Nas idas à Homebrew, eles se amontoavam no carro de Wozniak, abrindo espaço no banco traseiro forrado de revistas, jornais e embalagens de hambúrgueres, e brincavam ao dizer que o mofo que grassava no estofamento tinha nome próprio nos círculos botânicos: Efeito Woz. Espinosa, de constituição mais ligeira, levava os livros e os manuais para os encontros, enquanto Wigginton tinha a tarefa nada invejável de carregar o televisor colorido Sears de dezenove polegadas de Wozniak. Wozniak pusera o computador dentro de uma caixa de madeira projetada e construída pelo irmão de Wigginton. Após as reuniões, o trio seguia para uma lanchonete Denny's da região para prosseguir o papo de oficina. Em uma das sessões do Homebrew, Jobs fez perguntas a Espinosa, que exibia seu potencial nas demonstrações das cores, e lhe ofereceu trabalho em troca de um lote de chips de 4 quilobytes de memória, que eram a peça mais procurada para o Apple. Espinosa aceitou, mas se lembra de que "Jobs jamais cumpriu a promessa dele".

Em cada reunião do Homebrew, o Apple era colocado na mesa lado a lado com outros computadores de entusiastas, perto da entrada do auditório da SLAC. No salão repleto de fileiras de cadeiras sobre um piso muito inclinado, aparecia praticamente todo grande avanço nos microcomputadores, enquanto o boletim do clube relatava o surgimento de produtos novos, dava o calendário das feiras, dava conta da inauguração da primeira loja de computadores em Santa Mônica e da fundação de novas empresas de varejo de kits de computadores, como a Kentucky Fried Computers. Os editores do boletim também ensinavam aos fuçadores alguns dos fatos cruéis da vida. Quando o monitor de vídeo da Processor Technology não foi lançado conforme prometido, o boletim ressaltou: "Parece que a paciência é uma virtude essencial para o entusiasta de computadores". Havia pedidos frequentes por mais *softwares* e também o anúncio de uma nova publicação, na qual editores pretendiam publicar linguagens de computação, com o curioso nome de *Dr. Dobbs' Journal of Computer Calisthenics and Otrhodontia* (Jornal do Dr. Dobbs de Calistenia e Ortodontia para Computadores).

Enquanto Wozniak se ocupava em desenvolver alguns programas para o Apple, a questão do *software* suscitou um debate vigoroso no clube. A maioria dos entusiastas achava que o *software*, por direito, deveria ser fornecido gratuitamente a qualquer um que tivesse a audácia e bravura de construir o seu próprio computador. Os programadores que escreviam o *software* discordavam. Numa carta aberta aos entusiastas, publicada no boletim do Homebrew, Bill Gates, um dos desenvolvedores da linguagem BASIC original para o Altair, reclamava que quase todos os usuários possuíam a sua cópia do BASIC, mas apenas um décimo deles tinha pagado pelo programa. "Sem *software* de qualidade," escreveu Gates, "e um proprietário que entenda de programação, um computador é um desperdício... E como a maioria dos entusiastas deve estar ciente, a maioria de vocês rouba o seu *software*." A defesa inflamada de Gates dos direitos dos programadores caiu em ouvidos moucos, mas um membro do clube respondeu: "Chamar todos os seus potenciais futuros clientes de ladrões não é uma estratégia de *marketing* muito boa."

Marketing era uma coisa com a qual Wozniak não poderia se preocupar menos. A maioria dos recursos que ele acrescentou ao Apple vinham ao encontro de seus desejos pessoais. Ele adicionou circuitos para controles de *games* e áudio, de forma a apresentar o Breakout em toda sua glória. As letras na tela eram em maiúsculas porque a maioria dos teclados dos membros do clube não tinha capacidade para minúsculas. Wozniak chegara a escrever uma rotina que convertia caixa-baixa para caixa-alta. "Nós não pensávamos em longo prazo. Queríamos usar um teclado com caixa-baixa, mas não havia tempo." De forma similar, o computador só podia exibir quarenta caracteres por linha horizontal de texto, pois os televisores que eram usados como monitores não aguentavam mais do que isso.

Wozniak nem tinha certeza de querer que Jobs vendesse o seu computador colorido. Na época da fundação da Apple, Wozniak fizera um acordo verbal com Jobs e Ron Wayne, pelo qual ele manteria os direitos sobre os aperfeiçoamentos no Apple. Durante algum tempo, ele pensara em vender a sua versão avançada ao fabricante do terminal Sol, a Processor Technology. "Eu não estava certo de que fosse um produto Apple." Toda a turma de Wozniak tinha um ceticismo em relação a Jobs. Leslie Wozniak ouvira, a respeito dele, que era "aquele cara de visual moderno, pés descalços e cabelo imundo". Os pais de Wozniak nutriam dúvidas mais sérias sobre o companheiro de empreitada do seu filho. Jerry Wozniak incentivou o filho a buscar outros aliados e se ofereceu para colocá-lo em contato com alguns de seus próprios conhecidos. "Nós tínhamos dúvidas sobre Steve Jobs", lembra Jerry Wozniak. "Pensávamos que era o tipo de pessoa que sempre queria começar do topo e não gostava de se empenhar para subir na vida."

Esses impasses domésticos chegaram ao ápice quando, no outono de 1976, dois representantes da Commodore Business Machines apareceram na garagem de Jobs para comprar a Apple, incluindo todos seus ativos e protótipos. Os pretendentes à aquisição eram rostos conhecidos. Chuck Peddle e Andre Sousan já tinham feito negócio com a Apple. Peddle fora o chefe da equipe que desenvolveu o MOS Technology 6502. (Wozniak comprou seu primeiro 6502 da esposa de Peddle, na feira de San Francisco.) Enquanto Wozniak fazia suas modificações no Apple, Peddle ligou para a garagem de Jobs e demonstrou a ele o KIM-1, um microcomputador integrado numa só placa que a MOS Technology desenvolvera para treinar os engenheiros a empregar o 6502 em elevadores e eletrodomésticos. Nesse meio tempo, a MOS Technology fora adquirida pela Commodore Business Machines, na qual Andre Sousan era vice-presidente de engenharia. Tanto Sousan como Peddle estavam convictos de que um Apple modificado daria aos seus empregadores a chance de entrar no ramo dos microcomputadores. Jobs deu o seu preço. Ele pediu 100 mil dólares pela Apple, mais um pacote de ações da Commodore e salários anuais de 36 mil dólares para ele e para Wozniak.

A venda traria mais dinheiro que os dois Steves jamais viram antes na vida e também o alívio dos dias de trabalho de 14 horas. Mas quanto mais Jobs se informava sobre a Commodore, mais suspeitas ele nutria. Fez perguntas sobre Jack Tramiel, o fundador da Commodore, que, no começo da década de 1970, fora amaldiçoado por toda a indústria das calculadoras eletrônicas ao deflagrar uma guerra de preços selvagem e abrir uma rede de lojas chamada Mr. Calculator. Jobs logo ficou sabendo que, ao começar uma pechincha, Tramiel repetia o seu ditado favorito, que era assim: "A única coisa mais próxima de mim que a minha camisa é a minha pele." Jobs não gostou. "Quanto mais eu aprendia sobre a Commodore, mais tinha a impressão de que eram desonestos. Não pude achar uma só pessoa que tivesse negociado com eles e estivesse contente. Todo mundo se sentia passado para trás." Entretanto, Tramiel e o presidente da Commodore, Irving Gould, decidiram não comprar a Apple. Sousan lembra: "Eles acharam ridículo adquirir dois caras que trabalhavam dentro de uma garagem".

Ainda assim, as abordagens da Commodore foram assunto de longas discussões entre Jobs e Wozniak; havia desentendimentos sérios acerca da divisão do capital. Jerry Wozniak entrou no meio e foi absolutamente claro. Mark Wozniak recorda a intensidade da opinião do seu pai: "Papai fez Jobs chorar algumas vezes. Ele disse que faria o filhinho da puta chorar e que isso seria o fim. Ele disse a Jobs: 'você não merece merda nenhuma, não produziu nada, não fez coisa alguma'." Jobs ficou arrasado, convencido de que Jerry Wozniak estava subestimando terrivelmente as suas contribuições, e disse ao Wozniak caçula: "Woz, se não for meio a meio, pode ficar com tudo". No final das contas, os instintos de Jobs prevaleceram e a Commodore e a Apple seguiram caminhos distintos.

Enquanto os fundadores da Apple se esquivavam dos pretendentes, eles também se entretinham com mais mudanças no computador. Jobs achava que uma máquina silenciosa, sem ventoinha, venderia melhor que outros computadores barulhentos e dependentes das ventoinhas para refrigerar suas fontes de alimentação de energia, que esquentavam como torradeiras. Wozniak nunca se interessara pelas fontes: quando ele e Fernandez desenvolveram o computador Cream Soda, o que pifava era a fonte. Quando ele e Baum recriaram o Data General Nova, nem se preocuparam em projetar a fonte. Da mesma forma, a fonte do Apple era negligenciada, algo para se plugar no último instante, já que podia sempre ser pescada pronta numa prateleira da Haltek. A única ocasião em que a fonte recebia atenção era quando ela ameaçava despejar uma centelha sobre a placa do computador e fritar todos os componentes eletrônicos meticulosamente afinados.

As fontes de alimentação pertenciam a um ramo mais antigo e indigesto da eletrônica, cujas regras básicas não tinham mudado muito desde o começo da era do rádio. As fontes, assim como os reguladores de tensão e transformadores, eram dispositivos analógicos. Existia uma barreira intelectual e emocional entre a eletrônica analógica e a digital. Jovens como Wozniak se interessavam muito mais pela digital, na qual as mudanças eram mais rápidas. Seu mundo conceitual era estruturado em termos de altos e baixos, uns e zeros, e suas vidas circulavam em torno das soluções oferecidas pelos fabricantes de semicondutores.

Os engenheiros generalistas tendiam a ser mais adeptos da eletrônica analógica, que se baseava num vasto campo de disciplinas científicas e requeria uma formação muito mais completa em matemática e física. Os *designers* analógicos se preocupavam mais com o acabamento, conscientes de que a adição de um parafuso ou a localização de um fio poderia afetar o desempenho do seu projeto. Eles se irritavam com fugas de corrente e, de modo geral, eram uma turma mais circunspecta e paciente. Diferentemente dos *designers* digitais, que simplesmente exclamavam "funciona", os analógicos diziam cautelosamente: "funciona dentro das limitações especificadas".

Jobs foi dirigindo até a Atari e lá pediu a Al Alcorn que recomendasse alguém capaz de desenhar uma fonte de alimentação sem ventoinha. Retornou à garagem explodindo de otimismo, contando a Wozniak e Wigginton que tinha encontrado o maior *designer* de fontes da história do universo, um engenheiro capaz de projetar uma fonte que iluminasse New York a partir de uma pilha de seis volts. O alvo de tanta empolgação, Frederick Rodney Holt, não tinha a mesma confiança na Apple. Ele se encontrou com Jobs, inspecionou tudo de cabo a rabo e se perguntou se a Apple poderia pagar a sua taxa de consultor. "Eu avisei que custava caro. Ele disse: sem problema. Simplesmente me induziu a trabalhar para ele."

Holt passava tardes e fins de semana na Apple, e Jobs mais uma vez descobriu que as aparências enganam. Holt tinha a aparência de projetista-chefe de uma máquina de raios de filme de ficção científica. Tinha o rosto vincado de rugas, olhos cor de jade, um tufo de cabelo e um corpo ossudo, normalmente coberto por uma camiseta de gola alta, calças e tênis de caminhada. Os dedos finos quase sempre seguravam um cigarro Camel e estavam tingidos de nicotina, que também lhe dava uma tosse rouca. Mas ele não era um engenheiro de carreira. Embora tivesse idade para ser pai de Wozniak e de Jobs, Holt tinha sido pai pela primeira vez aos dezoito anos, um ano após deixar sua casa para se casar com a primeira de uma série de mulheres.

Quando jovem, ele herdara a obra completa de Lênin de seu avô, um revolucionário socialista que concorrera na eleição para governador do Estado de Maine, formando chapa com o candidato a presidente Eugene Debs. Embora Lênin viesse a partilhar a sua prateleira da adolescência com o trabalho de Darwin, Holt decidiu que o triunfo do proletariado era infinitamente preferível à sobrevivência do mais forte. Ele se graduou em Matemática na Universidade Estadual de Ohio, sozinho – "era como jogar xadrez com você mesmo" –, editou um jornal em prol da liberdade de expressão e explorou as rivalidades particulares entre os grupos radicais de esquerda. Tornou-se tesoureiro nacional da facção estudantil da Coalizão Nacional Contra a Guerra do Vietnã e ganhou o convite de uma pequena editora de Nova York para escrever um livro sobre a lógica do marxismo. Mas ele foi atraído pelo chamado da política e, em 1965, quando John Lindsay se candidatou a prefeito de Nova York, Holt coordenou a campanha rival de um taxista negro que se apresentou como um revolucionário socialista. A dupla conseguiu atrair mais atenção do FBI que do eleitorado da cidade.

Paralelamente à sua atividade política, Holt se interessou por eletrônica e motocicletas. Ele desenvolveu, construiu e instalou alguns aparelhos de som de alta-fidelidade e baixa distorção equipados com "um monte de cocô" e, durante quase dez anos, trabalhou numa empresa de eletrônica no Meio-Oeste, onde ajudou a desenvolver um osciloscópio de baixo custo. Durante as noites e os fins de semana, Holt evoluiu das *scooters* para as Harley-Davidsons e Triumphs, e das pistas ovais de terra para rachas ilegais em estradas. Conforme passaram os anos e os pilotos adquiriam motos mais possantes, o diferencial de Holt, fundamentado em sua habilidade mecânica para fazer modificações nos motores, começou a evaporar. Todavia, quando ele se mudou de Ohio para a Costa Oeste no começo da década de 1970, enfiou suas três motos num *trailer* e as rebocou pelo país. Na primavera de 1976, ele abandonou as competições porque a degeneração dos nervos musculares relacionados aos seus polegares o impediu de manter uma pegada firme nos guidões. A sua conversa ainda era impregnada de gírias de motoqueiro, mas a sua aposentadoria forçada e uma rixa amarga com um colega na Atari o empurraram para a Apple. "Se eu ainda estivesse pilotando motos de corrida quando Jobs apareceu, provavelmente o teria mandado vazar."

Holt notou que Jobs e o ousado computador da Apple constituíam problemas intrigantes. "Era um desafio fazer algo em escala comercial que nunca tinha sido feito antes. Era o tipo do problema que tem certo apelo intrínseco para mim." Porém, Holt não permitia que nenhuma consultoria de meio período, não importando o quão interessante fosse, interferisse com a sua partida semanal de sinuca. Logo Jobs e Wozniak perceberam que era impossível falar com Holt sobre qualquer assunto sem descobrir que ele estava munido de muito mais do que um conhecimento básico. Um comentário improvisado sobre a cobertura brilhante numa peça de cerâmica podia deflagrar um discurso sobre tratamentos químicos. O elogio a uma fotografia podia dar motivo a uma aula sobre técnicas de fotogravura. Um murmúrio de queixa contra o preço da memória iniciava um sermão sobre os males do sistema capitalista. Uma menção casual ao pôquer quase certamente produzia um vivaz jogo de cartas. Os jovens da Apple logo notaram que Holt era o tipo de pessoa que gostaria de conhecer pessoalmente um elétron e poderia muito bem sentar-se com ele em um restaurante e, nas costas de um guardanapo, provar que ele não existia.

"Custa um bocado fazer uma revolução,"

disse Goldman.

Do lado de fora das janelas, uma longa viga de aço marrom estava descuidadamente suspensa de uma grua. No chão, operários emitiam sinais luminosos para guiar o operador da grua. Os topos brancos dos seus capacetes de obra refletiam faíscas do sol. Para as vinte e poucas pessoas sentadas ao redor da mesa em forma de U no apertado escritório do térreo, o ruído da construção da nova sede da Apple era abafado pelas janelas fumê. A viga inclinada e os capacetes brancos pareciam uma cena de um filme mudo sobre segurança no trabalho.

Algumas das pessoas na reunião rabiscavam e olhavam através das janelas. Mais ou menos metade delas era de gerentes de *marketing* de várias divisões da Apple, enquanto outros vinham da agência de publicidade Chiat/Day. John Couch, o diretor da divisão Lisa, estava sentado ansiosamente na beirada da sua cadeira. Fred Hoar, o vice-presidente de comunicações da Apple, alisava seu cabelo cor de avelã cuidadosamente penteado. Henry Whitefield estava de pé, junto a um projetor suspenso. Outros participantes se concentravam em Fred Goldberg, que fazia observações sobre a campanha que ele e seus colegas na agência haviam preparado para a Apple. Goldberg descrevera alguns dos preparativos para os anúncios que seriam lançados simultaneamente à reunião dos acionistas, a qual marcaria o lançamento oficial do Lisa e do Apple II. A seguir, ele começou a detalhar a campanha para os computadores da Apple.

"Nós temos a tarefa de acabar com a confusão e transformar a marca numa marca", disse Goldberg. "Temos de criar confiança entre os novos usuários sobre quais computadores usar e quando. A maioria das pessoas não compra apenas o computador; compra a empresa, seu tamanho e a confiança que ela inspira." Ele expressou sua fé no efeito dos anúncios. "A repercussão do anúncio gera muito menos chances de dar errado que as relações-públicas. Quando você veicula um anúncio, sabe o que terá como retorno. Investir a verba corporativa demonstra sua confiança no seu produto. Gastar seu próprio dinheiro passa uma mensagem."

Goldberg apresentou o diretor de criação da agência, Lee Clow. Homem alto, ligeiramente corcunda, de barba, ele tragou um cigarro e colocou na mesa algumas peças impressas em tamanho de pôster. Apontando para as peças, disse: "Achamos que o tom das peças deve ser a segunda vinda". Leu um trecho do texto: "Evolução. Revolução". Fez uma pausa. "É muito delicado afirmar que todas as coisas que os outros fazem são obsoletas, mas é isso o que estamos tentando dizer. É muito importante que o lançamento do Lisa deixe todos os demais claramente em segundo plano." Clow terminou a leitura do texto do anúncio e algumas das pessoas da Apple apresentaram objeções.

"Não queremos que a propaganda passe por cima do editorial", disse Fred Hoar. Ele ressaltou que as notícias apareceriam na mídia alguns dias depois do lançamento do Lisa e do Apple II. "Vai decolar como um foguete. Eu quero dar impacto às relações-públicas."

Alan Oppenheimer, gerente de *marketing* da Apple, com um sorriso generoso e óculos de armação de aço, tocou num ponto doloroso. Embora o Mac e o Lisa se baseassem igualmente no *mouse* e símbolos visuais, os programas escritos para um deles não funcionariam no outro. Assim sendo, o pessoal do *marketing* tinha o pepino de camuflar o fato de que o Mac e o Lisa bem poderiam ter até sido criados por empresas diferentes. "Talvez o plano mestre não seja totalmente apropriado", disse Oppenheimer. "Mac e Lisa não são compatíveis. A imprensa de tecnologia conseguirá enxergar isso. Eles vão nos desancar."

"A harmonia do plano mestre não é algo que nós empurraríamos", disse Hoar, "mas gostaríamos de dissipar a ideia de que a Apple é oportunista, sem direção e descoordenada".

John Couch balançou na sua cadeira e comentou de forma aguçada: "O que realmente queremos dizer é: Aqui está um sistema de escritório pessoal; houve uma revolução de *hardware* na década de 1970 e agora haverá uma revolução de *software* na de 1980. Essa é a mensagem."

Algumas cadeiras mais para o fundo da mesa, Linda Goffen, que trabalhava para Couch, sacudiu a cabeça em aprovação e acrescentou: "Temos de nos adiantar a essa terminologia e torná-la nossa".

Quando o debate se acalmou, Clow descreveu a proposta da agência para interconectar as peças de propaganda do Lisa e do Mac. Ele recitou o *slogan*: "Apresentando computadores que você não precisa temer, mesmo segurando um camundongo (mouse)".

"Acho que isso é quase um suicídio técnico", objetou Paul Dali, um homem de cabelos ondulados que era o chefe do *marketing* do Apple II e do Apple III. "Tirando a interface com o *mouse*, eles não são muito similares. Não devemos tentar criar uma família."

"As únicas pessoas que nos detonarão por causa da compatibilidade serão as quinhentas grandes empresas da *Fortune*", disse Couch, num tom calmo. "Eles dirão 'Por que não posso pegar o meu processador de texto do Lisa e colocá-lo no Mac?' Eles acharão que somos um bando de idiotas."

"É um problema", suspirou Henry Whitfield. "Essas máquinas são incompatíveis. As pessoas irão descobrir, cedo ou tarde, que elas não conversam uma com a outra. A maioria das mil maiores empresas da *Fortune* acha que precisamos ter mais compatibilidade. Diremos que tentamos manter os preços baixos para penetrar mais no mercado de consumo."

John Couch retornou ao tema central da reunião: como a Apple poderia convencer as pessoas nas empresas de grande porte a comprar Lisas e Macs. Ele começou a reclamar dos gerentes dos departamentos de processamento de dados, que estavam acostumados a controlar o poder de computação nas empresas grandes. "Eles se preocupam mais é em instalar barreiras que impeçam os computadores de alcançar o resto do mundo. Não gostam dos Apple II por toda parte e agora tem a IBM para seduzi-los. Nós não conseguiremos competir com a IBM pelo aspecto das vendas e serviços; por isso, confiaremos na tecnologia. Temos de dizer: é uma tecnologia nova. Há uma revolução em curso. Se a tecnologia não atender às suas necessidades, ainda assim compre da Apple, pois ela está muito à frente de todo o mundo."

"Temos de fincar a bandeira da forma certa", enfatizou Paul Dali.

"Não temos verba suficiente", disse Fred Goldberg, estendendo as mãos num gesto resignado.

"Temos batido a cabeça na parede para obter mais dinheiro", observou Henry Whitfield. "Estamos visivelmente gastando aquém do que precisaríamos; simplesmente não temos dinheiro suficiente."

"Você não pode fazer uma revolução e abordá-la com anúncios de um quarto de página", concordou Maurice Goldman. "Custa um bocado fazer uma revolução."

Um Mercedes e um Corvette

A Apple Computer estava presa a um pequeno e frágil mundo de amadores. Era um lugar confortável, que muitas empresas de microcomputadores estavam contentes de ocupar. Os engenheiros podiam discutir até altas horas sobre circuitos e pedaços de código imaginativos. Os fundadores podiam se esbaldar com sua recém-descoberta autoridade, disparar comentários ácidos sobre o comportamento passivo das grandes companhias, colocar grandes propagandas em pequenas publicações, lamber os lábios ao faturar vários milhares de dólares e se portar como imperadores de lata de uma república de bananas. Muitos deles nunca entenderam o que não sabiam e eram muito desconfiados ou muito convencidos para procurar conselhos de outros mais experientes nos caminhos do mundo.

Esses receptáculos da sabedoria se sentavam às dúzias em edifícios rebaixados com esquadrias de alumínio, paredes de concreto e pálidos painéis de vidro. Em meados de 1970, esses monótonos celeiros industriais haviam substituído em grande parte o mosaico de campos e pomares que antigamente se espalhavam pela planície seguindo a costa oeste da baía de San Francisco. Eles eram o lar para dúzias de empresas que haviam sido fundadas durante as décadas de 1960 e 1970 conforme o centro das novidades eletrônicas derivava para o sul de Sunnyvale em direção a San Jose. Havia uma fragilidade clínica nestes prédios, que, às vezes, eram chamados de "empinados" porque as paredes eram feitas de blocos de concreto pré-fabricados que precisavam ser inclinados até a posição final. Os prédios pareciam ter sido fornecidos por um construtor com uma loja de flores. Havia curvas de pedra, asfalto negro brilhante e grama aparada com toda suavidade e charme de grama sintética. Era uma cidade industrial planejada.

Uma rápida volta por Santa Clara ou Mountain View trazia uma profusão de logos e placas que pareciam ser contrações ou combinações de cinco palavras: Advanced-Digi-Integrated-Micro-Technologies. Os nomes semelhantes na beira das estradas eram conhecidos de qualquer leitor regular da *Electronics News*, mas dizer que as empresas eram a mesma coisa era tão correto quanto observar que a maioria das camisas traz colarinhos, mangas e botões. A vida atrás das paredes tinha um sabor transitório e os velhos ritmos sazonais da vida rural haviam dado a vez para um padrão associado com jovens empresas que era algo quase biológico. Ele tendia a rodar por um ciclo de ambição, entusiasmo, alegria, complicação, desilusão e frustração. Uma associação eletrônica resolveu publicar uma árvore genealógica corporativa e cronistas da indústria eletrônica explicavam pacientemente aos novatos como a Fairchild Semiconductor gerou Intel Corporation e National Semiconductor e como eles, por sua vez, geraram outras empresas. A árvore, que crescia maior e mais ramificada com os anos, tinha seu quinhão de divórcios corporativos, segundos casamentos, filhos adotivos e prole bastarda e os padrões de acasalamento eram tão incestuosos que, em humanos, eles com certeza levariam a defeitos congênitos.

Os fundadores e os gerentes dessas empresas gostavam de dizer que não havia nada de que eles pudessem precisar que não estivesse a uma hora de carro. Havia advogados para elaborar papéis de incorporação, capitalistas de risco para providenciar dinheiro, mestres de obras para escavar fundações, *designers* de interiores para decorar escritórios, contadores para fazer balanços e livros-caixa, distribuidores que estocavam peças, prestadores de serviço para executar as tarefas mais tediosas, agências de relações-públicas para cortejar a imprensa e subscritores para preparar ofertas de ações. Muitos desses homens haviam crescido na indústria de semicondutores. Eles pulavam entre empresas, saíam para formar suas próprias e seguiam os passos um dos outros. Eram repositórios móveis de experiência que sabiam em que se podia confiar e desviavam negócios entre si. Era um pequeno lugar onde os boatos corriam rapidamente, onde pessoas frequentemente acabavam trabalhando para alguém que uma vez eles contrataram e onde a fidelidade existia com relação a pessoas, não a empresas. Todos esses homens trabalharam ou investiram nas empresas cujos produtos acabavam caindo nas prateleiras da Haltek e da Halted e nas mãos de gente como Wozniak e Jobs. Mas, mesmo com toda a proximidade física, havia uma distância considerável entre os profissionais e os amadores.

Jobs, com seu preciso giroscópio interno, começou a cruzar as pontes e ligava para o departamento de *marketing* da Intel para descobrir quem era o responsável por suas propagandas acima do padrão. Para a irritação de vários engenheiros da Intel, eles não eram lotados de tabelas tediosas ou desenhos técnicos e não se imiscuíam nas vantagens esotéricas dos novos *chips*. Eles usavam cor e letras distorcidas e abusavam de símbolos para explicar o poder potencial dos eletrônicos. Fichas de pôquer significavam lucros, carros de corrida, velocidade, cutelos, cortes de custo, ao passo que hambúrgueres mostravam que *chips* podiam ser feitos por encomenda. Jobs descobriu que as ideias e o visual vinham de uma agência de propaganda e relações-públicas de Palo Alto que trazia o nome do seu fundador, Regis McKenna. Jobs ligou para a agência e foi direcionado até Frank Burge, que tinha a responsabilidade informal de selecionar novos negócios. Burge não ia se apoquentar com um moleque que dizia querer preparar um folheto colorido e que disse: "Vocês fazem propagandas boas, quero que façam as minhas". Burge ouviu e disse a Jobs que ele falaria com ele até o final da semana. Jobs ligou para Burge mais algumas vezes. "Havia sempre uma pilha de mensagens na minha mesa e Steve não deixava a dele ficar no fundo da pilha. Eu não queria ser rude com ele e, finalmente, disse 'Sim, eu vou aí dar uma olhada.' Enquanto eu dirigia até a garagem, pensava: 'Jesus Cristo, esse cara vai ser alguma coisa. Qual o menor tempo possível que eu posso gastar com esse palhaço antes de voltar para algo mais lucrativo sem ser rude?'"

Quando Burge viu Jobs emergir da cozinha com seus *jeans*, sandálias, cabelo ensebado e sem lavar e barba rala, seu desconforto aumentou. "Esqueci tudo sobre não ser rude. Por dois minutos pensei apenas em fugir dali. Aos três minutos duas fichas caíram. Primeiro, ele era um jovem incrivelmente inteligente. Segundo, eu não entendia um quinto do que ele estava falando." Impressionado, Burge checou as credenciais de Jobs com outro cliente da agência, Paul Terrell, da Byte Shop. Terrell disse a Burge: "Eles expandiram demais e precisam de alguma organização. Jobs não está muito confortável no papel do *marketing*". Um par de semanas depois, outro dos executivos da McKenna encontrou Jobs e sugeriu que a agência poderia ser preparada para cuidar de toda a campanha de *marketing* da Apple por um percentual das vendas da empresa. Ele adicionou que eles deviam esperar os resultados da primeira propaganda da Apple e também submeter o computador a uma análise mais detalhada. Um memorando da agência demonstrava o tamanho do progresso de Jobs: "Apesar de ter movido certa quantidade no varejo, ainda não há evidência de que os revendedores têm tido sucesso em achar clientes". O memorando concluía que "Steve é jovem e inexperiente", mas a linha final alertava que "Bushnell era jovem quando começou a Atari. E hoje ele diz que vale dez milhões de dólares".

Finalmente, Jobs e Wozniak foram apresentados ao cabeça da agência, Regis McKenna. Seu cartão de visitas, que trazia os dizeres marotos REGIS MCKENNA, ELE MESMO, soava mais robusto que seu portador, cuja aparência frágil dava uma pista de sua diabetes crônica. McKenna tinha um olhar tranquilo, cabelo liso e ralo e uma maneira suave de falar que escondia alguns ossos duros. Mas o cartão de visitas era um bom exemplo de sua especialidade, que era fazer empresas parecer maiores, mais estáveis e imponentes do que eram. Um dentre sete irmãos, McKenna cresceu nas sombras trabalhistas dos barões do aço de Pittsburgh, não se importou em se formar no colégio e se mudou para a Califórnia no começo da década de 1960 como contato publicitário para uma editora familiar de revistas. Ele se mudou para a península durante seus dias supersecretos e confidenciais, entrou para a indústria eletrônica e acabou na Fairchild. Quando a National Semiconductor foi comprada no final da década de 1960 por alguns empregados desiludidos da Fairchild, McKenna também desertou. Ele ajudou a construir a imagem da National utilizando truques que incluíam a distribuição de imagens e perfis de executivos em cartões de beisebol.

Quando McKenna começou sua própria empresa, em 1970, ele ganhou a conta da Intel, que havia sido fundada por mais alguns refugiados da Fairchild. Por algum tempo, McKenna cuidou da conta, escrevia o texto das propagandas e conseguia entrevistas com jornalistas. Ele sofreu todas as dores de começar e montar um negócio e ganhou alguns clientes por ficar de olho na atividade em novos prédios junto dos parques industriais. Vez por outra, quando se autorrecompensava com um aumento de salário, ele acabava colocando o dinheiro de volta no negócio. O gosto pessoal de McKenna frequentemente se refletia nas propagandas de seus clientes. Suas jaquetas de casimira vinham da Wilkes Bashford, uma elegante loja de San Francisco, e ele pagara por uma obra do surrealista espanhol Juan Miró hipotecando sua casa em Palo Alto.

Mas a imagem da Intel, que era a sustentação do negócio de McKenna, era provavelmente formada mais pelas relações-públicas que pela propaganda. McKenna penou para conseguir sair dos periódicos do nicho eletrônico e cativar repórteres e editores em revistas como *Business Week*, *Fortune* e *Forbes*. Ele tinha a argúcia para fazer os jornalistas acreditarem que ele estava guardando segredos e era muito mais paciente com jornalistas do que com os executivos de eletrônica que invariavelmente acabavam achando alguma razão para reclamar e resmungar sobre repórteres e cobertura da imprensa. Abdrew Grove, então vice-presidente executivo da Intel, disse: "Ele nos ensinou a construir relacionamentos com a imprensa em vez de disparar *press releases* e esperar que coisas maravilhosas acontecessem". McKenna ganhou uma reputação com repórteres por ser direto e não recorrer a subterfúgios. Ele gostava de compartilhar fofocas da indústria, não fazia segredo de quem gostava e de quem não gostava e sempre praticou o conselho de sua mulher: "Não compre brigas com quem compra tinta em barris". Parecia ter mais satisfação em ver uma história de uma página sobre um de seus clientes que uma propaganda, mas ocasionalmente soava como um executivo de contas da Avenida Madison – como em Expusemos a Byte Shop com uma página inteira na *Business Week*.

Em 1976, McKenna já tinha alguma experiência em *marketing* de microcomputadores. Sua agência era responsável pela imagem geral das Byte Shops e também tinha criado alguns anúncios para os computadores de placa única da Intel, que traziam um jovem garoto com um visual ensolarado e genuinamente americano. Então, quando Jobs e Wozniak apareceram em seu escritório, McKenna estava liderando uma agência que, como alguns de seus clientes, tinha construído uma reputação muito maior que seu tamanho. A reunião foi desconfortável. McKenna pediu para dar uma olhada num artigo sobre o computador Apple que Wozniak estava escrevendo para uma revista de eletrônica e reforçou que ele não deveria ser muito técnico. Wozniak, com seu orgulho de engenheiro ferido, retrucou: "Não quero nenhum relações-públicas mexendo no meu texto". Ao que, com seu sangue irlandês subindo ao rosto, McKenna respondeu: "Bem, então é melhor vocês dois saírem". Jobs bancou o pacificador e negociou uma trégua complicada.

O encontro da Apple com McKenna trouxe um toque de maiores planos, mas esses planos eram inúteis sem dinheiro. O resto da indústria de microcomputadores estava crescendo mais rápido que a Apple, e Jobs não tinha dinheiro suficiente para apoiar suas ambições de expansão. A Apple não estava na mesma divisão que a Processor Technology, que regularmente comprava cinco páginas de propaganda colorida em revistas como *Byte*. Jobs voltou à Atari e pediu conselhos a Nolan Bushnell sobre onde ele poderia pedir mais dinheiro. Bushnell lhe deu um tutorial sobre o mundo do investimento de risco e os homens que forneciam capital em troca de ações da empresa e disse a Jobs: "O quão mais longe você conseguir ir sem recorrer a esses caras, melhor". Mas Bushnell também sugeriu que ele ligasse para Don Valentine, um investidor da Atari.

Quando ele dirigiu sua Mercedes-Benz de seu escritório em Meno Park até a garagem de Jobs, Valentine estava embarcando em uma dessas viagens de inspeção que normalmente não davam em nada. Mas era um tributo à sua curiosidade – assim como a seu faro por lucro – Valentine ter se disposto a fazer a visita. Valentine, filho de um motorista de caminhão de Nova York, era um investidor de risco que se parecia com uma versão mais velha do colega de faculdade que organizava as apostas do futebol de domingo. Ele trabalhara durante a década de 1960 como diretor de *marketing* da Fairchild, ajudando a vender as virtudes dos circuitos integrados primeiramente para os militares e, depois, quando os preços começaram a baixar, a clientes comerciais com conexões militares, como General Dynamics, Hughes Aircraft e Raytheon. Ele dirigiu o departamento de *marketing* da National e, frustrado pelo aumento da burocracia corporativa, a deixou para fundar uma empresa de capital de risco que batizou de Sequoia Capital. Ele se especializara em manter um exterior impassível e impenetrável, deixando até mesmo seu amigo Regis McKenna com a seguinte impressão: "ele pode ser duro como um mercador de tapetes se estiver tentando vender ou comprar algo de você". No fim das contas, Valentine não costumava amolecer com apelos sentimentais. Normalmente, refugiava-se em um de seus aforismos favoritos: "Se um homem vem a meu escritório e diz que ele quer ser um milionário, eu morro de tédio. Se ele diz que quer alcançar um valor de mercado de 50 ou 100 milhões de dólares, eu fico interessado. Se ele diz que quer fazer um bilhão de dólares, eu digo 'Conte-me tudo', porque, se chegar perto, todos nós vamos nos dar bem".

Valentine esbarrou em Jobs quando estava considerando investir na Atari e também sabia que a agência de McKenna, onde era membro do conselho diretor, estava negociando com a Apple. Valentine usava camisas *button-down*, gravatas regimentais e achou que Jobs parecia "um renegado da raça humana" e seu encontro com o duo da Apple não foi um sucesso. A jovem dupla explicou, meio gaguejante, que, se o mercado para computadores de placa única seria tão grande quanto algumas pessoas estavam prevendo, eles ficariam mais do que contentes em mordiscar as beiradas e fazer alguns milhares de placas por ano. Esse não era um argumento capaz de ganhar o coração de Valentine; ele pensou que "nenhum dos dois sabia algo sobre *marketing*. Nenhum deles tinha noção do potencial do mercado. Eles não estavam pensando grande o suficiente". Valentine se voltou para outro de seus queridos ditados, "Grandes pensadores geralmente fazem grandes coisas. Pequenos pensadores nunca fazem grandes coisas", e disse à jovem dupla que ele não estava preparado para investir já que ninguém ligado à Apple tinha experiência de *marketing*. Jobs imediatamente pediu a Valentim que sugerisse alguns candidatos que pudessem preencher a lacuna. Valentine voltou ao escritório, dedilhou sua agenda Rolodex, selecionou três nomes que ele conhecia de seus tempos da indústria de semicondutores e checou seu estado atual com pessoas que ele confiava. Um deles, Mike Markkula (que ficava irritado quando era chamado por um de seus primeiros nomes, Armas ou Clifford) tinha trabalhado para Valentine em meados da década de 1960 na Fairchild.

A pedido de Valentine, Markkula (cujo sobrenome era finlandês) marcou um encontro com Jobs e Wozniak. Markkula tinha trinta e três anos e vivia de uma aposentadoria precoce em Cupertino. Ele fazia parte de uma dúzia de homens que ganharam muito dinheiro com a oferta de ações de uma jovem empresa e decidira que havia mais na vida que se transformar em um vice-presidente corporativo. No caso de Markkula, a empresa havia sido a Intel, onde ele havia trabalhado por quatro anos depois de deixar a Fairchild. Ele não fazia segredo do fato que seu objetivo na vida era virar um milionário aos trinta anos e, quando conseguiu isso, ele também não se importou em esconder sua satisfação. Markkula era, nas palavras de um de seus colegas ricos da Intel, "um multimilionário, mas um pequeno multimilionário". Ele crescera no sul da Califórnia, conquistou um bacharelado e um mestrado em engenharia elétrica na Universidade do Sul da Califórnia e, depois de se graduar, foi para a Hughes Aircraft Company, onde trabalhou em um laboratório de pesquisa e desenvolvimento.

Depois de deixar a Fairchild e se juntar à Intel, Markkula se enfronhou profundamente nos rituais da indústria de semicondutores. Ele trabalhou na estratégia de preços para novos *chips*, elaborou folhas de dados, ajudou a resolver problemas de clientes e era considerado firme e confiável, mas não uma estrela em ascensão. Seu ponto alto na escada da fama foi conduzir o desenvolvimento do sistema de computador da Intel para processar pedidos de clientes, no qual ele mergulhou nos mínimos detalhes da programação. Ele viu o crescimento da linha de *chips* de memória da Intel e se deu conta da importância de se ter bons contatos financeiros e a necessidade de distribuidores confiáveis e revendas. O pendor técnico da Intel, a forte demanda por seus *chips* e a valorização estratégica de promoções e relações-públicas facilitavam o trabalho do departamento de *marketing*.

Em uma indústria onde vendedores gostavam de se gabar – e, se surgisse a oportunidade, de praticar – de sua virilidade, Markkula era o Senhor Limpeza. Ele preferia se enrolar no colo de sua própria família, ficava desconfortável com conversa mole, era detalhista e de bom senso e não abria seu jogo facilmente. Ele coordenava seus assuntos financeiros em silêncio e pegava dinheiro emprestado para comprar ações antes de a Intel abrir seu capital. Um de seus colegas, Richard Melmon, disse: "Ele não era um dos rapazes. Um monte de gente não o suportava. Ele não curtia uma farra. Era um cara enjoado que sempre tinha de ter a resposta para tudo, mesmo se não tivesse". Revoltado quando um vice-presidente de *marketing* foi indicado no lugar dele, Markkula surpreendeu seus colegas e deixou a Intel. Ele se recolheu ao conforto de Cupertino, ocupou-se em arrumar sua casa, ver seus dois filhos crescer, nadar em sua piscina, instalar regadores de jardim, construir gabinetes para seu som estéreo, tocar guitarra e aprender os meandros de abrigos para óleo e gás. Seu corpo ainda tinha o porte atlético do ginasta do colégio e ele admirava abertamente Jerry Sanders, o popular fundador da Advanced Micro Devices, que, diferentemente da maioria dos executivos da indústria de semicondutores, dizia gostar das coisas caras da vida. Os gostos de Markkula tendiam ao espalhafatoso, como o relógio extravagante que ele usava em seu pulso e o Chevrolet Corvette dourado que dirigiu até a garagem de Jobs.

Markkula conversou com Jobs e Wozniak, inspecionou o computador e ficou fascinado com o equipamento. "Era tudo o que eu queria desde que saí do colégio." Também procurou os conselhos de Don Valentine em um escritório em um prédio de madeira de dois andares em Menlo Park ao redor de uma pracinha e cheio de discretas placas de latão com nomes em letras elegantes que eram indícios seguros da presença de empresas de capital de investimento. Valentine e Markkula conversaram sobre as perspectivas da Apple em um escritório forrado de propagandas, folhetos e blocos de acrílico que comemoravam algumas das jogadas mais famosas do investidor. Também era decorado com fotografias em sépia do Sundace Kid e uma placa onde se lia QUALQUER PESSOA PEGA FUMANDO NESTE RECINTO SERÁ PENDURADA PELOS DEDÕES E AÇOITADA ATÉ PERDER OS SENTIDOS COM CENOURAS ORGÂNICAS.

Estimulado pela conversa com Valentine, Markkula se dispôs a dar conselhos de como organizar a Apple a Jobs e Wozniak. Eles se reuniam ao final da tarde e em fins de semana e Markkula gradualmente foi ficando encantado com o negócio. Ele conversou sobre o assunto com sua mulher, prometeu que daria à Apple apenas quatro anos de sua vida e acabou dizendo a Jobs que, para ajudar a pagar pelo desenvolvimento e lançamento do Apple II, ele assumiria um empréstimo bancário de 250 mil dólares: uma quantia que representava menos de um décimo de sua renda. Markkula ligou para McKenna, disse que iria investir na Apple e pediu que ele tolerasse Jobs e Wozniak. Jobs, Wozniak e Holt marcharam até a casa de Markkula e, numa cabana ao lado da piscina, passaram várias tardes refletindo sobre o futuro e as perspectivas da Apple. Em troca do investimento na Apple, Markkula queria um terço do negócio, mas a distribuição da participação causou certo mal-estar quando Wozniak perguntou se alguma empresa toparia pagar a Jobs o que ele mesmo ganhava na Hewlett-Packard. Markkula partiu na defesa de Jobs e Wozniak se acalmou. "Ele depositava muita confiança em Steve. Ele o via como um futuro executivo, como um futuro Mike Markkula." Holt ouvia as conversas e, com o lado pragmático de um socialista revolucionário, decidiu que ele estaria bem se ficasse com um décimo das ações que Jobs recebesse. Holt também nutria algumas dúvidas sobre Markkula. "Ele tinha certa postura arrogante e a autoconfiança sutil dessas pessoas que têm um monte de dinheiro e acreditam que por algum motivo elas têm o direito de nascença sobre ele. Era suspeito." Holt também suspeitava que Markkula fosse ajudar a bolar um plano de negócios e depois deixar a empresa. A suspeita era mútua. Markkula checou todas as referências de Holt até o colégio.

Wozniak considerava a confiança de Markkula totalmente fora de lugar e previu para seus pais com segurança absoluta que o maior investidor da Apple iria perder cada tostão. Wozniak não compartilhava do entusiasmo de Markkula e imaginava se devia aceitar o convite da Hewlett-Packard para ser transferido para o Oregon. Sua mulher, Alice, também não estava muito entusiasmada com o negócio que consumia tanto tempo e produzia tão pouco dinheiro. Ela disse: "eu gostava de segurança e do cheque todo mês". Quando Markkula impôs a condição a seu investimento que Wozniak se juntasse à Apple em período integral, um impasse surgiu. Markkula, Jobs e Holt discutiram se eles conseguiriam continuar sem Wozniak e lançaram todo tipo de ameaças. "Nós lhe dissemos que, se ele não viesse trabalhar na Apple em tempo integral, estaria fora. Mesmo assim, ele não veio correndo porta adentro. Gemeu, resmungou e fez corpo mole durante umas duas semanas". Jobs encenou uma dura campanha para persuadir Wozniak a se juntar à Apple. Ligava para amigos de Wozniak, reclamava que já tinha tentado de tudo e pedia que eles fizessem ligações para tentar convencê-lo. Foi até a casa dos pais de Wozniak, chorou e implorou por sua ajuda. Markkula fazia uma pressão mais calma, pacientemente explicando a Wozniak que "Você monta uma empresa quando quer transformar uma ideia em dinheiro". Wozniak disse: "uma vez que eu decidi que estava fazendo aquilo por dinheiro, o resto das decisões foi fácil".

Havia algumas poucas considerações práticas. A Apple Computer Company fora formada oficialmente em três de janeiro de 1977, e, em março de 1977, a sociedade foi estabelecida em 5 308,96 dólares. Para evitar possíveis complicações, Markkula insistiu que a empresa comprasse a parte de Ron Wayne na sociedade. Wayne ficou maravilhado quando recebeu um cheque e descobriu que ele valia 1 700 dólares a mais que o papel em que estava impresso. Existiam alguns assuntos maiores também. Como Markkula nunca demonstrou qualquer desejo de dirigir o negócio, havia uma necessidade premente de achar alguém capaz de cuidar do dia a dia. Wozniak lembra: "Mike disse que, se ele estava colocando dinheiro no negócio, queria alguém para cuidar dos centavos".

A ideia de Markkula de um contador de centavos era Michael Scott, cuja carreira tinha se entrelaçado com a dele. Quando ambos começaram a trabalhar na Fairchild no mesmo dia de setembro de 1967, eles receberam escritórios adjuntos. Por um curto período de tempo, Markkula trabalhou para Scott, que se formara um ano depois dele. Eles faziam as coisas que colegas da mesma idade faziam. Eles gozavam das fofocas da empresa e previam um para o outro a velocidade com que os preços de semicondutores iriam cair. Depois que descobriram que compartilhavam o mesmo dia de aniversário, 11 de fevereiro, eles fizeram questão de ter um almoço anual comemorativo. Foi em sua refeição ritual de 1977 que Markkula perguntou a Scott se ele estaria interessado em se tornar presidente da Apple.

Scott, como Markkula, era engenheiro desde criancinha. Nascera em Gainesville, na Flórida, e em sua adolescência passou tardes e fins de semana no departamento de processamento de dados de uma universidade brincando em volta de um IBM 650 – que, no final dos anos 1950, era o computador mais popular do mundo. Ele escolheu o California Institute of Technology em vez do MIT porque preferia o sol à neve e se especializou em física. Depois de se formar, passou um par de anos como engenheiro na divisão de sistemas da Beckman Instruments no sul da Califórnia que estava construindo instrumentos de solo para controlar os foguetes Saturn. A Beckman era um porto seguro para vendedores da Fairchild ansiosos para preencher cotas e objetivos determinados por Don Valentine. Scott se juntou à Fairchild (onde foi seduzido em parte pela promessa de recompensas de cem dólares para dicas de outros candidatos). Ele ficou por dois anos, desiludiu-se com a politicagem corporativa e a deixou para se juntar à National Semiconductor

Em seu trigésimo segundo aniversário, Scott estava coordenando uma linha de manufatura de trinta milhões de dólares por ano que fazia *chips* que combinavam eletrônica digital e analógica. Não era o lugar mais glamoroso para se estar na National, mas a posição de Scott como diretor de linha era um dos pilares do sistema de gerenciamento da empresa e ele estava, com efeito, dirigindo um negócio que empregava oitocentas pessoas. Ele prosperou, enfrentou sessões de pau na mesa com o presidente da empresa onde copos de café pulavam, declinou da oferta de dirigir uma fábrica no Extremo Oriente e decidiu que queria permanecer na Califórnia. Na época em que almoçou com Markkula, Scott, segundo ele mesmo, "eu estava entediado. Estava fazendo o mesmo trabalho há quatro anos". Ele via a formação de uma empresa em termos de engenharia: "É como um jogo de xadrez exceto que os movimentos continuam acontecendo. O desafio é colocar de pé um sistema inteiro que funcione sem precisar de supervisão e que tenha seus próprios meios de controle e balanceamento. Eu queria ver se conseguia montar um sistema desses do zero". Ele era um homem gordinho que andava com seus punhos cerrados. Usava óculos, tinha cabelo curto, que ele ficava enrolando com os dedos, normalmente vestia camisetas que estufavam sobre seu cinto e em um bom dia parecia como o proprietário benevolente de um ferro-velho. Algo nele demonstrava que ele seria feliz controlando uma fábrica automatizada de uma cadeira atrás de um terminal de computador, com uma lata de Budweiser na mão enquanto "A Cavalgada das Valquírias" ribombava ao fundo.

Markkula, que era diplomático e não gostava de impor condições aos outros, pediu a Jobs e Wozniak que considerassem Scott como possível presidente da Apple. Wozniak, ansioso por não ter de carregar qualquer tarefa corporativa, ficou impressionado com Scott e maravilhado com sua fascinação patente por computadores. "Senti-me muito relaxado sabendo que alguém além de Steve iria cuidar da produção." Jobs, entretanto, estava menos seguro com aquele cara desajeitado que parecia não ligar para filosofia oriental e preferia pizza a saladas. Ele passou horas em um Bob's Big Boy com Holt e Wozniak ruminando sobre Scott. Holt se lembra de que "Jobs não sabia se queria comandar o *show* ou não. Ele não tinha muita confiança no tino comercial de Woz e queria conversar com ele e combinar que, se a coisa engrossasse, manteriam a empresa no rumo certo. Ficou com a impressão de que não sabia de quanto poder estava abrindo mão." Se Scott provasse não ser adequado, Jobs queria ter a liberdade de recomprar sua parte das ações. Markkula mais uma vez exerceu sua influência persuasiva e explicou a Jobs que não era uma questão de poder, mas se a Apple iria ser mais bem administrada.

Jobs ouviu. Pesou a promessa de contribuições futuras contra a perda de poder tangível. Ele era forte o suficiente para admitir o que não sabia e brigão o suficiente para não ser subjugado por homens muitos anos mais velhos. Estava preparado para abrir mão de um ano de muito suor, mas também era consolado pela simples aritmética. Como qualquer combinação de Wozniak, Jobs e Markkula controlava a maioria das ações da empresa, eles poderiam demitir Scott a qualquer hora. Era um arranjo peculiar, e Scott, que havia se tornado um guardião do investimento de outros, reconheceu a realidade. "Eu imaginava se iria conseguir fazer alguma coisa ou se nós iríamos discutir o tempo todo. Minha maior preocupação era se Jobs e eu nos daríamos bem. Ele se preocupava a respeito de eu ter ou não experiência com produtos de consumo. Eu me preocupava com o fato de que ele não sabia o que estava fazendo." Como Scott era o chefe no nome, ele recebeu 20 001 dólares pelo primeiro ano, um dólar a mais que os membros do triunvirato.

Mesmo todos, em níveis diferentes, sendo técnicos, Jobs, Wozniak, Holt, Markkula e Scott não tinham virtualmente nada em comum. Eles tinham diferentes idades, aparências, formação e ambições. Eram atraídos por diferentes tipos de amores e tinham atitudes variadas com relação a fidelidade, prazer, estética, religião, dinheiro e política. Dois deles usavam palavrões como vírgulas enquanto os outros quase coravam ao ouvir palavras de baixo calão. Eles eram tão diferentes que um biólogo ao analisar seus cinco espécimes de cromossomos provavelmente se espantaria ao saber que seus doadores eram todos machos bípedes.

Havia Jobs que, apesar de gostar de dinheiro e poder, acabou na Apple basicamente por querer fazer algo diferente; Wozniak, para quem a diferença binária entre mil e um milhão era mais clara que a monetária e que tinha seu maior prazer ao demonstrar o poder de sua máquina; Holt, que nunca havia ganhado trinta mil dólares em sua vida, era atraído pela perspectiva de ganhar 250 mil dólares em cinco anos; Markkula, que não conseguia esconder seu interesse no computador e seu desejo em engordar seu portfólio pessoal; e Scott, que, mais do que qualquer coisa, queria ser presidente de uma empresa que iria saltar sobre a Lua.

"Na China iria ser maravilhoso!"

exclamou Paola Ghiringelli.

Um Apple II, um Apple III, um Lisa e um Macintosh foram alinhados em posição de ataque em duas mesas de metal. Dois gerentes de *marketing* do Mac, Michael Murray e Michael Boich estavam sentados em frente aos computadores, colocando os toques finais em uma apresentação que eles estavam prestes a dar ao artista belga Jean-Michel Folon. Alguns meses antes, Steve Jobs, em seu papel de esteta da Apple, ficou impressionado com a ponte entre romance e surrealismo formada pelo trabalho de Folon. Ele havia decidido casar o artista europeu com o computador californiano e, durante um tempo, quis que a propaganda da Apple refletisse a imagem de Folon do Mac. Jobs contatara Folon, assistiu a um dos seus *shows* em Nova York e o convidou a ir a Cupertino. Para Jobs, a tríplice combinação de arte, Nova York e Europa era irresistível. Folon, por sua vez, havia enviado alguns rascunhos de suas ideias, que Jobs guardara em uma das gavetas no seu quarto.

Então não era por acaso que Murray e Boich habitassem um mundo Folonesco. As paredes de feltro cinza da sala de conferências estavam decoradas com pôsteres de propaganda, manuais de instrução e capas de disquete criadas pelo departamento de artes gráficas da Apple baseadas nas figuras recorrentes, sobras e perspectivas do trabalho de Folon. Uma figura de papelão de um metro e meio de um personagem de Folon com um ar melancólico, chapéu retrô e um casaco anguloso estava encostada em uma parede.

Murray tinha decidido oferecer a Folon *royalties* de um dólar para cada Mac vendido, o que, dado que a Apple esperava vender mais de um milhão por ano, era um contrato bastante lucrativo. Boich estava brincando com o Lisa quando a tela se tornou repentinamente uma bagunça de letras e números espalhados. Ele deu uma olhada e disse: "Vou ver se consigo fazer algo sobre isso, se não vamos ter um Lisa morto quando Folon chegar". Murray olhou a confusão e murmurou: "Nós temos uma tradição de melar as apresentações na Apple. Vamos ver se acertamos com essa". Ele voltou ao Mac em que havia acabado de desenhar uma versão miniatura de um dos personagens de Folon com um balão de história em quadrinhos com a saudação BONJOUR MONSIEUR.

Quando Folou chegou, trouxe uma paleta parisiense a Cupertino. Um homem alto e desarrumado, vestia calças de pintor azul-real, suspensórios estreitos escarlates, uma camisa Viyella xadrez, uma jaqueta de algodão arranhada e óculos de tartaruga redondos. Ele estava acompanhado de Paola Ghiringelli, que estava vestida com um colete de *corduroy* laranja e calças bufante, e Marek Millek, que trabalhava como artista gráfico para a Apple em Paris e estava dando uma de guia e intérprete. Folon imediatamente estragou os planos cuidadosamente elaborados quando decidiu investigar os computadores.

"*Oh, regarded!*", disse Folon ao ver o desenho de Murray.

Ele foi levado até a máquina e se sentou para ver uma demonstração e uma pequena lição sobre como funcionam os computadores, com Murray explicando tudo em pequenas frases em um inglês bem simples que Millek, com um sotaque *cockney*, traduzia para o francês. Murray começou a desenhar um pouco mais.

"Coloque pupilas nos olhos dele", pediu Boich.

"Nós podemos colocar sardas no rosto", explicou Murray.

Folon sentou-se e começou a desenhar com o *mouse*. Olhou a figura que apareceu na tela e tremeu. "Ah! Ele não sabe como desenhar com isso", exclamou Ghiringelli com um forte sotaque italiano. Ela se virou para Murray e perguntou: "Isso vai servir só para desenhar?"

"Não, não, não", disse Murray sinceramente. "Também serve para escrever, digitar".

Eles se reuniram em volta da longa mesa de reuniões com Murray de pé ao lado de uma tabela com as cinco perguntas básicas sobre o Macintosh.

"*Celles sont des bonnes questions*", disse Folon enquanto colocava um pequeno gravador de fita sobre a mesa.

"Macintosh", explicou Murray, "é um nome código. Mas acabou pegando uma personalidade própria. É mais que uma fruta. Mac significa a máquina. O homem. A personalidade. O personagem".

"O que é um Macintosh", perguntou Ghiringelli.

"É uma maçã", respondeu Murray.

"Uma maçã?", Paula Ghiringelli perguntou novamente.

"Sim", disse Murray. "Existem Golden Delicious, Pippin, deve haver pelo menos dez tipos de maçã."

"Ah, Macintosh é um tipo de maçã", exclamou Ghiringelli.

Folon falou com suas mãos. "Na Europa", traduziu Millek, "a palavra *mac* faz as pessoas pensarem em máquina. Faz pensar em velocidade. Faz pensar em um cara grande. Em macho".

"Acho um belo nome", disse Folon calmamente. "Mas na Europa está longe de maçã."

Murray explicou as diferenças entre todos os computadores da Apple e disse: "Não queremos vendê-lo como uma máquina tecnológica. Queremos que o produto tenha uma personalidade e que as pessoas o comprem por causa dessa personalidade. Queremos fazer dele um produto *cult*, que as pessoas o comprem tanto pela sua imagem quanto por sua utilidade."

Ele apontou para outra pergunta na tabela e perguntou retoricamente: "Quem vai utilizá-lo? Vai ser usado em mesas. As mesas estão em escritórios. As mesas vão estar em grandes escritórios... pequenos escritórios... grandes cidades... pequenas cidades... em faculdades... nos EUA... na Europa... por todo o mundo".

Millek suspirou e se voltou a Murray. "Espere um pouco", ele disse. "Isso está ficando um pouco complicado. Em francês, quando você fala *bureau*, pode significar mesa e escritório. Quando você começa a falar em mesas em escritórios, a coisa fica complicada."

"É secreto?", perguntou Ghiringelli.

"Muito", disse Murray.

"Nós temos muitos amigos na Olivetti e na IBM", completou Ghiringelli.

"É muito, muito secreto", repetiu Murray.

"Não fale sobre isso para mim", Folon tremeu.

De repente, Murray fez uma pausa. "Não sei como dizer isso."

"O quê?", perguntou Millek.

"Quero dizer que é fácil de usar", continuou Murray.

"Isso é melhor", suspirou Millek.

Murray continuou com uma pequena história da Apple, pontuada com números de vendas e de empregados. Ele e Folon falaram sobre a possibilidade de Folon criar pôsteres e uma série de cartões postais e trabalhar junto com um dos programadores para produzir um *game* para acompanhar o computador. Descreveu o que pensava ser o mercado eventual para computadores pessoais, então marcou os países onde ele pensava que a Apple não encontraria compradores para os Macs e concluiu: "Nem China, nem Rússia, nem Índia. Bom, talvez uma ou duas pessoas na Índia."

"Na China iria ser maravilhoso", disse Ghiringelli com segurança. "Eles são muito preguiçosos. Contam com ábacos. Vão gostar muito dele."

E QUE PLACA-MÃE!

O impulso para finalizar o sucessor do primeiro computador Apple ganhou mais urgência com a chegada da primeira Feira do Computador da Costa Oeste. Antes dela, o clima era de indignação, pois era quase como se os entusiastas do Vale do Silício tivessem tido o seu lugar de direito no mundo dos microcomputadores usurpado pelas novidades exibidas ao longo do ano de 1976, sempre em locais remotos onde provavelmente as pessoas locais nem sabiam distinguir entre um microprocessador e um registrador de deslocamento. Muitas caras amarradas eram vistas nas reuniões do Clube Homebrew, já que todas as feiras aconteciam longe da Belém dos microcomputadores – em Detroit, Michigan, Trenton e Nova Jersey. Houve um alívio quando, logo depois de Jobs e Wozniak levarem sua caixa de charutos a Atlantic City, surgiram os rumores de que uma grande feira estava sendo planejada para acontecer na primavera de 1977 no Auditório Cívico de San Francisco.

Seus dois principais organizadores eram membros do Homebrew. Originalmente, tinham imaginado fazer uma feira de trocas em Stanford, mas as autoridades universitárias não permitiram. Forçados a procurar outro lugar e incentivados pela multidão atraída pelo evento de Atlantic City, eles juntaram dinheiro e alugaram um amplo salão de convenções em San Francisco. Publicaram anúncios no boletim do Homebrew, prometendo um público numeroso e muitos expositores. Jobs foi um dos primeiros a se comprometer a ter um estande, em setembro de 1976. Com as promessas grandiosas acerca da dimensão do evento, da quantidade de expositores e do painel de debates, ele seria perfeito para lançar um computador novo. E para Wozniak, Jobs e os seus novos colaboradores profissionais, os meses que antecederam a feira de San Francisco foram uma enorme confusão.

Para Jobs, as caixas de charutos que ficavam sobre as mesas da SLAC durante as reuniões do Homebrew eram tão elegantes como mata-moscas. Aos seus olhos, o anguloso gabinete metálico azul e preto do Sol, da Processor Technology, parecia desajeitado e industrial. "Eu tinha a ideia fixa de que o nosso computador deveria possuir um gabinete feito de plástico." Nenhuma empresa de microcomputadores tinha ainda entrado por esse caminho. Um gabinete de plástico era geralmente considerado como uma despesa inútil, em comparação com o barato e maleável metal estampado. Havia a impressão de que os entusiastas não ligavam para a aparência, apenas para o conteúdo. Jobs queria que o gabinete do Apple fosse similar aos que a HP fazia para suas calculadoras, com linhas elegantes e arrojadas, acabamento robusto e parecendo à vontade sobre uma mesa ou uma escrivaninha. Jobs ia até a loja de departamentos Macy's de San Francisco e perambulava pelas seções de cozinha e som, analisando o *design* dos eletrodomésticos. Ele era um observador muito cuidadoso, com gosto apurado, sabia do que gostava e estava determinado a conseguir o que desejava.

Jobs abordou um ex-colega da Atari e o cofundador da Apple, Ron Wayne, e pediu-lhes que fizessem esboços de projetos para um gabinete. O ex-colega da Atari pintou algumas aquarelas representando um objeto cheio de ângulos caprichosos e curvas complexas. O conceito de Ron Wayne poderia ter saído da garagem de Rube Goldberg. O gabinete tinha um tampo de acrílico, afixado às laterais de madeira por alças de metal. A fim de proteger o computador de detritos como fios de cabelo, pingos de café e partículas de poeira, Wayne pôs sobre o teclado um tampo articulado de correr, igual aos das escrivaninhas antigas. Ao rolar esse tampo, uma chave liga/desliga oculta seria acionada. Jobs não perdeu seu tempo com as duas propostas e saiu em busca de uma abordagem mais sofisticada.

Um dos colegas de Wozniak na HP recomendou Jerry Mannock como possível salvador. No começo de janeiro de 1977, Jobs ligou para Mannock, explicou o seu dilema e sugeriu que ele participasse de uma reunião do Clube Homebrew. Mannock já quisera ser um engenheiro elétrico, descobrira que preferia o concreto ao abstrato e, durante vários anos, trabalhara como *designer* de produto na HP. Cansado de desenhar gabinetes que só eram atraentes para engenheiros e alarmado pelas conversas de pessoas jovens sobre aposentadoria, demitiu-se e entrou para uma empresa especializada em aparelhos para deficientes físicos. Percebeu quase imediatamente que ele estava sendo tratado como um arte-finalista. "Eu ia para o trabalho com o estômago embrulhado." Pediu a conta novamente, vendeu seus carros, viajou pela Europa junto com sua esposa e, quando retornou à Califórnia, iniciou um negócio próprio. No momento da ligação de Jobs, ele tentava montar uma carteira de clientes a partir de sua casa. Um homem de constituição sólida e cabelos escuros, Mannock topava fazer qualquer projeto. Durante seu último ano de negócio, ele projetara uma residência solar no Novo México, atendera a pequenas encomendas de *design* de embalagens e obtivera cem dólares de lucro.

Mannock encontrou Jobs na recepção da SLAC, por trás de uma mesa com o computador, conversando com algumas pessoas. "Ele estava tendo três conversas simultâneas e acompanhando todas elas. Eu nunca tinha visto alguém capaz de fazer isso." Mannock descobriu que Jobs queria alguns gabinetes de plástico dentro de doze semanas, a tempo para a apresentação formal do Apple II na Feira da Costa Oeste. Mannock não se deixou intimidar pelo prazo apertado. "Eu nunca tinha feito aquilo antes, então nem tinha ideia do que estava pegando." Jobs ofereceu 1 500 dólares por um conjunto de desenhos técnicos para o gabinete. Mannock quis receber adiantado. "Eles pareciam clientes pés de chinelo e eu não sabia se ainda estariam por perto quando o gabinete estivesse terminado." Jobs o convenceu de que a Apple sobreviveria o bastante para pagar a sua comissão e que era uma companhia virtualmente tão segura quanto o Bank of America.

Boa parte do *design* do gabinete era determinada pelo computador que iria dentro. Precisava ter uma tampa removível, ser alto o bastante para acomodar os cartões de expansão inseridos na placa-mãe e ainda ser suficientemente largo para facilitar a dissipação do calor gerado pela fonte de alimentação. Mannock completou os desenhos do projeto em três semanas. "Criei um *design* bem conservador, capaz de se misturar bem com outros objetos. Eu queria fazer um *design* honesto com o plástico, com o mínimo possível de ruído visual." Assim que a forma geral da peça ficou estabelecida, foram necessárias poucas mudanças. Um par de alças em recesso nas laterais foi eliminado, porque o gabinete inteiro era suficientemente fino para ser segurado entre os dedos polegar e mínimo. Jobs, embora estivesse entusiasmado com os desenhos que Mannock apresentara, recusava-se a pagar 300 dólares para fazer um modelo de espuma, que seria fotografado para um anúncio.

Da mesma forma que o *design* de Ron Wayne para o computador fora deixado de lado, também o fora o seu logotipo original da Apple, um brasão neoclassicista. Rob Janov, um jovem diretor de arte da agência Regis McKenna, pegou a conta da Apple e tratou de desenhar um logo corporativo. Munido da ideia de que os computadores seriam vendidos a consumidores e que essas máquinas estariam entre as primeiras a produzir imagens coloridas, Janov desenhou naturezas-mortas a partir de uma cesta de maçãs. "Eu queria simplificar a forma da maçã." A mordida na lateral da fruta era um trocadilho visual com *bits* e *bytes*, mas também era um *design* original. Para Janov, a porção faltante da maçã "evitou que elas parecesse um tomate-cereja". Ele preencheu a maçã com seis faixas de cores diferentes, começando de cima pelo verde; a combinação tinha um jeito psicodélico. O resultado final era sedutor e quente. Janov recorda-se das exigências de Jobs: "Steve desejava um acabamento visual de altíssima qualidade. Ele queria que parecesse algo caro, não um aeromodelo tosco." Jobs foi meticuloso acerca do estilo e aparência do logo, falando com a agência e passando na casa de Regis McKenna à noite. Quando Janov sugeriu que as seis cores fossem separadas por linhas finas para facilitar a reprodução, Jobs disse não.

Para as plaquetas de identificação dos computadores da Apple, Jobs procurou a mesma empresa que fazia as placas da HP e obteve logos em baixo-relevo em folhas finas de alumínio. Ele rejeitou a primeira amostra porque as faixas coloridas se misturavam. A maioria das demais empresas de computadores procurava um visual mais simples, estampando seus nomes em folha de metal, não querendo pagar os centavos extras necessários para atingir a primeira classe.

Enquanto isso, Holt se ocupava em domar o novo computador. Ele sentira, desde o momento em que Jobs o convidara a trabalhar para a Apple, que a única maneira de produzir uma fonte de alimentação confiável, leve e que permanecesse refrigerada era recorrer a uma abordagem inédita entre as empresas de microcomputadores. Em vez de escolher uma fonte linear comum, que não tinha progredido quase nada desde os anos 1920, optou por uma solução mais elaborada, usando a fonte chaveada que ele desenhara previamente para um osciloscópio. Uma fonte chaveada é substancialmente mais leve e mais complexa que uma fonte linear. Ela transforma a corrente alternada comum da tomada em pulsos de corrente contínua de altíssima frequência, entregando na saída um fluxo de energia estabilizado, que não queimaria os dispendiosos *chips* de memória. Para os entusiastas de computadores que amaldiçoavam o calor das fontes lineares, uma fonte chaveada era um objeto de admiração distante. "Cuidado com as chaveadas", eles alertavam um ao outro. Wozniak admitiu: "Eu só sabia muito vagamente o que era uma fonte chaveada". O *design* final de Holt era totalmente confiável e do tamanho de um quarto de uma caixa de leite.

Enquanto Holt completava o seu trabalho e as dimensões finais do computador ficavam mais definidas, Jobs falou com o seu ex-colega de Atari Howard Cantin, que produzira o *layout* da placa de circuito impresso para o Apple I, e pediu que fizesse o mesmo para o Apple II. Desta vez, as exigências de Jobs eram bem mais restritivas. Ele rejeitou o primeiro *layout* de Cantin e insistiu que, na segunda versão, as trilhas que interconectam os *chips* fossem absolutamente paralelas. Cantin relembra o perrengue: "Ele me fez tirar leite de pedra. Tentei explicar-lhe que, a partir de determinado momento, tanto perfeccionismo era contraproducente. Ele me irritou tanto que jurei nunca mais trabalhar para ele". Jobs somente sossegou depois que Cantin encolheu consideravelmente o tamanho da placa. Em vez de entregar a arte-final ao fabricante de placas, Jobs insistiu que o *layout* fosse digitalizado e refinado em computador, mesmo que isso provocasse um atraso na produção.

À medida que se aproximava a data da abertura da Feira de Computadores da Costa Oeste, surgiram outras preocupações chatas. Os cartões de visita só chegariam da gráfica a dois dias do evento; algumas das placas de circuito impresso foram montadas com os *chips* antes de receber o verniz protetor. Jobs era favorável a usar um teclado marrom, depois de experimentar uma variedade de cores com pessoas da família. Embora os computadores funcionassem, os teclados travavam a cada vinte minutos, por conta de um *chip* sensível a eletricidade estática. Por sua vez, Wozniak estava tentando fazer caber num único *chip* de memória ROM o código de uma versão simplificada do BASIC. Ele tinha esperança de usar um *chip* novo da AMI, mas a peça não chegaria a tempo e ele teve de reverter para um *chip* fabricado pela Synertek. Ele, Espinosa, Wigginton e Holt escreveram alguns programas de demonstração que ressaltavam o funcionamento do computador com cores e som. Os programas eram apressadamente copiados com gravadores de fitas cassete. Quando as fitas virgens acabaram, Espinosa foi enviado ao atacadista Gemco para comprar mais.

A questão mais importante era a incerteza sobre o gabinete ficar pronto a tempo para a feira. Depois de aprovados os desenhos técnicos, Mannock e Jobs tiveram de escolher entre dois métodos de moldagem: injeção por reação e por espuma estrutural. No primeiro método, uma reação química força o poliuretano a se expandir e preencher o molde, deixando bolhas no acabamento. O segundo método é mais sofisticado, exigindo o aquecimento e injeção sob pressão da espuma, produzindo um resultado mais bonito. Como ninguém esperava que a Apple fosse vender mais do que cinco mil unidades de seu segundo computador, Jobs e Mannock optaram pelo método de injeção com reação, utilizando ferramentas de epóxi em vez do durável e caro metal empregado para produzir peças em larga escala.

As primeiras peças que saíram dos moldes eram sofríveis. As superfícies não eram homogêneas, as tampas ficavam inclinadas e as beiradas invadiam o teclado. Meia dúzia de empregados da Apple usava canivetes, lixas e massa plástica para camuflar os piores defeitos, então os gabinetes eram pintados de bege, o que lhes dava uma aparência mais leve. Eles resolveram que levariam à feira os gabinetes que tinham tido problemas de rebarbas e ficado sem as aberturas de ventilação laterais. Terminada a maioria dos preparativos, eles pernoitaram antes da abertura da feira no hotel St. Francis, na Union Square, em San Francisco. Scott e Markkula estavam acostumados a hotéis espaçosos, mas, para os mais jovens, aquilo era o primeiro gostinho dos bons tempos que estariam por vir. Espinosa, que trocara seu bico de entregador de jornal por um trabalho de três dólares a hora na Apple, ficou perplexo ao receber seu adiantamento e ter suas despesas pagas.

O computador colorido da Apple foi batizado com o mesmo raciocínio usado pelas empresas de computação maiores. Assim como a Digital Equipment Corporation nomeou cada um dos seus sucessivos computadores PDP com um número cada vez mais alto, a Apple chamou a sua máquina de Apple II. O computador apresentado na feira não era o produto de uma só pessoa, mas o resultado da colaboração e das contribuições combinadas de várias mentes no *design* da lógica digital, na engenharia da parte analógica e no apelo estético. A contribuição de Wozniak incluiu a cor, os *slots*, a expansibilidade da memória de 4 para 48 *quilobytes*, os controles do teclado, a conexão com o gravador de fitas cassete e o BASIC que vinha pré-instalado no *chip* ROM, bem como a própria placa-mãe. Holt contribuiu com a importantíssima fonte chaveada e Jerry Mannock criou o gabinete. As inovações na engenharia tiveram seu reconhecimento quando, alguns meses depois, Wozniak ganhou a patente norte-americana número 4.136.359 para um microcomputador com monitor de vídeo, e Holt obteve a patente número 4.130.862 para a fonte chaveada de corrente contínua. Mas por trás de todos estava Jobs, cutucando, beliscando e empurrando; foi ele quem, com sua energia aparentemente inesgotável, tornou-se o grande árbitro, aprovando ou rejeitando cada coisa.

Em janeiro de 1977, o boletim do Clube Homebrew atingira uma circulação de 15 mil exemplares. Uma pesquisa entre os membros revelou que eles possuíam, em conjunto, 181 computadores. Dentre eles, 43 da IMSAI, 33 Altair 8080 e 6 Apple 6502. A Apple ocupava o oitavo lugar na lista, com uma fatia de mercado que um entusiasta calculara, usando um programa especificamente escrito para isso, de 3,2967%. Mesmo que não se expressasse dessa maneira, a equipe da Apple sabia que a feira poderia ajudar a melhorar essa colocação. Eles também compreendiam o poder de uma boa primeira impressão. A combinação de Markkula, Jobs e a agência McKenna transformaria a aposta da Apple num golpe certeiro.

Como Jobs tinha sido um dos primeiros a se comprometer a apresentar-se no evento, a Apple tinha direito a uma localização privilegiada, na parte frontal do salão. Markkula organizou o *design* do estande: encomendou uma placa luminosa de acrílico fumê com o novo símbolo da empresa e uma grande tela de televisão para exibir as capacidades do computador. Eram três computadores, cada um numa prateleira. Eles transmitiam uma sensação de grandiosidade, mesmo sendo as três únicas máquinas completas naquele momento. Markkula e McKenna trataram da questão da indumentária, levando Jobs a um alfaiate em San Francisco e convencendo-o a adquirir um terno. "Todos nós concordamos em nos vestirmos melhor", lembra Wozniak. Assim sendo, na abertura da feira eles pareciam vagamente respeitáveis, embora para Jobs o terno fosse menos confortável que as calças jeans e as sandálias Birkenstock.

Os preparativos corridos valeram a pena, pois a feira era um grande híbrido entre uma reunião entusiasta do Clube Homebrew e os aspectos mais profissionais das feiras de computadores de grande porte. Cerca de cem palestrantes apresentaram seminários e teses sobre assuntos como o computador de bolso, robôs, música programada em computadores, computadores para deficientes, linguagens de alto nível, redes, dispositivos visuais de reconhecimento de fala e correio eletrônico. Negociações eram feitas e mãos apertadas em salas de reunião, típicas de grandes feiras, e, em algumas dessas, Markkula cortejou os potenciais fornecedores e distribuidores.

Também se fazia a análise crítica da concorrência. Estava em exposição o protótipo de outro computador pessoal, o Commodore PET, num estande chamado Mr. Calculator. O Apple e o PET foram objeto de uma inspeção detalhada na feira por John Roach, vice-presidente da Tandy Electronics, empresa mais conhecida por vender equipamentos de radioamador com a grife Radio Shack. Havia também um submundo da feira; quadros de avisos continham pequenas notas e informações corriam boca a boca sobre reuniões clandestinas de *phone phreaks*, nas quais eles perscrutavam a edição mais recente do boletim da TAP e cochichavam acerca das novidades na área do equipamento para chaveamento telefônico.

Para as treze mil pessoas que adentraram o salão e percorreram os estandes com suas sacolas plásticas repletas de folhetos de propaganda e promessas, o estande da Apple, situado de frente para o portão de entrada, era impossível de não ver. Mas ele tinha apenas metade do tamanho do estande da Processor Technology, era menor que o da Cromemco e menos popular que o da IMSAI. Todavia, a Apple eclipsava muitos outros estandes que tinham o aspecto indiscutível de negócios de entusiastas, e não de profissionais. Pequenos estandes vendiam placas de expansão, revistas e camisetas. Empresas menores que a Apple tinham alugado mesas e escrito seus nomes com pincel atômico em cartolinas; os estandes eram divididos por cortinas de pano amarelo e tinham pilhas de caixas de papelão entreabertas. Eles se pareciam com o que de fato eram: exilados do Clube Homebrew tentando vender microcomputadores de placa unificada. Um desses estandes modestos pertencia à Computer Conversor Corporation, onde Alex Kamradt ainda tentava vender o terminal que Wozniak projetara. Ele anunciava o Conversor 4000 como "uma alternativa acessível aos terminais de custo elevado".

O estande da Apple, com prateleiras forradas de tecido escuro e pilhas de folhetos, teve o efeito pretendido. A dúzia de pessoas que tomava conta e distribuía os folhetos ficou surpresa com tanto interesse no produto. Alguns candidatos a clientes não podiam crer que um computador pudesse ter um gabinete de plástico; só acreditavam ao ver que não havia nada no espaço oculto pelos panos nas mesas.

Alguns engenheiros ficaram impressionados ao constatar que uma placa de circuito com tão poucos *chips* podia produzir imagens coloridas. Lee Felsenstein admirou a solução. "Era muito audaciosa em sua simplicidade, mas funcionava." A Apple recebeu cerca de trezentos pedidos ao longo das semanas seguintes, ultrapassando em mais de cem o total de unidades vendidas do Apple I. Mesmo assim, apesar do folclore que se formou nos anos subsequentes, não é verdade que a Apple teria dominado a feira. Jim Warren, o principal organizador da feira, disse: "Não achei que a Apple seria o expositor mais forte". A edição da revista *Byte* que cobriu a feira nem sequer a mencionou.

Wozniak, chocado com o custo de 5 mil dólares do estande, estava envolvido com uma distração mais divertida. Junto com Wigginton, ele dava os toques finais a uma pegadinha que eles tinham planejado durante semanas. Wozniak escrevera uma peça de propaganda falsa sobre um novo computador chamado Zaltair: uma brincadeira combinando o nome do novo microprocessador Z80 com o do computador Altair. O texto do anúncio fazia uma descrição efusiva do produto e convidava os donos do Altair a entregá-lo como entrada na compra de um Zaltair. A fim de evitar problemas, Wozniak fez um acordo com um amigo para imprimir os folhetos em Los Angeles. Na manhã da abertura, Wozniak distribuiu alguns pacotes de folhetos pelo salão.

O anúncio em cor amarelo-limão descrevia o computador em termos extravagantes e convincentes e não deixava dúvidas sobre qual seria o microcomputador ideal:

> *Imagine a máquina dos sonhos. Imagine o computador surpresa do século aqui e agora. Imagine o desempenho superior do Z80. Imagine o BAZIC em ROM, a linguagem mais completa e poderosa já desenvolvida. Imagine vídeo puro à vontade. Imagine texto autorrolante em 16 linhas de 64 caracteres. Imagine gráficos coloridos deslumbrantes. Imagine uma velocíssima porta para gravador de cassetes de 1 200 bauds. Imagine um sistema de entrada e saída sem paralelo, totalmente compatível com os barramentos do Altair-100 e do Zaltair-150. Imagine um gabinete arrojado, que*

realçará a decoração de qualquer sala de estar. Imagine como você vai se divertir. Imagine o Zaltair, disponível agora pela MITS, a empresa onde nasceu a tecnologia do microprocessador.

Wozniak ainda descrevia o *software* BAZIC do computador: "Sem *software*, um computador é como um carro de corrida sem rodas, um toca-discos sem discos, um banjo sem cordas. A melhor característica do BAZIC é a possibilidade de definir sua própria linguagem; um recurso chamado perZonalidade (TM)". E o *hardware* era descrito em termos igualmente radiantes: "Nós realmente pensamos muito nele antes de construí-lo. Dois anos de pesquisa dedicada e desenvolvimento pela empresa número UM do mercado de microcomputadores tinha de compensar, e de fato compensou. É o sonho de um engenheiro de computação, com toda a parte eletrônica numa só peça, incluindo a placa-mãe de 18 *slots*. E que placa-mãe!"

Com o folheto exibindo o logo oficial corporativo e até um cupom para a compra do produto, à base de troca num Altair, a direção da MITS não ficou nem um pouco feliz. Eles correram a carimbar todos os folhetos que encontraram com as palavras FRAUDE e NÃO EXISTE. Finalmente, embora tenha gastado 400 dólares com a pegadinha, Wozniak começou a ficar nervoso e temeroso de que milhares de computadores fossem devolvidos à MITS. Ele e seus cúmplices acabaram jogando fora caixas inteiras de folhetos falsos.

Então, Jobs pegou um dos folhetos e começou a examinar os detalhes desse concorrente surpresa, que era comparado num gráfico a máquinas Sol, IMSAI e Apple, com o título "A marca de um campeão é o desempenho". Wozniak e Wigginton, sem conseguir segurar o riso, saíram de fininho por uma porta lateral, deixando Jobs sozinho, que balbuciava: "Meu Deus, esse negócio parece ótimo." Jobs viu nas costas do folheto um detalhado *ranking* de desempenho. Leu que o Apple II aparecia em terceiro lugar, logo atrás do Zaltair e do Altair 8800-b. Com uma expressão de imenso alívio, suspirou: "Ei, olhem! Não estamos tão mal assim".

Na Especificação

O sucesso de uma estreia pública é feito de fachadas, gestos e ilusões. Na Feira de Computadores da Costa Oeste de 1977, a Apple Computer Inc. parecia ser muito maior que o pequeno negócio que havia acabado de sair da garagem dos Jobs para um prédio de pastilhas na 20863 Stevens Creek Boulevard, em Cupertino. O escritório, na Suite E-3, era menor que uma casa pré-fabricada e estava a menos de uma milha das casas dos pais de Jobs e Wozniak. Era separado da Homestead High School pela Interestadual 280 e estava a uma pedrada das encruzilhadas onde os silos cor de barro dos Cali Brothers foram encurralados por lojas e subdivisões. Os vizinhos da Apple eram um escritório de vendas da Sony, uma agência de empregos, uma clínica de emagrecimento e uma associação de professores. Uma divisória de gesso foi colocada no meio do escritório alugado da Apple para separar uma meia dúzia de mesas do laboratório e da área de montagem. Era nesse ambiente apertado, a sessenta metros do restaurante Good Earth, que os fundadores da Apple e seus funcionários voltaram suas atenções do cósmico ao comezinho.

Por quase um ano, os homens de Cupertino se concentraram em controlar as funções corporais da Apple. Eles estavam construindo tudo do zero e tinham de estabelecer detalhes e procedimentos que eles nunca haviam encontrado ou levado em conta. Para dar algum tipo de estrutura, Markkula, nos primeiros três meses de 1977, concentrou-se no plano de negócios da Apple.

Ele foi atrás da experiência de John Hall, controlador de grupo da Syntex, uma companhia farmacêutica de Palo Alto. Markkula e Hall eram conhecidos casuais. Eles haviam se encontrado em algumas festas, partilhavam de alguns amigos em comum e se trombavam em pistas de esqui nas serras da Califórnia. Markkula sabia que Hall tinha ajudado outras jovens empresas com seus planos de negócio e pediu que ele fizesse o mesmo com a Apple. Hall tirou uma licença de duas semanas da Syntex e se encontrou com os diretores da Apple em reuniões de várias horas em dois restaurantes locais: o Good Earth e o Mike's Hero Sandwiches. Scott o ajudou a tabular uma lista de materiais e a projetar custos de manufatura. Jobs deu detalhes de contratos com fornecedores de peças e Wozniak e Holt foram consultados em assuntos de engenharia.

Para as grandes estratégias de *marketing*, Hall e Markkula esfregaram uma enevoada bola de cristal e decidiram que iriam lançar o Apple II em um ataque em três frentes. Eles imaginaram que a máquina seria vendida a entusiastas de computadores domésticos e para profissionais, como dentistas e doutores, que, anteriormente, já haviam demonstrado um fraco por *gadgets* como calculadoras programáveis. Também planejavam desenvolver o Apple como um centro de controle da casa, ligado a confortos como portas de garagem automáticas e irrigadores de jardim. Hall relembra: "sentimos que precisávamos de três pilares para um bom plano de negócios, mas eu não acreditava naquele plano, nem Markkula. Achava que era um plano estrategicamente fraco." O ceticismo de Hall era tão grande que, quando Markkula pediu-lhe que se tornasse vice-presidente financeiro da Apple, ele recusou. "Eu não podia assumir o risco de me juntar a uma empresa bizarra como a Apple." Mesmo assim, ele perguntou a Markkula se a Apple pagaria em ações por seu trabalho de consultoria. Quando Markkula relutou, Hall aceitou um cheque de 4 mil dólares.

Conforme o plano de negócios ia tomando forma, Scott foi atrás de rostos conhecidos para ajudar. A primeira recepcionista, secretária e faz-tudo da Apple foi Sherry Livingston, uma mulher alegre e brilhante que havia trabalhado para ele na National Semiconductor. Com dúvidas sobre as perspectivas da Apple, Livingston foi convencida da capacidade da empresa de se manter em pé quando Markkula abriu repentinamente uma gaveta cheia de pedidos. Gene Carter, que havia sido chefe de Scott por um tempo na Fairchild, estava procurando por trabalho e se tornou o chefe de vendas e distribuição da Apple. Quando Scott quis alguém para cuidar dos livros, ele foi atrás de Gary Martin, um contador fofoqueiro e bonachão que também havia trabalhado para ele na National. Martin deu uma olhada no Apple II e pensou: "Quem vai querer uma coisa dessas? Fiquei com tanta pena de Scott que tentei lhe pagar um almoço." Eventualmente, Martin decidiu testar a Apple por um mês, confiando na promessa de seu chefe na National de não bloquear seu crachá de segurança.

Outros vieram por conta própria. Wendell Sander, um tímido engenheiro/investigador da Fairchild ficou intrigado com a Apple depois de adicionar alguns *chips* de memória que ele mesmo projetara a um Apple I. Ele escreveu um programa baseado na série *Star Trek* para divertir seus filhos, mostrou-o a Jobs ainda na época em que a Apple estava na garagem e acabou, depois de treze anos na Fairchild, deixando sua paixão decidir sua sorte. "Se eles fechassem, eu conseguiria um trabalho no dia seguinte. Não havia muito risco pessoal além da chance de machucar meu ego. Minha carreira não ia afundar." Jim Martindale, um colega de Jobs na Atari, foi contratado para cuidar da produção enquanto Don Bruener, um amigo de escola de Randy Wigginton, tornou-se técnico em meio período. O amigo de faculdade de Jobs, Dan Kottke, se formou e se tornou o décimo segundo empregado da Apple, e Elmer Baum começou a trabalhar na área de montagem final. Quase ninguém achava que a decisão de entrar para a Apple fora arriscada. Ao contrário, todos pareciam sentir que o grande risco era ficar parado e não fazer nada.

Conforme os novatos iam chegando, por volta do fim da primavera e começo do verão de 1977, eles se descobriam em um pequeno negócio que havia se comprometido com algumas promessas públicas bem visíveis. Uma propaganda na edição de 16 de fevereiro de 1977 do boletim do Homebrew prometia a entrega do Apple II para 30 de abril, no mais tardar. Markkula também havia decidido que a Apple poderia se livrar de muita dor de cabeça se oferecesse a donos de Apple I uma escolha entre um reembolso total ou uma troca por um Apple II. A chegada de adultos, ou a versão do Vale do Silício dos adultos, trouxe um senso de responsabilidade à Apple. A mistura de experiência com exuberância juvenil provou ser uma coisa problemática, mas também era uma combinação alvissareira. A experiência ajudava a balancear o impulso e impor um senso de disciplina, enquanto a inocência inevitavelmente questionava as convenções e as autoridades.

Wozniak, Jobs, Holt, Markkula e Scott estavam sempre alerta a respeito de questões técnicas e costumavam entender o tamanho e as implicações de problemas elétricos que apareciam. Mas eles também tinham sérias diferenças e trabalhavam em meio a lutas entre homens que um roteirista de Hollywood apelidaria de "O Hobbyista", "O Rejeitador", "O Consertador", "O Pacificador" e "O Impositor". Eles não tinham a menor experiência que costuma vir com a prática de sobreviver a erros e contornar problemas. Holt sentia que "não havia muita confiança em geral. A questão não era confiar na honestidade dos outros, mas nas opiniões dos outros. Você conseguia no máximo confiar uns 70%. Era um negócio, não uma família".

Quase desde o começo, Scott e Jobs irritavam um ao outro. Scott, em sua curiosa posição de zelador corporativo e guardião dos assuntos internos da Apple, representou o primeiro encontro de Jobs com uma autoridade inflexível. Antes da chegada de Scott, Jobs havia feito o que quisera. Depois de Scott virar presidente, Jobs descobriu que seus limites haviam sido definidos. A dupla encarava a vida de ângulos diferentes. Scott achava que a experiência era mais valiosa que a esperteza congênita, enquanto Jobs estava convencido de que a maior parte dos problemas podiam ser resolvidos com uma boa dose determinada de inteligência. Scott admirava o otimismo de Jobs, sua vitalidade e energia e gradativamente aprendeu a apreciar seu senso de estilo. Mas ele também havia decidido que "Jobs não consegue administrar nada. Ele não sabe como lidar com pessoas. Quando você consegue colocar algo para andar, ele causa muita marola. Gosta de voar em volta como um beija-flor a cem quilômetros por hora. Alguém precisa se sentar em cima dele". Scott seguia Jobs a cada volta e um dos primeiros trabalhos burocráticos provocou uma rusga. Scott passou números de empregados oficiais para serem impressos em crachás de segurança de plástico laminado. Como, na cabeça de Scott, foi o computador que deu origem ao negócio, ele deu a Wozniak o número 1, a Jobs o número 2, Markkula era o 3, Fernandez o 4, Holt o número 5 e Wigginton o 6, reservando o número 7 para si mesmo e dando o 8 a Espinosa. Todos, exceto Jobs, ficaram satisfeitos com a ordem.

"Eu sou o número 1?", ele perguntou a Scott.

"Não. Woz é o número 1. Você é o número 2."

"Eu quero ser o número 1", insistiu Jobs. "Posso ser o número zero? Woz pode ser o número 1. Eu quero ser o número zero."

Número zero e número sete também discordavam bastante no dia a dia. Wigginton assistia da arquibancada. "Jobs tinha ideias firmes sobre como as coisas deviam ser feitas e Scott sabia qual era o jeito certo, que não era o jeito de Jobs, e então acontecia a inevitável briga." Eles discordavam sobre o jeito que materiais deviam ser movidos de uma seção para a outra, sobre como as mesas deviam ser posicionadas e em que cores eles deveriam encomendar as bancadas do laboratório. Jobs queria brancas porque achava que seriam melhores para os técnicos e os engenheiros; Scott queria cinzas porque sabia que bancadas cinzas eram mais baratas e mais fáceis de achar. Gary Martin, o contador, assistiu a outra contenda logo depois que entrou para a Apple. "Eles entraram numa discussão furiosa sobre quem deveria assinar ordens de compra. Jobs disse: 'Eu chego aqui mais rapidamente que você. Eu assino.' Aí Scott disse: 'Eu que tenho de assiná-las', e ameaçou se demitir."

Em momentos mais calmos depois da chegada de Scott, Jobs estava cuidando das compras e do mobiliário e continuou a pressionar por qualidade. Quando um vendedor da IBM entregou uma máquina de escrever Selectric azul em vez da cor neutra que ele havia especificado, Jobs teve um acesso de raiva. Quando a companhia telefônica falhou em instalar telefones cor de marfim que Jobs havia encomendado, ele reclamou até que fossem trocados. Quando combinava programações de entrega e termos de pagamento, Jobs humilhava um monte de fornecedores. Gary Martin acompanhava tudo. "Ele era muito grosso com eles. Tinha de conseguir o preço mais baixo possível. Ligava para eles e dizia: 'Isso não é bom o suficiente. É melhor você apontar seu lápis.' Todos nós perguntávamos: como você consegue tratar outro ser humano assim?"

Uma divisão natural ocorria entre os engenheiros mais velhos e experientes quanto a algumas das dores de cabeça da manufatura e os jovens ansiosos para ter um protótipo rodando e satisfeitos em deixar os chatos ajustes finais e acabamentos para outros. Um programador recorda: "Ninguém tinha medo de nada. Qualquer um podia chamar outro de imbecil. Ninguém achava que estávamos fazendo a coisa certa. Nós tínhamos de provar que estávamos fazendo a coisa certa." Wozniak nunca teve muita reputação por terminar a última parte de qualquer coisa. Para ele e alguns de seus jovens cúmplices, a diferença entre um protótipo com cabos pendurados e fios soltos e uma máquina completa era puramente acadêmica. Qualquer um que valesse seu salário obviamente seria capaz de ajeitar um computador um pouco bambo.

Holt, por sua vez, era como a mamãe ganso, bicando e arranhando até ficar convencido de que tudo funcionava e de que ele sabia o quanto custaria para construir. Foi ele quem insistiu que tudo deveria estar "na especificação"; quem acompanhou Jobs até a Atari para encontrar alguns moduladores, pequenos aparelhos que conectavam o computador a um aparelho de TV; quem plugou um osciloscópio ao computador para checar os sinais saindo do microprocessador para os *chips* de memória e o gravador cassete; quem insistiu, depois de Wozniak sonhar com uma nova abordagem, que ele explicasse, demonstrasse e desenhasse diagramas do projeto. Holt disse: "eu nunca confiei na palavra de Woz". Ele também descobriu o caminho para o coração de Wozniak. "O único truque garantido para fazer Woz trabalhar em algo era se tornar sua audiência ou arranjar uma audiência para ele."

Enquanto isso, Markkula e Scott exerciam sua própria pressão sobre engenheiros e programadores. Enquanto os jovens programadores estavam mais interessados em ajuntar pequenos programas de demonstração para ilustrar o poder do computador, Markkula insistia que eles começassem a trabalhar em programas que as pessoas pudessem usar. Para mostrar o tamanho de sua preocupação, Markkula fez boa parte do trabalho tedioso em um programa de finanças pessoais. Ele também tinha um estilo mais conservador. Quando Wozniak estava compilando um sistema de pontuação para o Breakout e quis incluir QUE MERDA, HEIN? como comentário para quem fizesse poucos pontos no jogo, Markkula o convenceu de que algo mais refinado deveria ser utilizado. Quando os primeiros computadores estavam prontos para ser entregues, Scott forçou os jovens a costurar uma versão abreviada do BASIC para que a Apple pudesse vender máquinas acompanhadas de uma linguagem de programação.

Scott tinha ideias igualmente pragmáticas com relação a produção e finanças. Ele detestava manufatura automática e máquinas de teste caras. Também estava determinado a estabelecer que gente de fora deveria pagar pelo crescimento da Apple e de que eles deveriam sofrer o desconforto dos altos e baixos do negócio. Suas ideias sobre o crescimento da empresa eram o equivalente às de Wozniak sobre os *chips* em um computador. Ambos tinham ideia fixa na produtividade. Scott queria construir uma companhia que fizesse o máximo de trabalho com o menor número de funcionários. "Nosso negócio", disse ele, "era projetar, educar e vender. Eu pensava que a Apple devia fazer o menor trabalho possível e que ela deveria deixar os outros crescerem rápido. Deixe os terceirizados ter os problemas". Scott tinha o compromisso eterno de deixar fabricantes externos fazer tudo que a Apple não conseguisse produzir de modo mais barato. Ele também sentiu que um negócio de crescimento rápido não tinha tempo para dominar as habilidades rudimentares necessárias para produzir componentes confiáveis. Era mais fácil, por exemplo, aumentar os testes de qualidades para placas de circuito impresso preenchidas por fornecedores externos do que pensar em ampliar a força de trabalho e dominar todas as técnicas necessárias para a produção de placas decentes.

Para ajudar com o enchimento de placas, Scott confiava parcialmente em Hildy Licht, uma senhora de Los Altos casada com um conhecido de Wozniak do Clube Homebrew. Licht operava uma fábrica de fundo de quintal. Peças eram entregues em sua casa e ela as distribuía para montadores escolhidos a dedo pela vizinhança, testava o trabalho final e o devolvia à Apple no bagageiro de sua caminhonete. Ela era flexível, conseguia fazer revisões de placas e oferecia entregas de um dia para o outro. Scott também tinha ajuda de uma companhia maior, especializada em testar grandes quantidades de placas de circuito impresso. Ambos eram tipos de fornecedores especializados em aliviar pequenas empresas de tarefas que exigiam trabalho intensivo.

Scott também ficava de olho no caixa da Apple. Ele conseguiu que o Bank of America provesse um sistema de pagamento para tirar da Apple o trabalho de calcular impostos, deduzir pagamentos ao seguro social e emitir cheques. Junto com Gary Martin, que funcionava como seu braço fiscal, Scott monitorava os componentes mais caros, como os *chips* de memória de 16 K. A dupla conseguia comprar *chips* e teclados com pagamento para 45 e 60 dias, respectivamente. Enquanto isso, eles tentavam angariar fundos de clientes com pagamento para trinta dias em todas as vendas. Martin atenta para isso. "Meu trabalho era pegar o dinheiro dos clientes antes de pagar nossos fornecedores. Mantínhamos nossos clientes com uma rédea bem curta." Martin, que já tinha trabalhado em uma empresa de transportes que havia ido a falência depois de transformar suas contas a receber de fato em ficção, também pendia para a administração conservadora do fluxo de caixa. Seus impulsos naturais e a necessidade de dar à Apple um selo respeitável o ajudaram a selecionar auditores de uma das firmas de contabilidade mais famosas do país. Como outros consultores do Vale do Silício, o pessoal da Arthur Young oferecia um desconto no preço do seu primeiro ano de trabalho. A Apple e seus contadores também tiraram vantagem do Tio Sam. Decidindo terminar o ano fiscal da empresa em trinta de setembro de 1977, eles efetivamente receberam um empréstimo sem juros de quinze meses do governo pelo imposto devido no último trimestre de 1976, que normalmente é o melhor trimestre da indústria.

Wigginton, que olhava o presidente da Apple trabalhando, definiu que "O lema de Scott era: vamos fazer dinheiro. Vamos botar isso nas ruas". Scott não se importava em sujar as mãos. Ele se emporcalhava alegremente na área de manufatura ajudando a empacotar computadores em caixas. Depois de empacotá-los, ele os levava no seu carro até o escritório local da UPS. Quando fitas cassete precisavam ser duplicadas, Scott operava os gravadores. Quando a produção superava as encomendas. Scott fazia pilhas de placas de circuito impresso atrás da mesa de Markkula para lembrá-lo do fato.

Quando ficou claro que o plano de Jobs de anexar um belo manual aos computadores causaria um belo atraso, Scott começou a montar o seu próprio. Desde sempre ele havia sido a favor de distribuir simples folhas de dados, então o primeiro manual da Apple continha listagens de códigos e instruções para ligar o computador. Era impresso em um serviço de cópias em um *shopping center* próximo. As instruções eram então enfiadas em capas de relatórios compradas na papelaria MacWhirter, em Cupertino, e embaladas junto ao computador. Alguns meses mais tarde, Scott elaborou um manual um pouco mais refinado, que Sherry Livingston datilografou. Wozniak recorda: "Decidimos incluir o máximo de informação porque não tínhamos muita coisa". Entusiastas que não conseguiam achar as respostas em nenhum dos manuais e mandavam suas respostas recebiam um grosso pacote de rotinas e listagens conhecido como "Wozpack", gerado pela insistência de Wozniak de que o tipo de informação que ele recebera quando estava investigando minicomputadores deveria estar disponível aos donos de Apple II. A pressa para vender era evidente na opaca explicação que acompanhava o programa de demonstração Star Trek. Ela continha apenas uma única linha de instrução: COO. FFR. LOAD. RUN.

Gradualmente, ao longo de 1977, um senso comunitário começou a se desenvolver. Com certeza ele foi auxiliado pelo medo, que agiu como forte cola social, quando, cinco meses após o lançamento formal do Apple II, a empresa chegou perto de fechar. Um terceirizado que havia entregado gabinetes insatisfatórios para a Feira de Computadores da Costa Oeste continuou a fazê-lo. Parte da culpa se devia à decisão de Jobs de utilizar ferramentas leves, mas a maior parte dos problemas foi causada pelos homens que faziam os gabinetes e que eram, na visão ácida de Holt, "um bando de encanadores." As tampas continuavam a entortar e a tampa de um gabinete não cabia em outro. A pintura se recusava a fixar.

Em setembro de 1977, o ferramental principal quebrou e clientes que haviam feito encomendas começaram a ficar impacientes. A Apple estava a milímetros de ganhar uma reputação de ser incapaz de cumprir suas promessas. Dúzias de placas de circuito impresso começaram a empilhar, fornecedores exigiam pagamento normal e o fino colchão de dinheiro da Apple estava vazio. Sem moldes, a Apple ficaria presa sem nenhum faturamento por três meses. Começaram a surgir rumores de que ela seria fechada e Holt até atrasou a contratação de Cliff e Dick Huston, uma combinação fraternal de engenheiro e programador, até estar certo de que a Apple era capaz de emitir cheques de pagamento. "Foi um momento de vida ou morte para nós", relembra Scott. "Nós tínhamos um bom produto e não éramos capaz de produzi-lo." Jobs correu para uma empresa chamada Tempress, no noroeste dos EUA, especializada em produzir moldes para clientes como a Hewlett-Packard. Ele explicou a situação da Apple a Bob Reutimann, vice-presidente da Tempress, que relembra: "Pensei comigo mesmo: 'será que ele sabe o que está fazendo?' Eu estava com um pouco de medo de seguir com o projeto. Pensei: "aí vem outro cara com grandes ideias'." A energia de Jobs valeu a pena assim como sua oferta de um bônus de mil dólares para cada semana que o cronograma do novo molde fosse adiantado. O novo ferramental foi entregue no final de 1977.

Conforme os fundadores e gerentes da Apple tropeçavam e aprendiam a conviver com as fraquezas dos outros, eles gradativamente foram ganhando confiança mútua. A confiança derivava da compreensão das fragilidades dos colegas e de suas habilidades complementares. As primeiras previsões de vendas de Markkula rapidamente se mostraram pessimistas, mas também ficou claro que ele não iria voltar tão rápido à sua aposentadoria. A escolha de Jobs pela técnica errada de manufatura do gabinete, a falta de vontade de Wozniak em terminar um projeto, a recusa de Scott em se preocupar com estética e o hábito de Holt de pegar em detalhes revelavam as fraquezas privadas de cada um.

A mistura de *pedigrees* vinha à tona em discussões sobre detalhes importantes, como o sistema utilizado para numerar peças na engenharia. Todos eles tinham ideias para um sistema que, se projetado porcamente, poderia causar complicações horríveis. Scott observou: "Quando você está trabalhando em uma coisa grande da qual você não sabe as respostas, é muito fácil focar em algo pequeno em que todo o mundo pode dar palpite". Jobs, por exemplo, sonhava com seu próprio sistema fonético, onde um item como um parafuso Philips 632 seria nomeado "PH 632". Era uma noção elegante, mas não tinha a flexibilidade para lidar com bizarrices como os diferentes comprimentos e distinções entre náilon, óxido preto e parafusos de aço inoxidável.

Jerry Mannock, o *designer* do gabinete, sugeriu adotar um sistema como o utilizado na Hewlett-Packard. Alguém queria copiar os procedimentos da Atari. Outros queriam que as peças fossem numeradas de acordo com seu lugar no computador, de fora para dentro. Uns poucos consideravam mais natural trabalhar de dentro para fora. Finalmente, Holt escreveu um documento de cinco páginas detalhando uma fórmula baseada em sete dígitos que dividia as peças em categorias como porcas, arruelas e semicondutores especializados. O documento virou objeto de fanatismo religioso. "Se não havia uma impressão de engenharia e uma especificação associada a um número de peça, então não era um número de peça de engenharia. E aí eles podiam ir pro diabo que os carregue."

Eles começaram a tolerar seus caprichos e idiossincrasias e resolver alguns dos pequenos pontos de confusão. Quando viram que pessoas continuavam procurando por Mike ao telefone sem esclarecer se queriam falar com Markkula ou Scott, o primeiro manteve seu nome, enquanto o último ficou conhecido como Scott. Quando a impressora matricial errática quebrava, todos sabiam quem guardava o vidro de vaselina utilizado para engraxar as engrenagens. Todos aprenderam a suportar a fumaça constante dos cigarros de Holt e os assobios de pássaro de Bill Fernandez e suas ocasionais fugas para feriados Bahai. Eles não se importavam com o carro temperamental de Jobs e suas reclamações de que a primeira festa de natal da Apple não servia comida vegetariana. Scott ficou encantado ao conhecer a cura pessoal de Jobs para aliviar a fadiga: massagear os pés no fluxo da descarga da privada.

A vida no aquário trazia gratificação imediata. A maioria dos empregados acabava ouvindo ou vendo o que estava acontecendo. Quando alguém passava pelo Stevens Creek Boulevard contando 1,2 mil dólares para comprar um novo computador, os garotos da Apple não conseguiam acreditar em seus olhos. Sherry Livingston achava que era como "um grande polvo. Todo mundo fazia um pouco de tudo. Eu não sentia que havia presidentes e vice-presidentes; sentia como se fossemos todos pares". Dias de trabalho começavam normalmente antes das oito da manhã e iam até tarde da noite, com paradas para sanduíches. Muitos dos quase trinta empregados trabalhavam parte ou todo o fim de semana. Gary Martin, por exemplo, passava lá aos fins de semana para dar uma olhada na correspondência, atrás de cheques. Don Bruener, que ajudava a testar as placas de circuito impresso, gostava da imprevisibilidade do trabalho. "Cada dia havia algo diferente a fazer. Como tudo era novo, não havia rotinas." Quando um programa de demonstração era finalizado ou algum *bug* no computador era resolvido, a turma inteira ia inspecionar o progresso. Wigginton relembra que "rolava um grande alvoroço e todos ficavam excitados". Scott, que tinha um apreço todo especial pela falta de burocracia formal, explicou que "não havia tempo para papelada. Nós estávamos muito ocupados correndo para fazer a coisa funcionar." O anonimato da Apple ajudava a reforçar laços de amizade, mas também provocava constrangimentos em gente como Don Bruener: "Contei para meus amigos que trabalhava nessa pequena empresa chamada Apple e eles riram".

Peculiaridades divertidas também eram a marca de visitantes regulares. Um dos que ligavam com maior frequência era John Draper, que havia saído de uma prisão de segurança mínima em Lompoc, na Califórnia, depois de ser condenado por *phone preaking*. Na Apple, ele logo chegou a um acordo casual com Wozniak para projetar uma placa de circuito impresso que podia ser plugada em um dos *slots* do Apple e transformar o computador em um enorme discador de telefone. Foi apelidada de placa Charlie. Era capaz de produzir tons de discagem e podia ser deixada durante a noite escaneando bancos de números de telefone de chamadas gratuitas e compará-los com números de código de clientes. Os códigos podiam, então, ser utilizados para fazer chamadas. O resultado desses testes trabalhosos eram impressos em uma impressora. Wozniak pensou que ele "podia ser um dos grandes produtos de todos os tempos" e programou um Apple para discar várias vezes durante a noite para a casa de um amigo. Apesar de Wozniak ter ajudado a modificar o *design*, Markkula, Scott e Jobs não queriam ter nada a ver com Draper, que concluiu que "eles eram covardes e paranoicos por eu estar no escritório". Havia boas razões para isso. Draper levou um Apple e uma placa Charlie para a Pensilvânia e foi preso. Ele acabou se declarando culpado do roubo de 50 mil dólares em chamadas telefônicas e foi para a cadeia novamente.

O ambiente de trabalho acabava preenchendo as necessidades emocionais de vários dos empregados. Para os adolescentes, o computador era o que fascinava. Wigginton, que passava a maior parte do seu tempo com Wozniak, pegava o turno da noite natural para um jovem engenheiro. Ele trabalhava entre as três e as sete da manhã, desaparecia para a escola e uma soneca e voltava à Apple no final da tarde. "Meus pais não gostavam muito disso, mas estavam começando sua separação. A Apple com certeza substituiu minha família." Quando ele conseguiu se formar um ano mais cedo, em junho de 1977, quase toda a empresa tirou a tarde de folga para assistir à sua colação de grau e lhe dar um vale-presente de cinquenta dólares.

Chris Espinosa, enquanto isso, começou a cabular aulas na Homestead e se formou raspando com pontos quase insuficientes para entrar numa faculdade decente. Ele abandonara sua rota de entrega de jornais, que pagava um centavo por jornal, em troca do trabalho de meio período de três dólares por hora na Apple. Depois de uma de suas primeiras noites varadas trabalhando em algum *software* com Wozniak, sua mãe (que também se juntou à Apple mais tarde) o proibiu de trabalhar por um tempo. Espinosa logo retornou, ajudando Markkula a demonstrar o computador em lojas das redondezas e decidindo que, quando ele precisasse de óculos, eles seriam sem aro como os de Markkula.

Para Jobs e Wozniak, a Apple sempre foi um refúgio de tumultos privados. Wozniak, que ou estava trabalhando em um computador no escritório ou em outro em casa, via pouco sua esposa. Os dois passaram por algumas tentativas de "dar um tempo" e ele dormiu algumas vezes no sofá do escritório. As conversas sobre dar um tempo acabaram virando conversas sobre uma separação definitiva e Wozniak, para quem o divórcio era uma vergonha, achou-se incapaz de trabalhar enquanto não resolvesse alguns problemas críticos. "Eu não queria que minha mulher tivesse ações. Eu queria comprá-las dela." Ele foi atrás dos conselhos de Markkula, que lhe indicou um advogado que redigiu um acordo de separação dando a Alice, casada por dezessete meses com Wozniak, 15% de suas ações da Apple. Alice se sentiu isolada: "Disseram a Steve para não me levar à casa de Mike Markkula se eles fossem discutir negócios da empresa".

Jobs tinha seus próprios problemas. No verão de 1977, ele, Dan Kottke e sua antiga paixão da faculdade, Nancy Rogers, fizeram um *tour* por Cupertino inspecionando casas e rindo do estilo que eles chamavam de "rancho subúrbio". Acabaram encontrando uma casa de quatro quartos que pertencia a um engenheiro da Lockheed, que ficava a menos de quinze minutos da Apple. Era um modelo rancho subúrbio especial, com carpete bege de parede a parede, esquadrias de alumínio e cozinha totalmente elétrica. Jobs moveu sua mobília, que consistia em um colchão e uma almofada de meditação, para o quarto principal, enquanto Kottke dormia na sala em um colchete de espuma perto de um velho piano. Não era uma existência muito convencional. Kottke encheu um pequeno quarto até a altura das coxas com pedaços de espuma e deixava as crianças do bairro pular em cima deles.

Nancy Rogers estava nervosa. "Eu era muito insegura e garotos de vinte e poucos anos não são muito bons com mulheres. Eles precisavam provar que eram bons. Eu ficava com medo de sair. Não tinha muito dinheiro. Não conseguia pintar." Rogers ligava para Jobs no escritório, pedindo-lhe que voltasse e ajudasse a consertar soquetes de lâmpadas quebrados. Ela jogava pratos em Kottke e Jobs, derrubava livros das prateleiras, rabiscava obscenidades com um pedaço de carvão nas paredes do quarto de Jobs e batia a porta tão forte que acabou fazendo um buraco na parede. Engravidou, aceitou um emprego na Apple ajudando na montagem, desdenhou de uma oferta de Holt para aprender desenho técnico e finalmente largou a Apple e saiu da casa. "Steve não se importava que eu estava grávida. Eu tinha de ir para longe dele, da Apple e da opinião das pessoas."

Para Jobs foi uma época difícil e Holt comenta sua reação ao turbilhão emocional. "Certas vezes eu me sentia como se fosse seu pai; outras, como seu irmão." Jobs, que sempre procurou um irmão mais velho substituto, também começava a entender que ele não precisava imitar o comportamento de outra pessoa. "Eu via Mike Scott e Mike Markkula e não queria ser como nenhum dos dois, mas havia partes deles que eu admirava muito." Ele começou a perceber a diferença que havia entre uma operação em uma garagem e um negócio, por menor que fosse. O problema era que o resultado do trabalho de uma dúzia de pessoas (para não dizer de cem) não era previsível e tal imperfeição, para alguém que sempre exigia o melhor, era incrivelmente difícil de tolerar.

Jobs também estava se ajustando à ideia de que computadores e *software* não podem ser finalizados em poucas semanas e que o progresso neles não era algo que podia ser facilmente mensurado. Como gerentes em outras empresas cujo futuro girava em torno de domar a tecnologia, ele descobriu que o progresso é invisível até que se consiga colocá-lo funcionando em cima de uma mesa. Quando Wozniak começou a escrever uma versão de BASIC de ponto flutuante, ele sentiu a tensão. "Steve não tinha a menor ideia do que é preciso para escrever um código desse tipo. Se algo parecia errado, ele queria mudar tudo imediatamente. Sempre queria manifestar sua influência e mudar o que era feito."

Mas Jobs contribuiu bastante. Ele sempre foi o dínamo da empresa, e sua personalidade. Começou adicionando zeros às vendas brutas da Apple antes que os outros começassem a pensar na casa das centenas e a falar em milhões antes de seus colegas imaginarem milhares. Quando Markkula disse que logos coloridos nos cassetes eram muito caros, Jobs o dobrou. Quando Scott ergueu as mãos horrorizado com a ideia de oferecer uma garantia de um ano no computador quando o padrão da indústria eram noventa dias, Jobs caiu em prantos e teve de ser acalmado com o ritual costumeiro (uma volta ao redor do estacionamento), mas acabou ganhando a parada. Quando Gary Martin descobriu um cheque de 27 mil dólares que havia sido esquecido, Scott queria utilizá-lo para comprar um novo molde, Markkula queria gastá-lo em uma propaganda na *Scientifc American* e Jobs queria fazer ambos. A Apple acabou comprando um molde e uma propaganda.

As brigas e as discussões entre Jobs e Scott eram tão constantes na vida da Apple que elas ficaram conhecidas como As Guerras Scottyanas. Mas as querelas também tinham seus momentos divertidos. No vigésimo terceiro aniversário de Jobs, ele se assustou ao encontrar uma coroa funerária decorada com rosas brancas em seu escritório. Ela carregava um cartão sem assinatura com a mensagem "Descanso em paz – pensando em você". Jobs demorou a descobrir que o perpetrador fora Scott, que adotou a rosa branca como seu selo pessoal.

Markkula ficava entre os dois vulcões. Ele tratava Jobs mais ou menos como um tio cuidaria de seu sobrinho favorito, mas também deixava Scott segurá-lo. Scott e Jobs conseguiam tomar decisões difíceis mais facilmente que o gentil Markkula. Talvez em razão da calma da vida familiar, Markkula era mais cordial, pontual e polido. Ele evitava amarrar seu destino tão fortemente à empresa como Scott e Jobs. Conforme a Apple crescia, ele delegava mais funções. "Se não funciona", não cansava de repetir, "conserte". Ele também deixava as pessoas falharem. Jean Richardson, que entrou na Apple em 1978, disse que "não gostava de descer e bater o punho na mesa. Preferia que as pessoas resolvessem os problemas entre elas. Ele sempre dizia: 'vocês dois resolvam isso'." Um programador disse que "ele parecia ter uma vontade enorme de que todos gostassem dele. Fazia as coisas de um jeito tão sutil que era impossível atribuir-lhe qualquer coisa ruim". Outros o achavam imperturbável e um eterno otimista, qualidades importantes em uma posição em que gerentes normalmente passam a maior parte do tempo lidando com problemas. Trip Hawkins, um gerente de *marketing* da Apple, relembra: "Markkula absorvia as coisas como uma esponja. Ele também era capaz de fazer você ver um unicórnio em um campo."

Com as características pessoais começando a ficar claras, o trabalho continuou e apareceu um projeto que intensificou todas as tensões existentes. Era uma minirreprise do desenvolvimento do computador Apple II e misturava desenvolvimento tecnológico com uma necessidade criativa e pressão sem limites: era uma interface que conectava o computador a um *drive* de disco em vez de um gravador cassete.

Drives de disco rígido não eram coisa nova. Os computadores *mainframe* os usavam desde 1956. Mas, da mesma forma que a evolução da eletrônica levou ao microprocessador, os *drives* de disco também foram ficando progressivamente menores. Quando foram usados pela primeira vez em *mainframes*, discos rígidos tinham o diâmetro de cerca de sessenta centímetros e eram empilhados dentro de gabinetes do tamanho de armários. Os eram ligados ao computador por um aparelho embutido em uma grande caixa conhecido como o controlador. Mesmo assim, ofereciam enormes vantagens em relação aos rolos de fita magnética que armazenavam informação anteriormente. Em vez de esperar por centenas de metros de fita passar até chegar a um determinado ponto, a informação podia ser pescada por uma pequena "cabeça" que flutuava sobre um disco girando rapidamente. Em 1972, a IBM anunciou um grande avanço na tecnologia de *drives* de disco e apresentou um disco flexível que não era maior que um cartão de aniversário e que rapidamente se tornou conhecido como disquete. Os *drives* de disco foram reduzidos a caixas não muito maiores que um pequeno dicionário e, de um gabinete, o controlador virou uma placa de circuito impresso. O disquete era um avanço que os publicitários da IBM não hesitaram em comparar a um jato jumbo voando a centímetros do solo por vários quilômetros sem queimar seus pneus.

Fitas-cassete ligadas a computadores tinham as mesmas deficiências dos rolos de fitas ligados a máquinas *mainframe*. Elas eram tão lentas que carregar uma linguagem como o BASIC podia demorar dez minutos e achar dados era uma questão de tentativa e erro. Comparando, um *drive* de disco podia achar dados em segundos. Gary Kildall, o fundador da Digital Research, uma empresa de *software*, havia escrito para Jobs e reclamado da interface de cassete de Wozniak. "O subsistema de cassete é particularmente frustrante. Usei dois gravadores diferentes e os achei igualmente instáveis... Preciso dizer que seu sistema de armazenamento é de um nível totalmente amador."

Na Apple havia uma ação conjunta para plugar um *drive* de disco ao computador. Jobs fazia visitas semanais a Shugart, uma empresa do Vale do Silício que fora uma das primeiras a fabricar *drives* de disco e implorava a seus executivos que fornecessem para a Apple. Enquanto isso, Wozniak estudava os circuitos utilizados pelos engenheiros da IBM, que tinham desenvolvido um controlador de disco, e também a abordagem empregada por uma nova companhia de Berkeley, a Northstar. Mas Wozniak só começou realmente a trabalhar nisso pouco antes do Natal de 1977. Sua tendência de procrastinar trazia desconforto à vida de Scott, que, ansioso para lançar o *drive*, dizia: "Woz conseguia levar um produto até o ponto de crise para começar a trabalhar. Era como se ele precisasse da injeção de adrenalina de estar quase atrasado para conseguir criar". Mas, uma vez que Wozniak começou a trabalhar no controlador de disco, ele não parou até ele estar finalizado. Holt, que mais uma vez bancava o mestre de obras, refletiu: "Era algo perto da insanidade quando ele levava sua mente para tão perto da máquina". Jean Richardson também mantinha um olhar maternal sobre ele. "Ele era um fantasma que aparecia e desaparecia nos mais estranhos horários. Varava a noite trabalhando. Eu o encontrava saindo quando chegava para trabalhar de manhã. Comer e dormir pareciam não ser importante." Wozniak trabalhou furiosamente por umas duas semanas, acompanhado por Wigginton, que escrevia programas para testar o *drive*, e Holt, que o importunou até ficar convencido de que o aparelho iria funcionar de verdade.

Quando o *drive* foi anunciado na Consumer Electronics Show no começo de 1978 e sujeitado a uma análise mais cuidadosa algumas semanas depois na Segunda Feira de Computadores da Costa Oeste, a reação foi unânime. A placa controladora do disco usava muito menos *chips* que qualquer aparelho concorrente e Wozniak a considerava "o *design* favorito de toda a minha vida".

Amigos engenheiros também aplaudiram. Lee Felsenstein, que um ano antes havia sido tão cético sobre Jobs e Wozniak e o computador em uma caixa de charutos, olhou para a controladora e lembra: "Eu quase mijei nas calças. Era tão inteligente. Pensei: 'é bom ficar fora do caminho desses caras'." Na Commodore, Chuck Peddle estava dirigindo um grupo de *design* que também estava trabalhando em um *drive* de disco, mas foi ultrapassado na linha de chegada. Ele pensava sobre o *design* de Wozniak em termos geopolíticos e disse: "ele mudou totalmente a indústria". Até o *drive* ser anunciado, tanto a Apple quanto a Commodore e a Radio Shack vinham resolvendo problemas embrionários com sua manufatura e nada separava muito as empresas. A Apple também sempre tinha computadores em estoque e, quando fornecedores visitavam Cupertino, eles não eram levados à parte do edifício onde o inventário era empilhado. Uma vez anunciado o *drive*, as coisas mudaram.

Depois que o *design* foi finalizado e a Apple trouxe seus *drives* de disco à vida, Scott resolveu utilizar sua pressão sem limites para o bem. Os *drives* que chegaram do único fornecedor da Apple, a Shugart, uma subsidiária da Xerox Corporation, não eram confiáveis. Então os engenheiros e técnicos do laboratório canibalizaram peças para produzir drives funcionais e se dobraram às exigências implacáveis de Scott. Ele insistia que a Apple tinha de começar a vender os *drives* de disco mesmo que não houvesse tempo suficiente para terminar um manual completo. O resultado da pressão de Scott e a qualidade do folheto magrelo que acompanhou os primeiros *drives* de disco ficaram claros em uma reclamação de um cliente do sul da Califórnia enviada a Markkula: "Seus filhos da mãe. Eu comprei um Apple com *floppy* e ninguém, repito, ninguém em L.A. ou San Diego sabe como usar esta porcaria para acesso randômico de arquivos. Sinto-me como se tivessem passado a mão na minha bunda. Todo mundo fica falando sobre esse grande manual nos céus que vai chegar em breve!!! Porra! Eu preciso dessa coisa funcionando agora em minha empresa, não no ano que vem. Vão se ferrar! Espero que seus cachorros morram!"

> ***"O Star é um porco inacreditável,"***
>
> ***disse Hertzfeld.***

Um comentário oblíquo sobre o modo de vida em uma grande empresa foi fixado em um quadro de avisos no laboratório de engenharia do Mac. Era uma visão crítica e ressentida do desenvolvimento de um computador e da burocracia na Apple. Para a questão acadêmica "Quantos empregados da Apple são necessários para trocar uma lâmpada?", o cético anônimo respondeu:

Um para dar entrada na reclamação do usuário sobre a lâmpada ruim.
Um para revisar as especificações de interface do usuário.
Um para projetar novamente a lâmpada.
Um para construir o protótipo.
Um para aprovar o projeto.
Um para vazar a notícia para a imprensa.
Um gerente de área para coordenar o projeto.
Um gerente de projeto.
Dois gerentes de *marketing* de produto.
Um para escrever o plano de revisão de produto da lâmpada.
Um para analisar a lucratividade da lâmpada.
Um para negociar o contrato com os fornecedores.
Sete para testes alfa da lâmpada.
Um para revisar o sistema operacional da lâmpada.
Um para obter a certificação do FCC.
Um para escrever o manual.
Um para fazer as traduções estrangeiras.

Um para desenvolver o pacote de treinamento do produto lâmpada.
Um para desenhar as artes.
Um para desenhar a embalagem.
Um para escrever a folha de dados.
Um para desenvolver a *demo* autoexecutável da lâmpada.
Um para proteger a lâmpada contra cópias.
Um para escrever o ECO.
Um para projetar vendas.
Um para entrar com o número de peça no sistema.
Um para registrar encomendas para cada lâmpada.
Um para o Controle de Qualidade da lâmpada.
Um para distribuir a lâmpada.
Um para fornecer amostras da revisão para os fornecedores.
Um para organizar a festa de lançamento do produto.
Um para fazer o comunicado à imprensa.
Um para explicar a lâmpada para a comunidade financeira.
Uma para explicar a lâmpada para a equipe de vendas.
Um para comunicar a estratégia para a nova lâmpada para as revendas.
Um para treinar o suporte.
E um técnico de suporte para trocar a lâmpada.

Alguns membros do grupo Mac estavam rodeando um protótipo do Lisa. O programador Andy Hertzfeld fez um comentário enquanto Michael Boich mexia em algumas funções da máquina. “Eu não poderia trabalhar no Lisa”, disse Hertzfeld a ninguém em particular. “A única coisa que fica pronta lá e feita por comitê e política. Lisa é um produto da engenharia competente.”

Boich e Hertzfeld olhavam o desempenho do Lisa com o ar crítico com que homens costumavam inspecionar tachos e pistões. Boich apertou um botão no *mouse* e Hertzfeld falou enquanto ele via uma lista aparecer na tela. “Eles arranjaram uma fonte muito feia para os menus. Eu já vi ele demorar cinco minutos para desenhar um menu.”

Boich riu entre os dentes. “Ele trava loucamente.”

"É um uso totalmente errado do menu", Hertzfeld insistia com o ar de um monge indignado.

"Olhe aí. Entrou em modo travado", Boich disse enquanto esperava um arquivo aparecer na tela. "Eles têm muita coisa a fazer ainda."

"Nós nunca teremos esses tipos de problemas de desempenho", disse Hertzfeld, "mas nossos programas nunca serão tão grandes".

O gerente de engenharia, Bob Belleville, que estava assistindo à cena da entrada da baía, alertou baixinho, "nunca não é uma palavra com a qual eu fico confortável". Ele disse que os comentários o lembravam de uma época na Xerox quando alguns colegas, que estavam desenvolvendo uma impressora a laser, receberam a notícia de que havia sido lançada uma máquina de um concorrente dizendo "nossas especificações são muito melhores que essas".

Boich continuou a brincar com a máquina, olhou Hertzfeld e comentou que o computador da Xerox tinha algumas semelhanças com o Lisa. "Ele é tão rápido quanto o Star."

"O Star é um porco inacreditável. É um desastre. É inutilizável", disse Hertzfeld. Ele apontou para o Lisa e acrescentou: "Para ver como ele é lento, você deveria tentar abrir outro programa".

"Estou com medo de fazer isso", sorriu Boich ironicamente.

"É um tributo a três anos de programação, quando funciona", disse Hertzfeld.

Os Melhores Vendedores

Os guardiões da Apple aprenderam muito rapidamente a arte de fazer amigos e influenciar pessoas. Markkula, que conduzira os primeiros contatos da Apple com gente de fora, usava precisamente a mesma técnica empregada por Scott para gerenciar os assuntos internos da empresa. Markkula fazia os outros ajudarem a Apple a crescer. Mais do que qualquer um de seus companheiros, ele compreendia a importância da aparência. O tom de sua estratégia resumia-se na maneira como ele sempre incentivava Jobs a melhorar o seu guarda-roupa. "Você julga um livro pela sua capa", repetia constantemente para o sócio mais jovem. Ele reconhecia o poder do luxo. Sabia que era mais importante dedicar atenção concentrada a apenas algumas pessoas. Compreendia que investidores reputados transmitiam ao negócio aquele verniz que não se poderia obter de nenhuma outra maneira, e a agência Regis McKenna demonstrou que um artigo publicado numa revista era bem mais barato e muito mais influente que um encarte colorido.

Mais do que um triunfo do *marketing*, a Apple era um produto da rede de notícias boca a boca que interconectava investidores e jornalistas num círculo de fofocas. No deselegante jargão do ramo, a Apple se concentrava nos formadores de opinião. Sentia que as pessoas desprovidas do tempo, interesse e presença de espírito para investigar a excêntrica turma que fazia o Apple II iriam confiar no julgamento de gente que já fosse rica ou conhecesse alguma coisa sobre computadores, pois os investidores e jornalistas compartilham pelo menos uma característica: tanto os homens do dinheiro quanto os "escrevinhadores" comportam-se como um rebanho.

De cara, Markkula sabia que uma aliança com um par de financistas experientes era muito mais valiosa que obter seus investimentos. Embora os seus próprios investimentos pessoais fossem bem-sucedidos, Markkula não tinha experiência direta com nenhuma das mais de duzentas empresas que compunham o mercado de capitais, as quais, em troca de ações, proviam o financiamento para empresas novas. Inicialmente, Markkula pretendia esperar até que a Apple provasse que poderia fabricar o seu computador e só então procuraria os investidores de risco, sabendo que conseguiria um preço mais alto para as ações da empresa se provasse que a Apple não passava por uma necessidade desesperada de dinheiro. No outono de 1977, os problemas de qualidade do gabinete ameaçavam exaurir a linha de crédito da Apple, deixando Markkula sem opções. Os lucros da venda do computador mal bastavam para manter a empresa. A situação era tão ruim que Markkula e Scott fizeram do próprio bolso uma injeção de quase 200 mil dólares para remediar as coisas até que se concluíssem as negociações formais para obter mais dinheiro.

Mais uma vez, a Apple apelou para rostos conhecidos. Hank Smith fora um colega de Markkula na Fairchild e também na Intel. Ele era um exuberante homem de cabelo ruivo que deixara a Intel e mudara-se para Nova York para se tornar sócio geral da Venrock, o braço de capital de risco da família Rockefeller. Na hierarquia informal dos fundos de risco, a Venrock era considerada uma das melhores, e havia ainda a vantagem de que ela nunca financiara uma empresa de microcomputadores. Markkula fez a primeira abordagem a Smith na primavera de 1977 e, durante vários meses, a Venrock acompanhou a evolução da Apple. John Hall, que ajudara a escrever o plano de negócio, chamou a Venrock e discutiu a perspectiva da Apple com dois dos sócios. Quando Smith estava na Costa Oeste, visitando outros investimentos da Venrock, ele fez questão de dar uma passada no escritório da Apple em Cupertino. A empresa de capital de risco abria em média sete investimentos por ano, mas nada havia, além de uma amizade pessoal, que pudesse interessar na Apple o seu pessoal. Hank Smith disse: "Nós provavelmente nem olharíamos para a Apple se não fosse por Mike Markkula". Finalmente, Markkula, Jobs e Scott receberam, no outono de 1977, um convite para encontrar-se com os sócios da Venrock e apresentar suas projeções sobre a Apple.

Embora o plano anterior tivesse sido considerado agressivo, a Apple, apesar de todos os problemas de qualidade com o gabinete, estava conseguindo bater as suas previsões de vendas. A apresentação disfarçou muito o estresse que a precedera. Mesmo com Markkula tendo escrito um prospecto e baseado muitas das suas previsões em projeções financeiras de Gary Martin, foi o tato, e não a ciência, que conduziu o dia. Sherry Livingston observava enquanto as previsões eram feitas. "Era uma piada a forma como eles vinham com projeções. Eram tantas projeções que eles bem poderiam fazer uma banca de apostas."

Fosse como fosse, o plano de negócio refletia a aparência de ordem e senso de foco que Markkula e Scott haviam trazido para a Apple. Na noite imediatamente anterior à apresentação aos sócios da Venrock em Nova York, Scott permaneceu em Cupertino com a maioria do restante da empresa, devorando fatias de pizza e ajudando a copiar, colar, grampear e encadernar o prospecto. Viajou para Nova York num avião "corujão", cochilou um pouco no Hilton durante a madrugada e então acompanhou Hank Smith, Markkula e Jobs até o escritório da Venrock. Com o acordo mais ou menos fechado, o trio dirigiu-se ao aeroporto. Scott encontrou alguns colegas da National Semiconductor na fila de passagens e deu-se o luxo de comprar bilhetes de primeira classe para ele e seus companheiros.

Ao mesmo tempo em que negociava com a Venrock, Markkula andava conversando com Andrew Grove, o vice-presidente executivo da Intel. Grove, um refugiado húngaro linha-dura, de rosto expressivo e cabelos crespos, tinha obtido a reputação de ser tão barulhento e implacável quanto um martelo a vapor (na Intel ele insistia que todos os funcionários atrasados anotassem seus nomes num livro, e era famoso por despachar pequeninas reprimendas apelidadas de "Grovegramas"). Markkula esperava que Grove passasse à Apple um pouco da experiência que ele adquirira erguendo as fábricas da Intel. Grove engoliu a isca e adquiriu 15 mil das 25 mil ações que Markkula ofereceu, mas decidiu não se tornar diretor, achando que ele já tinha coisas demais para se preocupar na Intel e não poderia pensar em se envolver com mais uma jovem empresa. Nos meses subsequentes, lembra-se Scott, "ele continuou ligando. Ele dizia: 'Gostaria que vocês parassem de roubar o meu pessoal', e logo a seguir dizia: 'Quer me vender mais algumas ações da Apple?'"

Outro membro do conselho de diretores da Intel, Arthur Rock, tinha visto uma demonstração do Apple II, feita por Markkula. Como consequência, a alguns dias de a Apple estar pronta para assinar o seu acordo com a Venrock, Rock ligou para Hank Smith na Venrock e para Mike Scott na Apple, expressando seu interesse na oferta. Em meados dos anos 1970, receber um telefonema de Arthur Rock era visto por outros capitalistas de risco, "*underwriters*", banqueiros comerciais e corretores como o equivalente financeiro da fumaça branca saindo de uma chaminé no Vaticano. Rock era um cinquentão que investia nas empresas que fizeram a ponte entre os anos derradeiros da válvula eletrônica e a era do circuito integrado. Como financista baseado em Nova York, ele tinha ajudado a obter o financiamento inicial para a Fairchild Semiconductor. Juntamente com um sócio, participou da ascensão da indústria de minicomputadores mediante investimento na Scientific Data Systems, que, em 1969, foi vendida à Xerox numa troca de ações no valor de 918 milhões de dólares. A parcela de Rock valia 60 milhões. Em 1968, quando uma dupla de gerentes seniores saiu da Fairchild para fundar a Intel, eles foram até Arthur Rock em busca de orientação e dinheiro. Rock investiu trezentos mil dólares de seu patrimônio pessoal, fez acordos para levantar mais 2,2 milhões e tornou-se o primeiro presidente da empresa. Ele deu conselhos críticos sobre vários pontos e, quando a gerência da Intel hesitou quanto a tentar criar um mercado para seu primeiro microprocessador, o seu incentivo foi decisivo.

Rock evitava publicidade para si, nunca fora assunto de um perfil em jornal ou revista, raramente aparecia em reuniões de associações de investidores de risco, tocava seus investimentos pessoais com discrição e conduzia a maioria de seus negócios a partir de um escritório na Montgomery Avenue em San Francisco ou, então, de um apartamento tríplex de 450 mil dólares em Aspen. Ele tinha um aspecto austero e o físico bem cuidado de alguém que praticava uma hora de exercícios toda manhã. Era um grande fã de beisebol e frequentemente encarava o vento do Candlestick Park em San Francisco, onde tinha uma cadeira cativa na primeira fileira, a 25 metros da *home plate*. Também era um entusiasta e apoiador do balé e ópera de San Francisco, além de colecionador de obras de arte modernas de artistas como Robert Motherwell e Hans Hoffman. Ele tinha ideias anacrônicas: achava que a televisão era a maldição da sociedade moderna, que a maconha embotava a mente e que não haveria inovações significativas na literatura e na arte durante algumas décadas. Um de seus colegas capitalistas de risco o definiu assim: "ele pode ser charmoso e cativante e, ao mesmo tempo, um FDP frio".

Quando conseguiam arrancar Rock de seu escritório em San Francisco ou da estação de esqui em Aspen, os gerentes das pequenas empresas desdobravam-se em apresentações para ele. Como muitos capitalistas de risco experientes, Arthur Rock não era um apostador. Ele fazia apenas três ou quatro investimentos por ano e fornecia somente um suprimento modesto de dinheiro, até ter certeza de que a empresa daria certo ou que ele poderia se dar bem com a diretoria. Ele possuía a reputação de se entediar facilmente, tinha pouca paciência com contribuições corporativas para entidades filantrópicas, como a United Way, e também era conhecido por falar muito pouco durante as reuniões de diretoria. Frequentemente, interrompia as sugestões com uma pergunta: "Para que propósito isso serviria?" Tommy Davis, sócio de investimento de Rock durante boa parte dos anos 1960, disse: "Ele só quer a resposta certa". Andrew Grove definia Rock como "um piloto de avião que enxerga a geografia bem melhor que as pessoas que estão dirigindo no chão." Assim sendo, quando Rock contatou a Apple, foi por conta da sua reputação luxuosa.

O investimento de Don Valentine, o capitalista de risco que aliara Markkula à Apple, era em parte obra de uma coincidência. Quando Valentine encontrou Markkula, Jobs e Hank Smith jantando juntos no restaurante Chez Felice em Monterey, ele tinha uma boa ideia do que estaria em discussão. Mandou entregar na mesa do trio uma garrafa de vinho com um bilhete que dizia: "Não se esqueçam de que eu tenho planos de investir na Apple".

Em janeiro de 1978, com o contrato de financiamento pronto e todos os papéis assinados e autenticados e todos os certificados de ações intercambiados, a Apple era avaliada em três milhões de dólares. O financiamento levantou 517,5 mil dólares, sendo 288 mil da Venrock, 150 mil de Valentine e 57,6 mil de Arthur Rock. Em troca, Markkula e Scott solicitaram dos investidores um acordo informal garantindo um mínimo de cinco anos para os compromissos.

Passados seis meses, a informação sobre a Apple começou a vazar. Quando Michael Scott e os demais apareceram na feira Consumer Electronics Show no verão de 1978, viram-se cercados de investidores do Continental Illinois Bank de Chicago, que queriam investir quinhentos mil dólares na Apple. O valor das ações já tinha triplicado em relação ao de três meses atrás. Os sócios da Venrock resmungaram contra o aumento, mas acabaram fazendo um novo investimento e se tornaram donos de 7,9% da companhia; Valentine reclamou que o preço estava elevado demais e se recusou a aumentar o seu quinhão inicial.

Meses após o primeiro financiamento, Scott recebeu outra ligação, mas desta vez de um amigo próximo de Rock, Henry Singleton, presidente da Teledyne, uma das empresas que ajudaram a tornar "conglomerado" uma palavra da moda na década de 1960. Rock tinha ajudado na estreia da Teledyne e fazia parte do conselho de seis diretores. Scott ficou totalmente surpreso com o fato de o presidente de uma empresa de dois bilhões de dólares, que vendia seguros de vida e produzia coisas como motores para veículos blindados, aparelhos de hidromassagem, equipamentos para perfuração de poços de petróleo e um bizarro aparelho eletrônico para contar as mordidas de uma pessoa em dieta ligasse para a Apple Computer a fim de aprender sobre os caprichos internos do Apple II.

Assim como Rock, Singleton não tinha fama de sentimental. Ele era conhecido por gerenciar as subsidiárias da Teledyne como se elas fossem itens em seu *portfólio* pessoal de ações; tinha olho para os detalhes, devoção pelo dinheiro e nenhum pudor na hora de ordenar encerramentos sumários. Scott respondeu às perguntas de Singleton com paciência e depois perguntou a Rock se o seu colega de investimento não se interessaria em se tornar um diretor da Apple. Rock achou isso impossível e disse que Singleton já servia em apenas um conselho e estava tentando se livrar dessa obrigação. Ele disse a Scott: "Se eu perguntar, a resposta dele só pode ser não".

Scott insistiu e, quando a Apple anunciou o seu *drive* de disquete, fez que um deles fosse entregue em mãos no escritório de Singleton em Century City. Ele sabia que Singleton não apenas possuía um Apple em seu escritório, como também tinha outro em casa e estava aprendendo a programar em linguagem de máquina. A reunião, que duraria meia hora, acabou tomando o dia inteiro e culminou num almoço no clube de campo de Beverly Hills, onde Singleton impressionou Scott ao pagar a conta com dinheiro vivo em vez de usar o cartão de crédito. Quando Rock soube que Singleton convidara Scott a visitá-lo em casa, ele sentiu que o nó estava atado: "Você o tem no bolso". Singleton adquiriu 100,8 mil dólares em ações da Apple e tornou-se diretor em outubro de 1978.

Com o recrutamento da Venrock e de Arthur Rock e Henry Singleton, Markkula provou que não tinha reservas quanto a vender partes da empresa para pessoas qualificadas. Ao contrário de algumas das outras empresas de microcomputadores, que receavam que os investidores tomassem o controle para si e virassem ditadores, os homens da Apple reconheceram a ajuda que eles podiam oferecer. Mais importantes que as injeções de capital foram os benefícios intangíveis da experiência e reputação dos financistas. Eles monitoravam o crescimento de outras pequenas empresas, sobreviveram a dias ruins, estavam cientes de possíveis obstáculos e poderiam adicionar uma perspectiva experiente ao ritmo caótico e frenético de uma empresa novata. Também poderiam dar conselhos sobre a maneira de otimizar os impostos, ajudar a bolar uma estratégia de distribuição, providenciar conexões com pessoas úteis e ajudar a seduzir gerentes experientes. Por reconhecer isso, a Apple tratou de facilitar a vida dos investidores. Ela agendava as reuniões do conselho de forma que coincidissem com os dias em que Rock viajava para comparecer às reuniões do conselho da Intel, e Scott frequentemente levava e trazia Singleton de carro do aeroporto de San Jose.

Embora as vendas de ações iniciais da Apple fossem obscurecidas pelo anonimato, as reputações dos primeiros investidores eram grandes demais para ocultar. O interesse deles na Apple era precisamente o tipo da coisa que fornecia matéria-prima de fofoca aos investidores de risco. Rumores percorriam os almoços mensais da Associação dos Capitalistas de Risco do Oeste e eram partilhados entre os banqueiros na primeira classe dos aviões que faziam a ponte aérea entre San Francisco e Nova York ou entre quem tomava seu desjejum no hotel Rickey's Hyatt no Camino Real, em Palo Alto. Os mais articulados poderiam coletar a informação examinando os arquivos no *lobby* bem-mobiliado do escritório da Secretaria de Corporações da Califórnia, em San Francisco.

Investidores colocando dinheiro na mesa demonstravam confiança. Analistas do mercado de ações que punham opiniões no papel eram outro sinal positivo. No final da década de 1970, Ben Rosen era um dos mais influentes analistas de empresas eletrônicas de Wall Street. Ele acompanhara a indústria por muitos anos e gostava de *gadgets*. Todo ano, passava algumas semanas passeando pelas feiras da indústria, ficava de olho em produtos novos, não acreditava de imediato nas histórias dos gerentes seniores e solicitava pacientemente as opiniões de gerentes médios e juniores.

Markkula e Scott eram justamente dois dos gerentes jovens que Rosen já tinha encontrado. Ele conhecera ambos enquanto ainda estavam na Fairchild e ensinara Markkula a usar uma calculadora programável durante uma das suas inspeções na Intel. Os gerentes da Apple deram assistência a Rosen, que começara a usar um Apple em abril de 1978. Rosen tinha direito a um tipo de suporte ao cliente que seria reservado a xeques e príncipes. Quando ele não entendia algum recurso do Apple ou não achava uma explicação satisfatória no manual, ligava diretamente para a casa de Jobs ou Markkula, que chegou a oferecer ações a Rosen, que as recusou polidamente, mas ele visitava a Apple e quase sempre recebia respostas diretas a perguntas diretas. Scott disse: "Ben sempre tinha informação adiantada em um ou dois anos sobre o que estava acontecendo". Essa atenção foi recompensada.

Muitos jornalistas que cobriam os anos iniciais da indústria de microcomputadores eram os mesmos que antes tinham coberto a indústria de semicondutores e eles tinham aprendido a confiar em Rosen. Dentre uma multidão de pessoas cujo negócio era alavancar empresas e impulsionar ações, Rosen era considerado imparcial. Sempre atendia ao telefone, oferecia perfis abrangentes das companhias e fornecia frases sonoras baseadas em observações astutas, que acabavam indo parar no *The Wall Street Journal*, no *The New York Times*, no *Business Week*, no *Fortune*, na *Forbes* e em revistas semanais. Os repórteres que passaram pelo escritório de Rosen em Nova York viram que ele usava um Apple. Assim, de certa forma, Rosen se tornou o patrocinador mais influente da Apple. Regis McKenna, o publicitário da Apple, achava que "Ben dava à Apple credibilidade genuína", enquanto o capitalista de risco Hank Smith pensava que "ele era um dos melhores vendedores da Apple".

O seleto grupo de seguidores financeiros da Apple era importante e começou a se realimentar. Quando Rosen e outro analista da Morgan Stanley, Barton Biggs, almoçaram com Arthur Rock em San Francisco, a conversa entre eles foi resumida em um memorando de duas páginas que circulou pela sede da financeira em Nova York. Escrito por Biggs, ele tinha um tom de tirar o fôlego: "Arthur Rock é uma Lenda, com L maiúsculo, como Ted Williams ou Frank Tarkenton, Leonard Bernstein, Nureyev... No seu ramo de negócio, ele é um *player* que está várias ordens de magnitude acima de qualquer outro nesse jogo". Biggs diligentemente repetia os comentários de Rock sobre a Apple para seus colegas da Morgan Stanley: "As pessoas que comandam esta empresa... são muito brilhantes, altamente criativas e muito motivadas". Palavras assim eram garantia de deixar leitores (e investidores) com água na boca.

As descrições da campanha de *marketing* inicial da Apple dificilmente teriam o mesmo efeito que as dicas de um dos capitalistas de risco mais experientes do país. Em palestras e apresentações formais,

Markkula gostava de descrever o grande plano da Apple com três palavras: "Empatia. Foco. Imputar.". A mistura do verbo com substantivos causava risadinhas entre os executivos de conta de publicidade, mas Markkula estava expressando, de uma forma moderna e peculiar, uma ideia antiga. Na década de 1940, por exemplo, a IBM usara uma estratégia similar ao abrir um suntuoso *showroom* na Quinta Avenida de Nova York. O fundador da empresa, Tom Watson, explicou depois: "Nós carregávamos uma imagem corporativa bem maior que o tamanho a reputação da corporação".

No princípio, a estratégia de *marketing* da Apple não era o resultado de nenhuma visão clara. As noções sobre os ciclos de vida dos produtos assemelhavam-se aos padrões que eram comuns na indústria de semicondutores, onde os novos *chips* eram suplantados menos de um ano após seu lançamento. As gafes iniciais eram disfarçadas pela natureza complacente de um mercado em expansão. No começo, havia na agência Regis McKenna uma grande incerteza sobre as perspectivas futuras da Apple. O executivo de conta, Frank Burge, explica: "As pessoas que conheciam Markkula e a Apple ficavam pensando se eles dariam certo. Nós dizíamos: 'Esses caras são malucos, nunca vão conseguir'. Jobs e Wozniak pareciam estar sob o efeito de alguma coisa. Eles iam contra tudo em que nós acreditávamos". As pessoas da agência olhavam para Markkula, a quem não davam muito crédito como marqueteiro, e para Scott, com seus instintos de industrial, e ficavam preocupados com o fato de ninguém na Apple ter experiência em venda direta para consumidores. Para fazer compensar sua aposta, a McKenna adotou outra empresa de computadores, a Video Brain, que, no começo de 1978, anunciara um computador não programável chamado The Family Computer. Esperava-se que ele fosse usado em casa, baseado em cartuchos de programas. O produto fora recebido com entusiasmo pela imprensa e pelos compradores das grandes lojas de departamentos, que achavam que os consumidores não queriam aprender a programar, mas estes acabaram rejeitando o preço, que não parava de subir, em razão da ambiciosa decisão da empresa de produzir os semicondutores para sua máquina. A Video Brain terminou falindo.

No entanto, durante alguns meses McKenna teve dificuldade em decidir se abandonaria a Apple em favor da Video Brain. Embora a agência tenha por fim escolhido continuar com a Apple, a sua cautela se refletia no orçamento proposto para o segundo ano da empresa. McKenna sugeriu que a Apple investisse trezentos mil dólares. Markkula insistiu no dobro desse valor. Ele estava convicto de que a Apple teria de parecer imponente e fazer-se grande se quisesse se tornar uma força na indústria. McKenna explica: "Sempre fui conservador com relação às jovens companhias. Não queria ficar com contas a pagar de 100 mil dólares na mão. Markkula ficava dizendo: 'Precisamos desenvolver uma posição logo.' Ele realmente insistiu muito nisso; era uma decisão muito importante".

O anúncio impresso inaugural do Apple II mostrava uma dona de casa entretida na tábua de cortar legumes enquanto o marido ao seu lado na cozinha usava o computador para desempenhar tarefas mais mundanas. O texto não deixava dúvidas sobre as coisas para as quais ele poderia ser usado: "O computador doméstico que está pronto para trabalhar, brincar e crescer com você... Você vai poder organizar, indexar e armazenar dados sobre as contas da casa, imposto de renda, receitas culinárias, seus biorritmos, sua conta bancária e até mesmo controlar o ambiente da casa". O anúncio também trazia especificações técnicas voltadas ao entusiasta ardente, mas não pensadas para serem atraentes para um leigo. Entusiastas com mãos ágeis e inclinação técnica poderiam comprar o Apple II na forma de uma placa de circuito única por 598 dólares.

Na mesma época, chegou às lojas de computadores um pôster grande que trazia um *slogan* distintamente ambíguo: APPLE II, O COMPUTADOR DOMÉSTICO/PESSOAL. Markkula foi citado na época dizendo que a Apple não seria expositora na National Computer Conference, o ponto de exibição natural para os fabricantes venderem para empresas; em vez disso, concentraria seus esforços na Consumer Electronics Show. O gerente de publicidade da Apple, Jean Richardson, admitiu: "Não havia sofisticação na abordagem. Eles pensavam que venderiam para as pessoas em seus lares."

As revistas em que os anúncios apareciam eram mais importantes que o texto ou o visual. As primeiras peças da Apple empalideciam quando comparadas às da Compucolor, uma empresa da Geórgia que produzia um computador colorido. Ao mesmo tempo em que comprava espaço publicitário em revistas como a *Byte*, durante o primeiro ano a Apple também anunciou na *Scientific American* e na *Playboy*. Eram veículos caros, mas a natureza dessas revistas ajudou a elevar a Apple acima da multidão de outras pequenas empresas. A Apple também produziu anúncios pequenos que tinham a intenção de reforçar a imagem corporativa; mal falavam do computador, mas eram alegres e confiantes, e eram redigidos pelo próprio McKenna. Um dos mais populares começava assim: "A de Apple. É a primeira coisa que você deve saber sobre computadores pessoais".

Ao final de 1977, Gary Kildall, da Digital Research, novamente escreveu a Jobs e, entre outros assuntos, listou polidamente suas preocupações com o *marketing* da Apple: "Das nossas discussões anteriores, entendo que você quer se dirigir ao mercado consumidor... A publicidade da Apple é, de certa forma, enganosa... O Apple II não é um produto para consumidores e mesmo eu, tendo 'experiência prévia com computadores', encontrei dificuldades para juntar os componentes e fazer o sistema operar... Além disso, fabricantes de equipamentos comerciais não fazem propaganda de produtos inexistentes... Seu anúncio implica existir (ou ser fácil de criar) programas para análise do mercado de ações e finanças pessoais. Eles, de fato, existem? Em segundo lugar, um subsistema de disquete foi prometido para 'o final de 1977'. Cadê ele?" Kildall estava correto em todos os pontos; o programa que permitia ao Apple II conectar-se ao *ticker* da bolsa Dow Jones só saiu um ano depois do seu anúncio. No final das contas, os primeiros anúncios da Apple refletiam o viés entusiasta de Markkula.

Embora a linha inicial de anúncios não fosse ideal, seis meses após o lançamento do Apple II ocorreu uma mudança de estratégia. Era um luxo ao qual se podia dar uma empresa pequenina e invisível numa indústria que, por sua vez, ainda era pequena demais para ser levada muito a sério. A Apple foi capaz de tirar vantagem de sua obscuridade e da natureza complacente de seu mercado em expansão e, consequentemente, tinha muito mais liberdade de manobra que uma empresa grande, cujos equívocos seriam amplificados.

Um memorando enviado pela agência McKenna à Apple no início de 1978, contendo o resumo de uma estratégia de *marketing*, demonstrava haver uma compreensão clara de que ainda estava bem distante a época em que os consumidores usariam computadores no lar. Também refletia a ansiedade de McKenna em relação ao perigo de a Apple arruinar o mercado de consumo ao fazer promessas e não cumpri-las. A agência começou a identificar seus alvos, reconhecendo as diferenças entre os entusiastas, o "mercado de calculadoras programáveis" e o mercado educacional nas escolas e universidades. Trinta e seis meses depois dos anúncios de estreia, a Apple começou a veicular comerciais de televisão que tentavam remover a impressão de que o Apple II era um brinquedo ou um computador para o lar. A peça mostrava o apresentador de *talk shows* Dick Cavett posando com uma dona de casa que usava seu Apple para administrar uma usina siderúrgica e negociar no mercado futuro de ouro.

A propaganda da Apple fora concebida para uma indústria em que as pequenas empresas inundavam seus computadores de superlativos. Não restava muito campo de discussão para os céticos. Não existia pesquisa de mercado séria. A MITS veiculara anúncios de página inteira com o texto formando o algarismo 1 e afirmando que o Altair era o líder do mercado: "Quando você compra um Altair, você não está apenas adquirindo um equipamento, mas anos de computação confiável de baixo custo. Você está adquirindo o suporte do fabricante NÚMERO UM do ramo dos microcomputadores". Por sua vez, a Vector Graphic chamava sua máquina de "o microcomputador perfeito"; o IMSAI 8080 era denominado "o melhor computador pessoal"; a Radio Shack anunciava "o primeiro sistema de microcomputador completo de baixo custo"; a Processor Technology chamava o Sol de "o pequeno computador".

A Apple falava tão grosso quanto os demais. Em julho de 1978, menos de um ano depois de o Apple II começar a ser entregue ao público, um anúncio de página dupla nas revistas do segmento traziam o título

Por que o Apple II é o computador pessoal mais vendido do mundo, uma frase que comprovava que os números podem ser manipulados para validar qualquer tipo de alegação. Outro anúncio da mesma época também forçava a barra ao afirmar: "Não admira que dezenas de milhares já escolheram a Apple". Chuck Peddle, que trabalhara no Commodore PET, achava que "a Apple exagerava constantemente a sua posição e contribuição".

A imagem corporativa também se refletia nas prateleiras das lojas. Muitas delas estavam numa situação delicada, carentes de capital de giro e administradas por entusiastas que às vezes pareciam mais interessados nas suas mercadorias que em seus clientes. A Apple tinha fome de revendedores. Algumas revendas independentes foram até a Califórnia para serem antagonizadas pelos representantes da Commodore e encontraram muito mais receptividade na Apple. Desde o princípio, a Apple sabia que a atitude e a aparência de seus revendedores era importante. Por exemplo, ela forçou uma loja de San Francisco a mudar seu nome de Village Discount para Village Electronics, e, para fazer os seus contratos com as revendas, usava os da Sony como modelos.

Quando a Computerland, uma rede franqueada de lojas de computadores, começou a abrir filiais em todo o país, a Apple a acompanhou. Markkula foi o pivô dos acordos iniciais com a Computerland. Ele comparecia às inaugurações das lojas e fazia demonstrações dos computadores. Ed Faber, o presidente da rede, disse: "Era uma relação de simbiose. A Apple tinha o produto, nós tínhamos o fundamento de um sistema de distribuição de varejo. Quanto mais sucesso tivéssemos, mais sucesso eles também teriam". A Apple, todavia, manipulava as revendas para conseguir fazer o dinheiro investido render. Foi a primeira empresa no ramo de computadores pessoais a começar um programa de *marketing* casado, no qual a fábrica e a revenda repartiam os custos promocionais. Faber recorda: "Isso assustou os demais fabricantes. Eles acharam que nós éramos tão ligados à Apple que nem seriam reconhecidos em nossas lojas".

Parte do sucesso da Apple podia ser atribuída a campanhas publicitárias pagas por outras empresas. Depois que a Commodore e a Radio Shack lançaram seus computadores, eles não perderam tempo em publicar grandes anúncios em jornais. No início de 1978, um memorando enviado pela agência Regis McKenna à Apple observava candidamente que "a Commodore e a Tandy... popularizaram o computador pessoal", mas só alguns dos concorrentes da Apple demonstraram ser especialmente competentes, e nenhum de seus produtos rivalizava com o equilíbrio delicado entre experiência e exuberância que fora urdido em Cupertino, mesmo com cada uma das outras empresas prometendo ou deixando vazar rumores de que estaria prestes a lançar um computador maior, mais refinado e mais potente que os da Apple. A Radio Shack, com milhares de lojas e seu catálogo sendo enviado a 25 milhões de destinatários, supostamente teria uma vantagem na distribuição, mas seu computador TRS-80 tinha uma imagem inferior em preto e branco e não era fácil de expandir. Isso criou a deixa para os anúncios do Apple II ressaltarem um futuro garantido pela expansibilidade. O Commodore PET tinha um nome bonito, mas a empresa sofria com fundos insuficientes, era administrada por decreto, seu teclado parecia uma calculadora com mais botões e o gabinete era de metal estampado canadense porque a empresa escolhera não usar plástico. E a imagem era em preto e branco, uma séria desvantagem em relação às cores do Apple. A Atari e a Mattel, que tinham nomes de peso em eletrônicos de consumo, demoraram demais para produzir seus computadores e, quando eles finalmente ficaram prontos, eram inferiores ao Apple II. Empresas pequenas, como a Ohio Scientific e a Cromemco, tinham computadores confiáveis, mas não o capital de financiamento. Kentucky Fried Computers era um nome engraçadinho demais e, quando ela mudou para Northstar Computers, o dano já estava feito. Por sua vez, a MITS, a "número um em microcomputadores", fora engolida pela Pertec, uma grande empresa de periféricos e minicomputadores sediada em Chatsworth, na Califórnia.

À espreita, além de todos esses peixes pequenos, havia o gigantesco espectro da Texas Instruments. Em 1978 e 1979, a Texas incitava um medo de fazer tremer os joelhos. Ela tinha 327 milhões de vezes o tamanho da Apple; produzia seus próprios semicondutores; tinha experiência com produtos de consumo, graças à sua linha de calculadoras, que obliterara a concorrência; e, além de tudo isso, ganhara a fama de perseguir o lucro sem remorso. Em seu boletim, Ben Rosen avisava que a Texas Instruments tinha um compromisso corporativo com os computadores pessoais e, "quando a TI se compromete com algo, cuidado".

Enquanto Cupertino temia a perspectiva, mais até que a própria realidade, de que surgisse um computador da Texas Instruments, a Apple trabalhava discretamente com a imprensa. Regis McKenna lembra: "Nós achamos que a melhor maneira de vencer a TI seria por meio da imprensa. A TI já vinha com uma má relação com a imprensa, enquanto a Apple tinha a oportunidade de desenvolver uma relação amigável. A imprensa seria o fiel da balança." McKenna sabia lidar com a imprensa melhor que qualquer um dos administradores da Apple. Scott resmungava que suas frases jamais saíam corretas; Markkula não era muito fácil de entender e irritava os repórteres dando *buttons* da Apple como brindes ou informando-os de que a matéria que iriam escrever era "muito importante para a empresa", ou, então, insistindo que os compradores do Apple II aprenderiam a usá-lo "em meia hora". Jobs, por sua vez, deixava-se levar pelo entusiasmo e sempre entregava algum detalhe secreto dos planos da Apple. Ainda assim, a Apple era um sonho para um homem de relações-públicas. Era uma história feliz que, uma vez contada, era difícil de esquecer e girava em torno de personalidades peculiares que, pelo menos aos jornalistas, sempre proporcionam uma imagem nítida das suas empresas.

McKenna era muito mais paciente e não esperava por uma entrevista ou ligação telefônica para gerar uma pauta. Ele dizia aos seus clientes que era necessário cultivar uma relação de longo prazo com a imprensa, pregava as virtudes da paciência e não lia com postura passional os artigos publicados. Quando a Apple passou a receber cobertura ocasional em revistas do setor, como a *Interface Age*, levou vários anos para quebrar o ceticismo e a suspeita, já que nas revistas mais conhecidas o nome da agência McKenna nem era reconhecido. Os executivos de conta da agência gastaram anos cortejando a imprensa, atendendo a ligações de jornalistas, fornecendo material de referência, marcando sessões de fotos que acabavam não acontecendo, dando respostas que jamais saíam publicadas e checando informações. McKenna também instruía seus clientes a adivinhar quais perguntas seriam feitas e a ensaiar as frases que eles pretendiam gravar nas mentes dos editores.

McKenna marcava com a Apple viagens de dois ou três dias para Nova York e suportava constantes esnobadas e decepções. Ele, Markkula e Jobs visitavam o que eles apelidaram de "verticais", revistas que atendiam a segmentos restritos, e também as "horizontais", as publicações com um público mais amplo. Eles andavam pela cidade com um Apple II, peregrinando de revista em revista, aguardando em recepções, carregando a máquina dentro de elevadores e fazendo lanches expressos com os jornalistas de algum veículo antes de sair correndo para atender a outros compromissos pela manhã e também na hora do almoço. Era exaustivo, cansativo e repetitivo, e não deu retorno imediato.

A cobertura positiva sobre o Apple II na imprensa tinha mais a ver com a elegância inescapável do computador em si do que com qualquer campanha minuciosamente preparada de relações-públicas. Nenhuma propaganda é mais eficaz que clientes satisfeitos. Aos poucos, de modo quase imperceptível, foram se espalhando os comentários à miúda sobre o bom desempenho do Apple II. Daniel Fylstra, chefe de uma pequena empresa de *software* de Boston que na época chamava-se Personal Software, conversou com outros entusiastas e ficou surpreso com o que descobriu. "Comecei a encontrar compradores dos computadores Apple que diziam que eles realmente prestavam, funcionavam diretamente da caixa!" Foram surgindo os elogios rasgados. Em janeiro de 1978, a revista *Penthouse* dizia em seu artigo sobre computadores pessoais: "O Apple II é, na opinião de muita gente, o Cadillac dos computadores domésticos".

Três meses depois, saiu na revista *Byte* a primeira grande resenha do Apple II. O redator Carl Helmers escreveu: "É um dos melhores exemplos do conceito de um computador-eletrodoméstico completo". Isso equivalia a um endosso claro, pois vinha da uma revista que relatara a chegada de outros computadores de forma muito circunspecta. Na mesma edição, a análise do Commodore PET concluía assim: "O PET está longe de ser a única opção no mercado hoje, mas é um forte candidato". O autor também fez uma observação agourenta: "Durante semanas eu não consegui falar ao telefone com ninguém da Commodore e tive de me virar sozinho". A *Byte* acolheu o Radio Shack TRS-80 com uma frase que, de tão igual à do PET, já soava como um bordão: "O TRS-80 não é a única alternativa para quem aspira usar computadores, mas é um forte candidato."

"A importância dos financiadores '*blue chip*' e a prática dos jornalistas de economia de buscar a orientação de investidores prudentes tornaram-se aparentes quando os artigos começaram a aparecer em revistas de interesse geral. Na época do lançamento do *drive* de disquete para o Apple II, o colunista Dan Dorfman ligou para Cupertino. Seu relato altamente positivo na *Esquire*, com o título HORATIO ALGER, SAIA DA FRENTE, incluía a seguinte avaliação: A Apple tem alguns fiéis muito impressionantes. Um deles é a Venrock Associates, a companhia de capital de risco dos irmãos Rockefeller; outro é Arthur Rock, um dos principais capitalistas de risco do país".

Dois anos após sua fundação, a Apple estava na capa da *Inc*, uma revista especializada em pequenos negócios, mas furar o ceticismo das grandes revistas era um desafio muito maior. A Apple já tinha completado três anos de vida quando finalmente apareceu na *Time*. Ainda assim, ganhou apenas uma nota de uma coluna, com o título MAÇÃ BRILHANTE.

Se McKenna ajudava a lidar com os aspectos mecânicos do trato com a imprensa, os gerentes da Apple cuidavam de outros aspectos da sua imagem. A percepção geral da aparência era vinculada ao manual do proprietário. Scott dava mais atenção a vender os computadores do que ao *design* gráfico dos manuais, achando que tudo que a empresa devia aos clientes eram as folhas de especificações. Jobs pensava diferentemente. Jef Raskin, que supervisionara a produção do primeiro manual completo da Apple, disse: "Jobs queria manuais bons e lutou muito por isso". Quando o manual ficou pronto, em agosto de 1979, estabeleceu um padrão que os concorrentes, como Commodore, Radio Shack e Atari, admitiram publicamente que teriam de igualar.

Markkula guiou a formação de alianças das quais a Apple tirou grande proveito. A empresa associou-se a outras maiores para pegar emprestado um pouco do seu brilho perene. Por exemplo, aliou-se à ITT para distribuir computadores na Europa (apesar de o negócio ter naufragado depois), e também com a Bell & Howell de Chicago, com uma reputação sólida na área educacional, para introduzir os Apples nas escolas. "Markkula foi a força motriz que fez essas coisas acontecerem", de acordo com Trip Hawkins, um gerente de *marketing* da Apple.

Markkula foi receptivo às sugestões feitas em 1977 por Andre Sousan, o representante da Commodore que antes quisera comprar a Apple. Sousan recorda: "Eu disse aos dois Steve e a Markkula: 'Ouçam! Vocês não vão atingir o sucesso na escala que pretendem se não forem agora mesmo para a Europa. Eu posso estabelecer lá uma operação minha como se fosse parte da Apple e então redigir os termos que vocês podem usar para comprá-la'." A Apple, exigida ao extremo, aceitou a proposta e trouxe Sousan para a equipe executiva.

Em março de 1978, Markkula ligou para o escritório da bolsa Dow Jones em Princeton, Nova Jersey, e solicitou uma audiência com o diretor técnico, Carl Valenti. Este lembra: "Eu disse a Markkula que teria um espaço para ele na minha agenda às nove da manhã do dia seguinte. Ele simplesmente disse: 'Ótimo.' Eu não fazia ideia de que ele tinha ligado de Cupertino. No dia seguinte, Markkula chegou com olheiras por ter vindo no avião 'corujão'." Markkula fez para Valenti uma demonstração de um Apple II que ele programara para puxar cotações de ações da própria Dow Jones. Com um aperto de mão, as duas empresas resolveram criar programas em parceria. "Outras empresas de computadores", observa Valenti, "chegavam aqui e tentavam nos enrolar durante dez dias, até aos domingos; a Apple não fez isso".

A Apple foi uma das primeiras empresas de microcomputadores em sua área geográfica a reconhecer a importância dos grupos de usuários. Quando ela definiu os planos para organizar o seu primeiro grupo internacional de usuários, um memorando declarava: "Um elemento fundamental em nossa estratégia é basearmo-nos fortemente em recursos externos ao planejar e executar essa reunião". E prosseguia assim: "Ninguém vende tão bem quanto um usuário envolvido e comprometido, que se interessa tanto pelo fabricante quanto por seu produto". Um grupo de suporte se formou em San Francisco para ajudar a resolver um problema prático. Um de seus fundadores, Bruce Tognazzini, disse: "Não conseguíamos entender como fazer funcionar aquele troço". Esses grupos, que foram surgindo gradualmente em dúzias de cidades, assim como suas divisões regionais e publicações próprias, não só serviam para propagar a mensagem e promover o desenvolvimento de *software* como também eram um meio para a Apple acompanhar os proprietários, mantendo uma espécie de grupo de cobaias para testar produtos novos e recrutar voluntários.

Markkula reconhecia melhor que qualquer um de seus companheiros a maneira como as aparências podiam afetar os negócios. Quando, em 1979, a Apple alugou um estande grande na Conferência Nacional de Computadores em Nova York, tal ato foi calculado para impressionar os analistas financeiros que, cedo ou tarde, dariam seus palpites sobre o valor da Apple como empresa de capital aberto. De vez em quando, o gosto de Markkula por aparecer levava a melhor sobre ele. Não deu certo o patrocínio da Apple a uma equipe de carros de corrida do sul da Califórnia, no qual a empresa enterrou mais de 100 mil dólares. "Foi a pior coisa que já fizemos", disse Jobs. A ideia muito mais simples de Scott, de decorar com o logo da Apple um balão, à maneira de um comercial de cerveja da moda, teve um sucesso bem maior. A moral da história era óbvia: um investimento publicitário relativamente pequeno podia trazer um retorno desproporcionalmente grande.

Assim como acontecera antes com os minicomputadores, gente de fora desenvolveu dezenas de novas utilidades para o Apple II que nunca tinham sido imaginadas em Cupertino. Pequenas empresas começaram a fabricar periféricos para a máquina. Placas de circuito para os *slots* de expansão transformavam o computador num relógio ou calendário ou permitiam acomodar na tela oitenta caracteres por linha em vez de quarenta. Havia expansões de memória e cartões que faziam a conexão do Mac à linha telefônica. Um dos mais populares, o Softcard da Microsoft, permitia ao Apple rodar programas originalmente escritos para máquinas com microprocessadores Intel e sistema operacional CP/M. Havia também canetas de luz, *tablets* gráficas, teclados numéricos, ventoinhas para refrigeração e filtros de linha.

A Apple reconheceu que o *software* ajudaria a expandir o mercado de seu computador e concedeu descontos generosos aos desenvolvedores que criavam programas com exclusividade. Muitas vezes, eles descobriam maneiras de estender os limites do computador. A Apple era receptiva aos programadores, especialmente porque muitos dos programas demonstrados nem sempre funcionavam tão bem, e, na visão de muitos programadores depauperados, era uma empresa grande que poderia bancar a distração deles. Quando os programas ficavam prontos e a Apple os comprava, Jobs fazia uma avaliação improvisada da comissão, a partir da quantidade de linhas de código. Uma das principais funções das reuniões dos grupos de usuários era o compartilhamento e troca de programas novos e interessantes. Em 1979, quando Fred Gibbons, fundador da Software Publishing Corporation, precisou de um Apple, ele foi buscá-lo na casa de Jobs. Outros se viravam sozinhos. O *phreak* telefônico John Draper criou para o Apple um processador de texto chamado Easywriter e foi oferecê-lo diretamente às lojas da região da Baía de San Francisco.

Outros se sentiam atraídos pelo computador em si mesmo. Bill Budge, na época com 22 anos, recusara uma oferta de emprego da Intel e descobrira o Apple II quando estudava para o doutorado em Ciência da Computação na Universidade da Califórnia, em Berkeley. Ele investiu no computador dois mil dos cinco mil dólares de seu salário como professor assistente. "Foi o melhor brinquedo que já tive." A necessidade foi a mãe dos programas; segundo Budge, "é impossível ter *software* suficiente para manter você ocupado". Quando Budge, no final de 1979, apresentou à Apple seu primeiro jogo, Penny Arcade, uma adaptação do Pong, ele o trocou por uma impressora no valor de mil dólares. Dali a seis semanas, ele já tinha criado mais três programas. Em 1979, a Apple lançou um processador de texto chamado Apple Writer. O programa era de autoria de Paul Lutus, um veterano do movimento *hippie* de San Francisco e ex-mendigo, que ajudara a criar sistemas de iluminação para o ônibus espacial Columbia antes de voltar-se para a programação. Lutus escreveu a primeira versão de seu processador de texto numa cabana de tronco de árvore na montanha Eight Dollar, situada num canto remoto de Oregon.

Mas um programa que fez mais pela Apple que todos os outros juntos foi o Visicalc. Como ninguém na Commodore atendia à sua ligação, Daniel Fylstra, dono da Personal Software, uma microempresa em Boston, obteve uma audiência na Apple. Jobs ofereceu a Fylstra um Apple II a preço de revenda para garantir que a Personal Software, que já tinha um programa de xadrez, passasse a desenvolver outros *softwares* para a Apple. Naquele tempo, dois conhecidos de Fylstra trabalhavam num programa para simplificar projeções orçamentárias. Daniel Bricklin, um aluno do MBA em Harvard, desejava um programa que eliminasse o tedioso recálculo manual após as revisões de orçamentos. Para ajudá-lo na tarefa, ele convocou seu amigo Robert Frankston, um colega programador. Um professor de finanças da universidade não se empolgou muito com as perspectivas comerciais da ideia de Bricklin, mas deu a dica para ele entrar em contato com Fylstra. Bricklin queria pegar um computador emprestado de Fylstra; como as máquinas em uso eram da Commodore e Radio Shack, ele acabou ficando com o Apple da Personal Software. Bricklin escreveu um protótipo do aplicativo para o Apple em linguagem BASIC, usando 24 KB de memória. Então, segundo Fylstra, "Juntos, nós decidimos que ele poderia continuar a desenvolver o programa na mesma máquina onde tinha começado". O Visicalc, nome que significa "calculadora visível", foi demonstrado a Markkula e a representantes da Atari em janeiro de 1979. Fylstra lembra: "Markkula pensou que era um programa de controle de talão de cheques. Não acho que ele ou qualquer um dos outros tivesse real noção do que se tratava, mas eles me incentivaram". O analista de produtos eletrônicos Ben Rosen, impressionado pelo poder e velocidade do Visicalc e pela maneira como ele conferia ao usuário mais poder sobre o computador, escreveu em seu boletim: "Quem sabe? Um dia o Visicalc pode virar o rabo que balança (e vende) o cachorro do computador pessoal".

De fato, o Visicalc balançou o mercado. E, graças ao fato de estar disponível exclusivamente para o Apple II durante os seus doze primeiros meses no mercado, ao preço inicial de cem dólares, o programa balançou muito mais a Apple que qualquer outro fabricante de *hardware*. O Visicalc auxiliou a Apple a infiltrar-se nas empresas, tanto pequenas quanto grandes. Era uma planilha eletrônica capaz de calcular automaticamente o efeito da mudança de qualquer número de uma matriz. Oferecia o toque ágil de um planejador financeiro e a constância e precisão de um contador confiável. Também oferecia um bom motivo para a Apple migrar mais ainda para além do mercado doméstico. Fylstra, usando uma TV de tela grande, fazia demonstrações nas sessões de treinamento nas revendas e ia conquistando usuários nos escritórios. Fritz Maytag, presidente da cervejaria Anchor de San Francisco, ficou encantado: "Eu confio mais no Visicalc que nos meus próprios documentos. É simplesmente um milagre". Dentre os 130 mil computadores que a Apple vendeu em 1980, Michael Scott estimou que 25 mil foram comprados especificamente para rodar o Visicalc.

"Vocês têm de dar tudo de si,"

disse Morris.

As reuniões de café da manhã eram uma ocorrência inevitável para quase todo mundo na Apple. Assim, numa certa manhã às sete horas, a garçonete do restaurante Good Earth enchia grandes xícaras de café. As guarnições do restaurante contradiziam o seu nome. Os cardápios eram de plástico, os assentos, de vinil, as mesas, de madeira envernizada, e as cadeiras, de vime, do tipo que os importadores afirmavam vir da Tailândia. A única sugestão de uma "terra boa" era o perfume de canela que parecia emanar do papel de parede.

Anthony Morris, um revendedor Apple de Manhattan, estava fazendo seu desjejum junto com o gerente de *marketing* da Apple, Michael Murray. Morris, de terno azul risca de giz, camisa branca engomada e gravata de seda, deixou escapar um suspiro pela garçonete. "Que par de seios a esta hora da manhã. Cupertino está decadente." Um MBA de Stanford, Morris era considerado um dos melhores varejistas da Apple e estava entre os duzentos que tinham sido convidados a assistir a uma pré-apresentação do Lisa em Cupertino. Houve um alarido na indústria quando Morris repassou o rumor de que outra empresa de computadores evitaria cumprir o regulamento da FCC para novos produtos lançando um *drive* de disco completamente novo, mas usando o nome de um produto existente. "Minha representante de vendas se gabava disso, mas, no ano passado, ela tirou um ano de licença para completar seu mestrado em artes e dança, o que é uma atitude eloquente."

Morris, que vendia exclusivamente Apples, mencionou que andava acalentando a ideia de trabalhar também com a IBM e a DEC. "Não podemos sobreviver vendendo somente Apples", explicou, "e por conta disso houve uma diminuição na fé, ou o que outra pessoa poderia chamar de práticas de negócio mais sensatas." Ele fez uma pausa. "A Apple precisa começar a pensar no cliente corporativo. Os caras estão exigindo isso."

Murray levantou os olhos de seu prato e perguntou: "O que eu precisaria fazer para você cancelar o lance com a IBM?"

"Provavelmente não vou", respondeu Morris. "Em primeiro lugar, o Apple III perdeu o gás. Nós temos 28 funcionários. Não posso alimentar a todos com as vendas em declínio. É assustadora a rapidez com que o negócio pode ir mal. Em segundo lugar, meus clientes pedem pela IBM. Nunca ninguém foi mandado embora por comprar da IBM. Ela aprofundou-se bastante e compreende a cabeça do usuário corporativo. Sua mensagem é assim: 'compre de nós e duplique suas vendas em noventa dias'." Morris prosseguiu, descrevendo o caso de um outro revendedor de Nova York. "Ele faturou um milhão de dólares em apenas um mês. E não conseguiu isso vendendo só Apple."

Murray retrucou: "Nos vamos exibir o Macintosh para os lojistas, fazê-los salivar e então veremos se podemos tirar um pouco do embalo da IBM. Temos muitos tipos diferentes de revendedores. Como podemos fazer para entender os nossos cem melhores revendedores? Como fazer para empolgar vocês?"

Morris explicou que muitas das peças promocionais da Apple não eram adequadas para os revendedores que atendiam empresas. "As pessoas em Cupertino não saem de Cupertino o suficiente. Não conhecem o mundo de verdade. Nós temos de reduzir sistematicamente a quantidade de decisões que um cliente precisa tomar para que eles tomem a decisão que nós desejamos. Não podemos dizer a eles 'tome aí, escolha'."

Murray concordou e retornou ao assunto inacabado da IBM. "É assustador pensar em como somos pequenos e a IBM é grande."

Morris respondeu com confiança: "Vocês têm de dar tudo de si. Não vão dar certo sendo exatamente tão bons quanto a IBM. É a mesma coisa que acontece com as mulheres executivas. Precisam trabalhar o dobro para conseguir metade do reconhecimento."

Algumas manhãs mais tarde, os gerentes de *marketing* de todas as divisões da Apple faziam a sua reunião mensal quando Joe Roebuck, um deles, depositou seu copo de café de isopor na mesa ao lado do projetor de *slides* e escrutinou os seus companheiros. "Este lugar está começando a parecer a IBM. Todo mundo já está usando gravatas. Não há camisas azuis, mas ainda vamos chegar lá." A pauta principal da discussão era a avalanche de revistas, folhetos, boletins, guias de compras, panfletos, catálogos e fichas técnicas – as "peças" – que a Apple publicara para convencer os potenciais clientes a comprar seus produtos. Phil Roybal, chefe de publicações de *marketing* da Apple, exibiu uma sequência de *slides* sobre a importância dessas publicações e declarou: "A literatura não é um evento, é parte do processo. Nós temos de vender aos possíveis clientes aquilo que eles desejam". Fez um instante de pausa e completou: "O que é uma solução". Ele associou cada uma das publicações da Apple com clientes em diversos estados de antecipação de necessidade e destacou: "O típico potencial cliente entra na loja e leva cinco horas para fazer a conexão entre o que ele precisa e o que ele deve comprar. A maioria não se importa se é um Apple II, um Apple III, um IBM-PC ou um saco de batatas. O vendedor pega qualquer coisa que tenha o nome Apple, enfia na mão do cliente e torce para que ele feche a compra. Eles não vendem soluções. A literatura precisa começar a transformar os produtos em soluções para as pessoas".

Joe Roebuck interrompeu: "Estamos gerando pedidos de literatura como loucos".

Roybal respondeu: "Quando olho nosso plano de negócio para o ano que vem, percebo que estou num déficit de cinco redatores por semana. Posso matar alguns projetos, ou então posso matar alguns redatores".

A Estúpida Explosão

A Apple Computer começou sua vida como um negócio, não como uma empresa. A mudança gradual de uma operação de garagem inchada para algo semelhante a uma corporação foi árdua e demorada. Assim que a Apple anunciou seu *drive* de disquete, no verão de 1978, os pedidos dispararam, o estoque de computadores encalhados desapareceu e a pressão para crescer aumentou. A sede foi transferida para um prédio quinze vezes maior que o escritório que a Apple ocupava atrás do restaurante Good Earth. Ele ficava entre pomares a mais ou menos uma quadra da Stevens Creek Boulevard e os novos vizinhos da Apple eram uma loja de plantas e um par de casas de madeira. Quando os noventa e poucos funcionários invadiram seu prédio novo e vazio, a maioria estava convencida de que ele iria durar por vários anos, se não para a vida inteira.

Em três meses, as caixas de papelão chegaram novamente e mais uma vez a Apple alugou outro par de prédios. A segunda mudança foi feita com tanta pressa que as alterações no interior foram feitas sem nenhuma permissão dos donos do prédio, e o equipamento foi trazido em um fim de semana em caminhões discretamente estacionados perto das portas dos fundos. Caixas de papelão, novos escritórios, novas redondezas e companhias desconhecidas formavam uma vida um tanto desconcertante.

No decorrer de dois anos, um bando de profissionais foi contratado. Para os novatos acostumados com as formalidades e a estrutura de uma grande empresa, a bagunça de uma *startup* era algo totalmente alienígena. Havia poucos dos serviços que uma companhia oferece para fazer a vida mais fácil. Quando uma pia ou banheiro entupia, não havia um departamento de manutenção para se chamar. Quando os telefones quebravam, nenhum consultor de comunicações vinha correndo pelos corredores com um aparelho pendurado em seu cinto. Quando alguém tinha de fazer uma longa viagem de negócios, não havia um departamento de viagens para cuidar dos procedimentos. Assuntos legais eram administrados por uma firma de advocacia externa. Problemas de pessoal eram resolvidos imediatamente e aumentos eram concedidos a bel-prazer. Havia pouco tempo para relaxar e qualquer sinal de sossego era uma ilusão completa. Sobretudo, havia uma pressão incansável.

Jean Richardson, que começara como secretária e acabou se tornando diretora de propaganda da Apple, relembra que "por uns dois anos o ritmo era medonho. Eram doze horas por dia, incluindo fins de semana. Eu sabia que, se parasse para tomar água em um bebedouro, iria perder o ritmo e atrasar meu cronograma. Era quase inumano. Eu estava a ponto de explodir." Com os novos funcionários chegando, a Apple foi confrontada com o problema de harmonizar novos e veteranos, lidar com a consternação e o ressentimento provocado pelas chegadas e acomodar os hábitos e as influências trazidos com eles.

Para uma empresa que crescia tão rapidamente como a Apple, contratar novos empregados era a tarefa mais importante. Em longo prazo, isso encobria todo o resto. Gente contratada em um dia frequentemente acabava contratando outros em alguns dias ou semanas depois de sua chegada, então, um erro de julgamento no início podia ser amplificado e ter graves implicações. Para pessoas relativamente inocentes dirigindo um pequeno negócio, era fácil ficar impressionado com a reputação de outras empresas, o tamanho de um currículo ou uma fileira de posições acadêmicas e o som de uma reputação. Um esforço consciente era feito para contratar pessoas que eram superqualificadas para o trabalho imediato à mão, mas que seriam capazes de lidar com necessidades maiores conforme os pedidos crescessem.

A Apple, como outras empresas antes dela, começou a atacar empresas estabelecidas. Todo funcionário roubado gerava gritinhos de contentamento. Markkula não conseguia esconder sua felicidade quando conseguia atrair alguém da Intel. Scott ficava igualmente feliz quando raptava alguém da National Semiconductor e Jobs interpretava um pedido de demissão da Hewlett-Packard como algo próximo à aprovação divina. Quando o presidente de outra companhia ligava para reclamar da maneira que a Apple estava roubando seu pessoal, eles riam ainda mais.

Candidatos a cargos de chefia normalmente eram entrevistados por Markkula, Scott e Jobs. As diferenças no trio eram visíveis o suficiente para soar alarmes na cabeça de alguém interessado em se juntar à Apple. Quando, durante uma entrevista, Jobs colocava ostensivamente seu pé sujo sobre a mesa ou, em reuniões em almoços, devolvia um prato para a garçonete informando-a que a comida era um lixo, ele não era muito impressionante. Apesar de tender a se encantar com reputações, Jobs não confiava em currículos e preferia se guiar por seus instintos. Ele conduzia muitas filtragens no restaurante Good Earth ou em outros restaurantes próximos, normalmente se decidia por alguém que achava legal e acreditava que seus escolhidos fossem capazes de fazer o que disseram.

No verão de 1978, quinze meses após o lançamento do Apple II, o departamento de manufatura era o exemplo das condições do resto da empresa. A Apple estava construindo trinta computadores por dia e conseguindo embarcar cerca de quinze *drives* de disquete por semana. Vinte e oito pessoas reportavam a um supervisor que, toda manhã, distribuía instruções e tarefas. Ainda era um departamento manual. Ordens de compra, controles de inventário e níveis de saída de material eram monitorados com papel e caneta. Metade da área de manufatura estava cheia com um suprimento de plástico de três anos que Jobs conseguira comprar a um bom preço.

Roy Mollard, um inglês de Liverpool que havia conhecido Scott na National Semiconductor e na Fairchild, foi contratado para coordenar a manufatura. Ele se parecia com um magro dono de tecelagem de algodão de alguma novela de D. H. Lawrence e trouxe muitos dos truques que aprendera na National. Contratou guardas de segurança, instalou microfones escondidos para acionar alarmes contra ladrões, indicou supervisores de chão de fábrica, acabou com os jogos de pingue-pongue na hora do almoço, demitiu o gerente de controle de qualidade e insistiu que não houvesse armários nem gavetas para que ele pudesse sempre enxergar o estoque. Seu objetivo, como ele mesmo colocava, era "jorrar computadores" e ele não toleraria aborrecimentos.

Ele lutou para fazer da área de manufatura um setor inacessível ao resto da companhia e fazia comentários agressivos quando alguém adentrava sua jurisdição sem sapatos. "Steve Jobs não queria limitar o acesso. Eu disse 'bobagem'! Não quero meu pessoal trabalhando em um aquário." Don Bruener, o estudante originalmente contratado para consertar placas com problemas, fez uma observação sobre o novo esquema: "No começo, se você imaginasse uma mudança na produção, era possível falar com alguém e executá-la. Depois, a coisa virou uma linha de montagem e você tinha de passar pelos canais competentes e escrever uma proposta para a mudança".

O mesmo tipo de mudança aconteceu no laboratório de engenharia. Rod Holt, o relutante cabeça do departamento, encontrou-se tentando administrar questões de controle de qualidade, suporte, documentação, engenharia mecânica, *design* industrial e do trabalho dos engenheiros de *hardware*. "Levantei-me numa reunião de equipe", Holt recorda, "e disse que 'se vocês não acertarem isso, eu me demito.'" Para resolver o problema, a Apple exagerou caçando dois candidatos. Um deles, Tom Whitney, tinha coordenado grandes projetos de calculadoras na Hewlett-Packard e era amigo de faculdade do engenheiro de *hardware* Wendell Sander e um antigo chefe de Steve Wozniak. O outro, Charles H. Peddle III, tinha gerenciado a equipe da MOS Technology, que havia projetado o microprocessador 6502, o coração do Apple II. Quando ambos concordaram em entrar para a Apple, suas decisões foram recebidas com entusiasmo. Cada um, entretanto, ficou surpreso ao encontrar o outro presente e, depois de algumas semanas, Peddle saiu.

Whitney, um homem alto com ar estudioso, procurou introduzir algumas das práticas que haviam se provado efetivas na Hewlett-Packard. Ele definiu líderes de projeto, agendou reuniões sobre especificações de *design* e tentou organizar a pilha de tarefas que necessitavam de atenção. Uma bateria de formulários com vários acrônimos da Hewlett-Packard se tornaram parte do vocabulário da Apple. ECOS significava Mudança da Ordem de Engenharia (*Engineering Change Order*), ERS era Especificação de Referência Externa (*External Reference Specification*) e IDS era Especificação de Design Interna (*Internal Design Specification*). Um dos jovens engenheiros, Chuck Mauro, disse que os seus colegas receberam o novo regime com gargalhadas. "Pensamos 'Aqui vamos nós. Aí vem a burocracia com seus formulários para preencher e reuniões semanais.' Organização era algo muito duro."

O profissionalismo que se esgueirava também se refletia no tipo de *software* que era produzido. Entre os jovens havia uma forte fidelidade à linguagem de programação BASIC que havia dominado fortemente o Clube Homebrew, era a língua franca na comunidade de entusiastas e havia se provado adequada para jogos como Breakout – mas não muito para aplicações mais poderosas. Jef Raskin, que escreveu o primeiro manual decente da Apple, defendia as vantagens de uma linguagem mais poderosa, o Pascal, e ajudou a convencer Jobs de que ele deveria dar uma chance a ela. Bill Atkinson, um programador que trabalhou bastante no Pascal, relembra que "Mike Scott não acreditava em *software*. Ele achava que nós deveríamos fornecer o *hardware* e deixar outros fornecerem o *software*. Steve Jobs disse: "nossos usuários querem apenas Assembler e BASIC, mas dou a vocês três meses para me convencer do contrário".

Jobs deixava seu ceticismo ser dominado por sua inclinação natural a encontrar jeitos melhores de se fazer as coisas. Uma vez que o Pascal foi adaptado para funcionar no Apple, ele deu à companhia uma nova linguagem para vender, simplificou o desenvolvimento de novos programas e, mais importante, aumentou a reputação da empresa entre programadores experientes que o consideravam um selo de respeitabilidade. Raskin e outros continuaram a reclamar que a Apple tratava o *software* como o irmão bastardo do *hardware*. "*Software* é a janela pela qual a maioria dos nossos usuários vê o Apple. Se ele não funciona direito, o Apple não está funcionando direito." Pouco a pouco suas reclamações, a chegada de mais algumas barbas grisalhas e as exigências do mercado ajudaram a empurrar a Apple para algo além da devoção ao *hardware*.

O impulso para trazer os usos e costumes de uma grande empresa não ficou limitado ao recrutamento e ao *software*. Ele se estendia ao novelo invisível dos sistemas que começaram a aparecer em todo o lugar. Scott descobriu que sua admiração pela ordem e seu interesse por computadores se fundiam em um sistema de gerenciamento de informação que ligava vários aspectos da empresa. No princípio, a Apple alugava computadores de outra empresa; depois, quando as contas mensais cresceram, comprou seus próprios minicomputadores. O Sistema de Gerenciamento de Informações não era glamoroso e, na maior parte do tempo, invisível. Mesmo assim, tornou-se uma das maiores razões para o crescimento da Apple e era, talvez, a contribuição mais importante de Scott. O sistema se tornou o bichinho de estimação de Scott. Sentado em um terminal, ele – e outros gerentes de alto nível – tinham um olhar abrangente de toda a companhia. Podia colocar um código e descobrir quantos resistores estavam em estoque, quais peças estavam prestes a acabar, como os novos pedidos estavam se empilhando e quais clientes não haviam pagado suas contas.

Uma função permitia controle total a Scott. Ele podia chutar outros usuários do sistema, configurar seu terminal a fim de seguir outro para descobrir quem estava mexendo no sistema e disparar mensagens ao infeliz. Era um brinquedo eletrônico sofisticado criado para satisfazer seu senso de humor e sua paixão por controle. Em uma empresa onde havia vários programadores que podiam causar danos a arquivos confidenciais, a senha mestra de Scott era trocada frequentemente. Seu codinome favorito era o nome de seu gato: Baal.

A chegada de gerentes com mechas de cabelos grisalhos e ex-alunos de escolas de Administração com olhar ambicioso fizeram sobrancelhas levantar. Os veteranos viam os novatos com cada vez mais desconfiança. Eles os consideravam oportunistas. Quando começaram os rumores sobre opções de ações e esquemas de incentivo utilizados como chamariz, a inveja piorou. Eles eram considerados novos ricos corporativos que iam para onde achavam que iam fazer um dinheiro fácil. Um fosso se abriu entre os novos funcionários e aqueles que estavam ali nos primeiros meses. Era uma diferença que se transformava em um embate sobre noções de amadorismo e profissionalismo.

Alguns dos novos rostos torciam o nariz diante da maioria dos jovens programadores, desdenhando-os como "*hackers* de quintal talentosos" que não se preocupavam em documentar seu *software* e só conseguiam escrever "espaguete lógico." Um gerente escreveu um memorando venenoso esculachando um programa escrito durante os primeiros meses da Apple como "infestado de *bugs* como um pau podre cheio de cupins". Tom Whitney resumiu essa atitude: "Eu não estava interessado em trabalhar para uma empresa de *games*. Nós precisávamos nos tornar mais profissionais. Compatibilidade e suporte ao usuário eram mais importantes que trazer as mais novas e eletrizantes funções para um computador".

Alguns, normalmente os engenheiros e programadores que se haviam associado ao Clube Homebrew, resmungavam que a Apple havia abandonado seu objetivo de fazer computadores a todas as pessoas e prover *software* gratuito. Eles descobriram que desenvolver a mais rápida versão de *Star Wars* não era mais o suficiente para ganhar uma medalha de honra e reclamavam que, se quisessem fazer computadores de escritório, teriam arranjado emprego na IBM. Jovens, como Chris Espinosa, pensavam que os caras de *marketing*, com suas camisas com botões no colarinho, gravatas e ternos cuidadosamente passados, deviam permanecer como "extras em filmes dos anos sessenta de Cary Grant". Outro programador reclamou: "Nós começamos a contratar caras de propaganda que costumavam vender sapatos e pensavam que era uma boa jogada na carreira entrar no ramo de computadores".

Quando começou o trabalho em um computador para substituir o Apple II, os jovens programadores descobriram que eles não foram convidados a contribuir com suas ideias e foram excluídos dos debates do que consideravam a essência da companhia. Sem direito a voto, ficaram compreensivamente magoados e ofendidos. Sem mestrados nem doutorados, tornaram-se uma subclasse e ficaram muito preocupados com a mudança. Randy Wigginton, um dos mais esquentados da turma, disse: "Os outros caras achavam que pequenos computadores não eram úteis. Eles pensavam que 'O Apple II não é um computador de verdade. É uma piada'." A atitude deles era: "Vocês não sabem como gerir uma empresa. Nós vamos mostrar como se faz do jeito certo". Alguns programadores começaram a chamar um de seus novos supervisores de *Software* Nazi porque ele era terminantemente contra revelar detalhes sobre os mecanismos internos da máquina. Mas as reclamações não se limitavam aos engenheiros. Quando gerentes financeiros, advogados, especialistas em relações-públicas e equipe de pessoal mais experientes começaram a chegar, até o gentil contador Gary Martin ficou incomodado e notou que "nós começamos a contratar gente que tentava fazer a Apple soar e cheirar como a IBM".

Com o número de empregados crescendo, foi ficando cada vez mais difícil para a Apple tolerar caprichos e idiossincrasias, ainda mais com algumas requisições extravagantes (um empregado, por exemplo, ficou profundamente transtornado quando a Apple falhou em cumprir a promessa de instalar seu órgão de tubo de mais de cinco metros de altura em um de seus prédios de escritórios). Em reuniões da equipe executiva, Rod Holt começou a ser visto como uma influência disruptiva e Steve Wozniak se transformou na mais notável vítima do crescimento. Depois que terminou o controlador para o *drive* de disquete, Wozniak trabalhou no *design* de um Apple II de baixo custo, mas seu coração não estava na tarefa. Ele não gostava dos empurrões da gerência, das reuniões, dos comitês, dos memorandos e das longas discussões. "Eu tinha sorte quando conseguia duas horas por dia para mim mesmo."

Ele ainda se permitia algumas brincadeiras e, vez por outra, cobria as roupas de outras pessoas em uma gosma verde solúvel, enchia refrigerantes com um composto espumante e pregava tabletes de Alka Seltzer nos menus dos Bob's Big Boy da redondeza acompanhado da mensagem – "Para sua conveniência". Quando ratos começaram a invadir o laboratório de engenharia, ele mostrou a seus colegas que as criaturas sempre fugiam para dentro de sacos de papel porque confundiam a abertura escura com um buraco.

O lado rebelde de Wozniak começou a emergir e ele se tornou o pesadelo de qualquer gerente. Sua posição na empresa e todas as honras e os *status* gerados pela criação do Apple II o converteram em um dos intocáveis corporativos. Em vez de ir atrás de um projeto, ele encontrava distrações mais interessantes, como computar o número de Euler a 100 mil casas decimais (ele calculava que demoraria três dias para computar e quatro meses para imprimir). Por algumas semanas, tentou copiar disquetes com um ferro elétrico, esperando que o calor fizesse os padrões magnéticos transitarem de um disquete para outro. Ele também começou a tirar fins de semana prolongados para ir jogar em cassinos em Reno. Dick Huston, um programador que havia assistido a Wozniak lidar com o *drive* de disquete, tirou sua própria conclusão: "Woz perdeu o desafio. As pessoas pararam de dizer que o que ele estava fazendo era bobagem. Ele adquiriu o *status* de mago e, depois de um tempo, passou a acreditar nisso. No fundo, sabia que não era nada disso, mas ele amava o papel. Então, quando alguém atravessava seu caminho, ele ficava temperamental". Randy Wigginton olhava seu amigo e pensava que "ele não tinha mais a mesma importância individual. Gostava de ser o Messias".

Os novatos trouxeram seus próprios problemas. Durante os primeiros dois anos, a Apple roubou muita gente da Hewlett-Packard, da National Semiconductor e da Intel e os hábitos e diferenças de estilo entre essas empresas se refletiram em Cupertino. Havia certa tensão entre o jeito duro dos homens de semicondutores (havia poucas mulheres no ramo) e o pessoal que fazia computadores, calculadoras e instrumentos na Hewlett-Packard. Parte disso se devia simplesmente à diferente natureza dos negócios. O objetivo principal dos caras de semicondutores era produzir grandes volumes a baixo custo. A Hewlett-Packard, no entanto, nunca esteve em um negócio de altos volumes até suas calculadoras ficarem populares e, mesmo então, controlou-se firmemente para não cortar preços a fim de ganhar mercado. Os recrutas da National Semiconductor eram mais inclinados à venda e oportunismo e vinham de uma empresa que transformou em credo seu desdém por luxo e conforto. A turma da Hewlett-Packard tendia ao planejamento e acreditava em servir o cliente e em alguns dos aspectos mais pomposos da vida corporativa.

Alguns dos homens da Hewlett-Packard começaram a se considerar influências civilizadoras e ficavam horrorizados com as práticas rudes e desregradas dos bárbaros da indústria de semicondutores. Eles acreditavam que os homens de semicondutores eram porcos chauvinistas sem salvação – uma impressão que não foi reduzida quando Markkula resolveu esquentar um encontro de gerentes com a questão retórica "por que Deus inventou as mulheres? Porque ele não conseguiu ensinar as ovelhas a cozinhar". Os paladinos da Hewlett-Packard murmuravam que os diretores da Apple se opunham a contribuições para instituições de caridade, como a United Way, que a empresa não tinha nenhum compromisso com a ação afirmativa, pagava mal suas secretárias e era, pelo menos em seus dois ou três primeiros anos, um lugar difícil para mulheres serem promovidas. Então não era de se espantar que cartuns com Mollard, que havia sido o homem de manufatura da National Semiconductor, o mostravam vestido com uniforme da Gestapo e armado com um chicotinho.

Aqueles que vieram ou simpatizavam com o pessoal que veio da Hewlett-Packard ficavam surpresos com histórias de que alguns gerentes da National rejeitavam relatórios de despesas. Um dos gerentes olhava para as pressões de produção que cresciam conforme se aproximava o final de cada trimestre em um esforço para atingir metas ter um "grande empurrão" e "atingir o número" e percebia que os gerentes da National mantinham seu próprio código. "Havia uma sensação palpável de que eles iam vender aquele treco de qualquer jeito e deixar para os revendedores consertarem. Era como se dissessem que 'nós vamos vender essa coisa, pro diabo com o cliente'. Outro comparou a abordagem dos colegas da National frente aos fornecedores e outros que ficavam no caminho com gângsteres. "O estilo deles era 'nós gostaríamos de matar esses filhos da puta legalmente se pudéssemos. Mas, se não der, ainda queremos matá-los'."

Muitos dos homens da National Semiconductor e outros de formação rígida tinham um desprezo semelhante pelos recrutas da Hewlett-Packard. Eles os viam como frescos exigentes. Não questionavam seu profissionalismo; ao contrário, eles achavam que eles eram profissionais demais. Rod Holt sentia que "os caras da Hewlett-Packard... passavam mais tempo escrevendo o que eles e o que seus subordinados deveriam fazer que realmente fazendo alguma coisa." Alguém mais caracterizou um colega como "outro desses tipos de Country Clube da Hewlett-Packard" e Michael Scott reclamou que "eles não se preocupam com os centavos; escamoteiam as coisas".

Apesar de as diferenças serem mais aparentes entre os homens da Hewlett-Packard e da National, outros também trouxeram as práticas com que estavam acostumados. Quando Ann Bowers, que havia passado alguns anos trabalhando na Intel e era esposa de um de seus fundadores, foi colocada como responsável pelos assuntos de pessoal da Apple, Sherry Livingston observou que "tudo tinha de ser feito do jeito da Intel. Ela não desviava nem para a esquerda nem para a direita." Como a Apple vasculhava companhias como Hewlett-Packard, National e Intel atrás de determinadas vantagens e como alguns dos pioneiros eram fundamentais para atrair outros de seus velhos territórios, era comum que eles acabassem trabalhando em pequenos enclaves. Isso, combinado com a pressão feroz e o atrito entre jovens e velhos, tendia a exagerar os tipos de conflitos normais que aparecem entre departamentos de qualquer empresa.

Os engenheiros, por exemplo, sentiam que os caras da manufatura estavam preocupados apenas em eliminar lombadas e curvas para manter a linha de montagem correndo tranquila e alcançar o cronograma de produção. "O pessoal de manufatura", insistiu Rod Holt, "no final das contas, queria matar a Apple." O sentimento era mútuo e certamente não melhorou quando o povo de produção invadiu os arquivos de engenharia e removeu todos os procedimentos de teste cuidadosamente plotados e as descrições de montagens finais. Eles amaldiçoavam os estetas que não faziam concessões sobre coisas que fariam sua vida muito mais fácil – como a cor dos gabinetes.

Havia, também, nos primeiros dias, uma tensão considerável entre o departamento de manufatura e os homens que monitoravam o fluxo de materiais e suprimentos. Mollard se lembra de que a inimizade corria profundamente: "havia pessoas que quase se pegavam de pau no estacionamento". Os fundilhos da empresa, o departamento de publicações, não podia terminar manuais enquanto os engenheiros e os programadores não parassem de mexer com um equipamento ou programa e também era pressionado pelo lado do *marketing*, que queria despachar produtos rapidamente. Durante um tempo, enquanto a Apple era bem nova, os escritores técnicos criaram seu próprio mundo. Eles montavam sessões de coral ao meio dia, instalavam pufões em seus escritórios, erguiam paredes de caixas de papelão e armavam a si próprios com armas de bolas de pingue-pongue para afastar intrusos.

Em setembro de 1980, três anos e meio depois da introdução do Apple II, 130 mil deles haviam sido vendidos. O faturamento havia subido de 7,8 milhões de dólares no ano fiscal que terminara em 30 de setembro de 1978 para 117,9 milhões de dólares, e o lucro foi de 793.497 para 11,7 milhões de dólares. Naquele outono, 31 meses depois do décimo terceiro empregado se juntar à empresa e apenas doze meses depois do 300º empregado chegar, a folha de pagamento da Apple passava de mil funcionários. Parte da manufatura era feita em Cupertino e San Jose, mas o grosso era conduzido em uma fábrica no Texas. Depósitos haviam sido abertos em várias partes dos EUA e na Holanda. No exterior, havia uma fábrica na Irlanda (que fora aberta por um encanador desempregado, o prefeito de Cork) e outra estava para ser aberta em Cingapura. A estrutura piramidal estava inchando, então a Apple se moveu um pouco mais perto do convencional e criou divisões.

Não havia nada muito surpreendente nessa decisão. Era uma das penalidades do crescimento e que enfatizava quão rapidamente a empresa tinha crescido. A mudança na estrutura também refletia uma admissão tácita de que a esperança de Michael Scott em manter a empresa pequena havia acabado. Seu sonho de limitar a Apple a algo entre 1 500 e 2 mil empregados e de dirigir um empreendimento que fazia apenas seus últimos produtos (enquanto subcontratava tudo o mais) desapareceu. Divisões foram formadas por todas as razões usuais: tentativas de manter as coisas gerenciáveis, para definir áreas de lucros e perdas e para delegar autoridade.

Antes de as divisões serem anunciadas, alguns dos gerentes da Apple saíram em turnos de inspeções e tentaram fazer seu trabalho de casa. Eles perguntaram a diretores da Hewlett-Packard e da Digital Equipment Corporation como decisões eram tomadas nas suas empresas e voltaram a Cupertino para elaborar planos de batalha. Uma divisão foi formada como um experimento. Sua tarefa era cuidar de *drives* de disquete. No outono de 1980, cinco outras foram adicionadas: A Divisão de Sistemas de Computadores Pessoais, para cuidar do Apple II e do Apple III; a Divisão de Sistemas de Escritório Pessoal, para projetar e cuidar do Lisa; Manufatura; Vendas; e Suporte.

Não havia, claro, nenhuma época em particular em que a formação de divisões tivesse sido confortável. Na Apple, a formação de divisões ocorreu quando havia um grande número de distrações gerando pressão. A decisão foi tomada quase na mesma época em que os diretores decidiram que a empresa deveria fazer sua primeira oferta pública de ações e também durante as semanas em que um sucessor do Apple II estava sendo anunciado.

Apesar de a maioria dos gerentes seniores da Apple ter trabalhado em uma estrutura divisional, nenhum havia gerenciado uma empresa com divisões. Havia muitos poucos gerentes de nível médio para organizar e muito menos pessoal suficiente para preencher todos os cubículos vazios. Os sistemas de computador não estavam instalados e os procedimentos não foram estabelecidos. Era duro não cair na impressão de que a criação de divisões estava bem longe de ser uma jogada de mestre de planejamento.

A grande mudança e o deslocamento ajudaram a empurrar para o segundo plano alguns dos conflitos que haviam surgido em virude dos tipos sanguíneos corporativos incompatíveis. Um crescente fundo de experiências comuns tendia a fazer a mesma coisa. As divisões traziam um leque de tensões inteiramente novo. Sua separação física levou ao isolamento técnico. Elas criaram novas alianças e novas linhas de relatório. Conforme as divisões começaram a se espreguiçar, a Apple foi se dividindo pelo empurrar da moda e pelas disputas móveis de feudos. Às divisões era permitido, por exemplo, contratar seus próprios escritores técnicos e encomendar suas próprias placas de circuito integrado e, de vez em quando, eles tentavam exercer controle sobre o que os outros estavam fazendo. A Divisão de Periféricos, para citar apenas um caso, queria definir o padrão para o que poderia ser plugado em periféricos. Não era preciso um tradutor juramentado para entender que isso era uma tentativa de ditar o planejamento corporativo de produtos.

Mais importante, as pessoas trabalhando dentro das diferentes divisões se tornaram cientes de distinções. O *glamour* das divisões bacanas, onde o trabalho era feito em novos computadores, jogava uma sombra sobre áreas onde a tarefa principal era dar suporte a máquinas já existentes. A natureza do trabalho apelava a diferentes interesses emocionais e intelectuais e atraía tipos diferentes de pessoas. Muitos dos engenheiros e dos programadores que haviam sido pegos no sucesso do Apple II preferiam trabalhar na Divisão de Sistemas de Computadores Pessoais (PCS). Outros, que queriam um futuro brilhante, respeitabilidade e a oportunidade de trabalhar com novas tecnologias, batiam na porta da Divisão de Sistemas de Escritório Pessoal (POS), formada por um grupo de pessoas que estava desenvolvendo o Lisa.

As sutilezas estavam sujeitas à inspeção microscópica. Rick Auricchio era um programador que havia trabalhado na PCS. "Nós achávamos que a Divisão Lisa estava cheia de prima-donas. Eles queriam uma impressora a *laser* de 30 mil dólares e conseguiram. Contrataram medalhões. Nós não. Seus escritórios eram maiores. Tinham mais plantas. Apesar de pagar todas as contas e gerar dinheiro, nós éramos chatos e maçantes e não estávamos fazendo nada. Havia uma percepção de que eles tinham 1,8metro, gozavam de você e torciam o nariz. Sem o crachá da cor certa e um acompanhante, você não conseguia entrar no prédio do Lisa. Isso era um insulto. As pessoas começaram a pensar que eles não queriam ser cretinos para o resto da vida e começaram a sair da PCS para se juntar à POS." As pessoas que trabalhavam na Divisão Lisa retornavam o cumprimento. Um deles disse: "Nós demos uma olhada no Apple III e não o levamos muito a sério. Demos uma olhada e dissemos 'eles não sabem o que estão fazendo'".

Conforme as divisões se solidificavam, uma burocracia corporativa começou a emergir. Novamente, não havia nenhum jeito de escapar do estúpido arrastão do crescimento. Lidar com várias centenas de pessoas (para não dizer vários milhares) exigia algumas regras, nem que fosse apenas para liberar gerentes de ter de explicar as exceções o dia inteiro. Um pouco disso se refletia nos memorandos internos. Ocasionalmente, boletins mantinham os funcionários cientes dos orçamentos "que devem refletir eficiência e frugalidade" e registravam alarmes quando a conta de telefone passava de 100 mil dólares por mês. Outros proviam informações sobre taxas de FICA, planos de divisão de lucros, programas de ações, feriados oficiais da empresa, um novo centro de cópias Xerox e esquemas de seguro. Avaliações de desempenho (programadas a cada seis meses) vinham completas com uma matriz de revisão de informações.

Um memorando do departamento legal pedia que as pessoas não abreviassem o nome da empresa para Apple Computer ou Apple e estabelecia que "o nome legal da corporação é Apple Computer, Inc. (note a vírgula)... Por favor, não estrague nossos esforços usando erroneamente nossos símbolos corporativos". Outras notas mantinham as pessoas cientes dos horários de ônibus fretados que percorriam os prédios da Apple, incitava-os a usar os suprimentos de papelaria, passar na biblioteca de engenharia da empresa ou assistir a aulas televisionadas que eram ligadas à rede de instrução televisiva de Stanford. Havia outros anúncios que procuravam apontar as diferenças entre alguns dos memorandos e publicações internas. Os "Boletins Apple", informava-se aos leitores, "comunicam informações que têm valor temporal... São distribuídos pelo pessoal de Correspondências e Telecomunicações a todas as localidades da Apple".

Até alguns dos entusiasmados que vestiam a camisa da empresa, como o gerente de *marketing* Phil Roybal, foram forçados a admitir, depois de muitos anos, que houve uma diferença de tom. "A personalidade mudou porque a empresa cresceu. Havia mais gastos, políticas foram criadas, administradores foram contratados e a rigidez era maior. Havia menos caprichos. Agora as coisas aconteciam mais ou menos como esperado. Era mais como uma empresa organizada." Outros eram menos gentis. O gerente de publicações, Jef Raskin, que acabou rompendo com Jobs, disse: "No começo, a empresa era dirigida por consenso, sobre uma boa ideia que tinha chance de sucesso. Depois, era como ficar ao lado de um trem de carga batendo nele com uma corrente. Ele não iria sair dos trilhos." Alguns, como Roy Mollard, achavam que divisões, camadas adicionais de gerenciamento e especialização crescente significavam que sua influência fora circunscrita. "Minha área de controle foi espremida e o trabalho ficou menos interessante."

Para gente de fora, como Regis McKenna, que havia protagonizado um papel crucial nos estágios de formação da Apple, a chegada de um vice-presidente de comunicações significava que a responsabilidade pelas relações-públicas e estratégia de *marketing* havia sido dividida. "Você tinha de passar por várias pessoas para chegar às pessoas com as quais costumava negociar cara a cara. Era preciso lidar com uma organização corporativa que queria controlar tudo." E, para os novatos, a presença de homens como McKenna, com relacionamentos estabelecidos com os fundadores, não fazia a vida mais fácil. Uma trégua complicada foi estabelecida com a Apple lidando internamente com algumas tarefas de relações-públicas enquanto a gente de McKenna cuidava do resto.

Contudo, o surgimento de uma burocracia não significava uma cobertura uniforme que trouxe igualdade. Os ideais de igualdade cultivados cuidadosamente eram, na maioria das vezes, uma miragem. Na superfície, a Apple não tinha muita semelhança com a América corporativa. Não havia espaços reservados nos estacionamentos. *Jeans*, camisas abertas e tênis eram vestimentas aceitas (na verdade, eram quase um uniforme). Não havia escritórios suntuosos, apenas baias com divisórias baixas. Os escritórios se transformaram em um labirinto de paisagens de Herman Miller. Nunca se ouvira falar em relógios de ponto, nem mesmo nas linhas de montagem. Secretárias eram chamadas de Associados de Área e o chefe de pessoal era conhecido como o diretor de recursos humanos. Cartões de visita traziam títulos exóticos. Para os de fora, essas aparências não convencionais eram enganadoras. Os de dentro viam muito bem através delas. O programador Dick Huston ecoava os sentimentos de muitos de seus colegas ao ressaltar que "eu nunca pensei na Apple como um lugar de trabalho igualitário."

Muitos dos jeitos em que os empregados conseguiam se diferenciar eram totalmente convencionais e traziam mais semelhanças com indústrias tradicionais que os líderes da Apple estavam preparados para admitir. Exceto a fábrica na Irlanda, a Apple não era uma companhia sindicalizada. Jobs tinha todo o orgulho empertigado de um fundador que achava que a chegada de um sindicato representaria que ele havia falhado em cuidar de seus empregados e ele também achava que sindicatos eram responsáveis por problemas em indústrias mais velhas. Ele prometeu "se demitir no dia em que formos sindicalizados." Mas, mesmo que passeatas e greves não fizessem parte do vocabulário da Apple, ainda havia uma diferença enorme entre o chão de fabrica e os escritórios de seus executivos.

Don Bruener, que passou algum tempo trabalhando na produção, disse que "as pessoas na produção tinham medo de lidar com qualquer pessoa fora dela, e as de fora não ligavam para a produção. Eram trabalhadores contra executivos." Depois de um tempo, a maioria dos executivos ficou com escritórios em um prédio e os membros mais velhos ficaram conhecidos como membros da equipe executiva. Assim que a Apple começou a fazer encontros públicos de acionistas, esses mesmos executivos dividiam os assentos da primeira fila com os diretores da empresa. Fora os rostos mais jovens na audiência, não havia muita diferença entre os encontros anuais da Apple e os mantidos pela Chrysler ou pelo Bank of America.

Uma jovem empresa como a Apple também desenvolvia outro sinal de estratificação. A maior distinção era baseada na riqueza, pois as disparidades que existiam na Apple, especialmente depois de ela se tornar uma empresa pública, eram muito maiores que as que separavam o presidente do faxineiro em companhias maduras como a General Motors e a Exxon. A companhia também fazia empréstimos a executivos seniores para ajudá-los a comprar ações ou pagar impostos sobre altos salários e a divisão do lucro era alocada de acordo com o posto.

Nunca ninguém se enganou sobre quem era o chefe. A aparição de Markkula, Scott ou Jobs provocava um enrijecimento dos músculos dos subordinados. Um comentário casual, uma dica, uma sobrancelha levantada, um olhar cético, um levantar de voz eram todos amplificados e produziam o que um observador sagaz chamou deliciosamente de "gerenciamento trovão". Ele explicou: "Todo mundo sabe quem manda. Alguém fala alguma coisa num corredor ou faz um comentário passageiro e, repentinamente, vinte andares abaixo, ele se transforma em lei".

Um dos sinais de *status* mais importantes eram os números dados aos empregados no dia em que eles entravam para a empresa – aqueles mesmos que haviam custado tanta contrariedade a Jobs quando foram implantados. Impressos em crachás de identificação de plástico, esses números viraram uma versão corporativa do registro social em uma grande cidade. Conforme a Apple crescia, o *status* dos empregados com os números mais baixos aumentava. Ainda que os crachás não equivalessem ao patamar financeiro, provocavam olhares de admiração. Alguns dos empregados mais antigos conheciam de cor o nome e número de seus primeiros cinquenta e poucos colegas e alguns decidiriam exibir suas posições tendo seu número de empregado impresso na placa de seus automóveis. Outra maneira com a qual os mais velhos enfatizavam sua diferença era a caneta Cross decorada com uma pequena maçã que havia sido distribuída a todos os funcionários no terceiro Natal da Apple. Depois de alguns anos, a caneta virou item da loja da empresa.

A ordem social também era visível nas mensagens internas. Uma delas proclamava sonoramente a diferença entre um boletim mensal e um memorando corporativo: "Pessoas promovidas recentemente merecem aplauso e reconhecimento... O 'Apple Times' vai listar os empregados recém-promovidos... O 'Apple Bulletin' não deve ser usado para anunciar promoções e outras mudanças de pessoal abaixo do nível de gerente de divisão".

Rolava também um debate sobre o valor dos redatores técnicos. Jobs sempre colocara grande importância nos manuais da Apple e havia um sentimento de que eles formavam uma parte importante do que a empresa estava vendendo. Alguns argumentavam que, se era assim, os redatores técnicos mereciam estar numa escala salarial semelhante à dos melhores engenheiros. Eventualmente, a Apple acabou se dobrando à noção de "valor de troca" e pagando seus redatores no mesmo patamar que existia fora da indústria de computadores. Não foi permitido a um gerente de publicações se tornar o membro principal de uma equipe técnica, de acordo com uma reclamação formal que ele registrou, porque "fazer um trabalho de indústria de ponta em publicações não tem a mesma significância que projetar uma fonte de força ou sistema de *software*".

Com todos esses desgastes e essa estratificação, era uma tarefa estonteante para as mãos veteranas, e pior para os novatos, definir onde eles se encaixavam, que tarefas perseguir e precisamente o que era que a empresa representava. Conforme as divisões foram se formando, no outono de 1980, esse tipo de pergunta ficou ainda mais desconcertante. No espaço de doze semanas a Apple saiu em uma caçada de funcionários e expandiu sua folha de pagamento de seiscentos funcionários para 1,2 mil: um período ao qual alguns começaram a se referir como "a estúpida explosão". Alguns empregados foram tirados de agências de *freelancers* e esquadrões de até sessenta se reuniam em seminários de integração.

O crescimento desestabilizou todos. A taxa de mudança era demonstrada de formas estranhas e em pequenos itens cotidianos, como as listas de telefones da empresa que eram mantidos em pastas com folhas soltas e atualizados quase semanalmente. Gerentes descobriam que seus cronogramas eram furados e a papelada se multiplicava devido à proliferação de funcionários que cuspiam tabelas e gráficos e resmas de números. Um pouco do foco dos primeiros anos desapareceu e havia um senso geral de que a empresa estava saindo do controle. Até mesmo Markkula, que nunca foi um disciplinador corporativo, foi forçado a admitir que "nós tínhamos problemas em manter o bonde nos trilhos".

Camadas abaixo, havia uma proteção bem menor da fúria do novo. Em um laboratório de engenharia, Chuck Mauro ficou espantado com a velocidade com que novos rostos apareciam. "Fazia sua cabeça rodar ouvir sobre quatro novos caras que iam começar a trabalhar na segunda. Era tudo que você conseguia fixar. Era impossível se lembrar do nome de todos."

A Apple se esforçava consideravelmente para preservar algum senso de continuidade, instaurar alguma forma de comunidade, esconder diferenças e dar a impressão geral de estabilidade. Uma grande parte do esforço era dirigida a fornecer condições de trabalho agradáveis, um esforço que partia em boa parte de Jobs e, em menor escala, de Markkula. Parte do ímpeto era puramente prático, pois outras companhias da área ganharam uma boa reputação por cuidar de seus funcionários e a direção da Apple geralmente reconhecia que uma maneira de manter pessoal, em uma indústria onde as empresas às vezes eram aleijadas por um êxodo súbito, era não economizar no supérfluo. Boa parte disso vinha da longa e benevolente reputação da Hewlett-Packard. Parte era baseada na convicção inabalável de que as pessoas trabalham mais árdua e eficientemente quando são bem-tratadas e estão em um ambiente confortável. Mas, acima de tudo isso, havia um sentimento gratuito de altruísmo. Como os fundadores de muitas empresas, os da Apple estavam determinados a consertar as deficiências que eles viam em outros lugares.

Os piqueniques, as festas e os presentes que quebravam a semana de trabalho eram versões maiores de eventos que pontilharam cada estágio do desenvolvimento da Apple. Depois de a empresa despachar seus primeiros 100 mil dólares em computadores, toda a equipe de quinze pessoas se juntou para uma festa à beira da piscina na casa de Markkula. Quando o departamento de manufatura foi organizado, o resto da Apple foi convidado para uma festa onde crianças, cônjuges e "equivalentes a cônjuges" eram bem-vindos. Objetivos alcançados quase sempre eram celebrados com uma festa, um bolo ou uma garrafa de champanhe.

Com os meses se tornando anos, as festas ficaram grandiosas – ganhando toldos, bandeiras e bandas de *jazz*. Havia excursões especialmente organizadas para assistir a pré-estreias de filmes, como *Guerra nas Estrelas* e *O Império Contra-ataca*. Uma festa de *halloween* que aconteceu nos primeiros meses (à qual Jobs chegou fantasiado de Jesus Cristo) se tornou um ritual anual e acabou virando uma espécie de feriado da empresa. A escala das celebrações cresceu tanto que duas quadras de Cupertino tiveram de ser isoladas por cordões enquanto funcionários desfilavam em suas roupas exóticas.

Diversão e conforto eram levados a sério. Empregados podiam se filiar a ligas de boliche, aulas de dança aeróbica e academias. Aulas de mergulho e fins de semana em estações de esqui nas serras californianas eram pagos pela empresa. Escritórios eram mobiliados com o que muitas empresas maiores considerariam como móveis de luxo e consultores eram contratados para dar palestras com temas como "Construindo Padrões de Tráfego" e sobre o espaço ideal em uma mesa para programadores. Empregados sempre recebiam alguma forma de presente de Natal. Em um ano, a maioria recebeu uma nota de 100 dólares embrulhada em volta de uma caneta e, mais tarde, depois de um importante objetivo de vendas ser alcançado, todos receberam uma semana de férias remuneradas extra.

A Apple começou um programa que dava aos funcionários que demonstravam um mínimo de eficiência seus próprios computadores Apple. Aulas de computação eram dadas a membros da família e a loja da empresa oferecia grandes descontos na compra de equipamentos Apple para parentes ou amigos próximos de empregados. Mais importante, os programadores, engenheiros e redatores técnicos podiam trabalhar tão eficientemente em casa quanto no escritório.

Mesmo com todos esses esforços, a identidade da Apple parecia mais clara aos clientes que para os empregados. Por volta de 1980, a empresa era grande demais e muito espalhada para qualquer gerente conseguir andar por todos os seus pontos e testar o ar e a água. Então, para a maioria dos funcionários, a mão da corporação era invisível. Para combater a incerteza e prover um manifesto corporativo e uma ideologia coerente, a Apple estabeleceu um comitê que, com total sinceridade, se pôs a tentar tirar algum senso de seus motivos difusos. Ele tentou reduzir o abstrato ao concreto e codificar todos os impulsos conflitantes e as intenções, as lutas entre empreendimento individual e os trabalho de equipe entre a autocracia e a democracia que fazem uma empresa. Não foi nenhuma surpresa que o resultado, apesar de cheio de boas intenções, soava banal, egocêntrico e cheio de clichês.

A mensagem geral do comitê se refletiu em memorandos internos que incluíam frases como "A Apple é mais que uma empresa... é uma atitude, um processo, um ponto de vista e um jeito de se fazer as coisas". Mas o testamento do comitê foi incorporado em uma declaração de valores corporativos altamente influenciada pelos preceitos que a Hewlett-Packard distribuía a seus empregados como guia. O grupo da Apple enxugou os mandamentos para nove e fez a observação geral: "Os valores da Apple são as qualidades, clientes, padrões e princípios que a empresa como um todo considera desejáveis. Eles são a base para o que nos fazemos e como nós fazemos. Tomados juntos, eles identificam a Apple como uma companhia única".

No detalhamento, o comitê definiu os seguintes pontos:

- Empatia com o cliente/usuário (Oferecemos produtos superiores que preenchem necessidades reais e fornecem valor duradouro. Somos justos com os concorrentes e encontramos clientes e fornecedores além da metade do caminho...).
- Conquistas/agressividade (Colocamos objetivos agressivos e trabalhamos arduamente para alcançá-los. Reconhecemos que essa é

uma equipe única, que nossos produtos irão mudar a maneira com a qual as pessoas trabalham e vivem. É uma aventura e estamos nela juntos).

• Contribuição social positiva (Como cidadãos corporativos, desejamos ser um recurso social, econômico e intelectual nas comunidades onde operamos).

• Inovação/visão (Aceitamos os riscos inerentes em seguir nossa visão e trabalhamos para desenvolver produtos líderes que trarão as margens de lucro de que necessitamos...).

• Desempenho individual (Esperamos um compromisso individual e um desempenho acima do comum para nossa indústria... Cada empregado pode e deve fazer uma diferença; pois, no fim das contas, os indivíduos determinam o caráter e a força da Apple).

• Espírito de equipe (Trabalho em equipe é essencial para o sucesso da Apple, pois a tarefa é grande demais para ser feita por uma pessoa sozinha... Precisamos de todos para vencer. Apoiamos uns aos outros e compartilhamos as vitórias e recompensas juntos).

• Qualidade/excelência (Imbuímos os produtos Apple de um nível de qualidade, desempenho e valor que ganhará o respeito e a lealdade de nossos clientes).

• Recompensa individual (Reconhecemos a contribuição de cada pessoa para o sucesso da Apple e compartilhamos as recompensas financeiras que surgem do alto desempenho. Reconhecemos também que as recompensas precisam ser psicológicas, assim como financeiras, e lutamos por uma atmosfera onde cada indivíduo possa compartilhar a aventura e excitação de trabalhar na Apple).

• Bom gerenciamento (As atitudes dos gerentes com relação a seu pessoal são de importância fundamental. Empregados devem poder acreditar nos motivos e na integridade de seus supervisores. É a responsabilidade dos gerentes de criar um ambiente produtivo onde os valores da Apple floresçam).

Além de publicar declarações pingando boa vontade, o comitê também empurrava a companhia para ações específicas. A Apple começou a fazer almoços semanais nos quais empregados podiam encontrar gerentes seniores e vice-presidentes. Markkula fez um esforço determinado para informar a todos que eles podiam ir até ele e desabafar seus problemas. Mais que qualquer um, ele ouvia as pessoas do baixo escalão da empresa argumentar contra decisões gerenciais. Outras portas permaneciam fechadas. Jobs e Scott, diziam alguns colegas no jargão do Vale do Silício, não eram tão amigáveis.

Tentar imbuir um sistema de valores em uma empresa onde o espírito dos fundadores corria tão fortemente era difícil, senão impossível. Mesmo a Apple sendo tão grande para seus fundadores serem vistos a todo o momento, era pequena o suficiente para os boatos de seu comportamento, conversas sobre seu desempenho e sua reputação em geral ter um efeito profundo no humor corporativo. Eles eram *outdoors* ambulantes, e quando seus atos ou suas palavras falhavam em alcançar os padrões santificados pregados pelo comitê de cultura, todo o esforço era obstruído.

Cultura não devia ser confundida com democracia e, embora ninguém na empresa dissesse isso, os Valores Apple continham mais do que um sinal de totalitarismo corporativo. Um dos mais vigorosos proponentes da Cultura Apple, Trip Hawkins, um formando da Stanford Business School de quase trinta anos, decidiu explicar a importância da cultura corporativa em termos militares. "Se você tem uma cultura forte, não precisa supervisionar as pessoas tão de perto e ter tantas regras, regulamentos e procedimentos porque todos pensam do mesmo jeito e reagem a situações da mesma maneira. Isso ajuda a delegar mais efetivamente. Por exemplo, você pode colocar um bando de marines na praia sob fogo e eles vão subir correndo a praia. Empresas que não têm culturas fortes não conseguem fazer nada rapidamente."

Jobs com certeza achava a teoria da cultura corporativa fascinante, mas ele era mais levado por ações que ofereciam resultados tangíveis e imediatos. Ele com certeza queria fazer da Apple um lugar agradável para trabalhar. Descrevia entusiasticamente seus planos para uma versão melhorada de uma cidade corporativa, que ele chamava de "Supersite", onde escritórios e casa iriam se misturar. Esperava que isso ajudasse a Apple a contratar jovens engenheiros que não teriam como bancar o preço dos aluguéis da Califórnia, permitindo que eles colocassem o pé no chão e se familiarizassem com a área. Em momentos de sonho, ele pintava um quadro bucólico de um parque corporativo onde reuniões eram feitas, programas escritos, à sombra de frondosas árvores.

Jobs inicialmente havia sido a favor de horários flexíveis que permitiam aos engenheiros e programadores a liberdade de trabalhar em casa ou no escritório. Mas, quando isso falhou em alcançar os resultados necessários, ele disparou um memorando para um grupo que ele estava coordenando que dizia "quando concordei em horários totalmente flexíveis, presumi que esse era o jeito mais eficiente de conseguir uma qualidade profissional de trabalho. Este grupo não demonstrou essa qualidade nos últimos sessenta dias... A partir de amanhã, todos... estão obrigados a estar na empresa às dez horas da manhã. Sem exceções".

Alguns dos que trabalhavam para Jobs o achavam difícil de tolerar. O gerente de publicações Jef Raskin, que trabalhou na Apple até abril de 1981, disse que "ele é extremamente sedutor. Teria dado um ótimo rei da França". Em um memorando de quatro páginas enviado a Michael Scott intitulado "Trabalhando com/para Steve Jobs", Raskin sugeriu que Jobs "tenha treinamento gerencial antes de ter a permissão de gerenciar outros projetos". Rasking reclamava que "enquanto as posições do Sr. Jobs sobre técnicas de gerenciamento são nobres e relevantes, na prática ele é um gerente horroroso. É um legítimo e infeliz caso de falar as ideias certas, mas não acreditar nelas nem executá-las quando chega a hora de fazer algo". Raskin continuava: "Jobs perde compromissos regularmente... ele não dá crédito onde é devido... Jobs também tem seus favoritos, que nunca erram – e outros que nunca acertam... interrompe e nunca ouve... não mantém promessas... é um exemplo perfeito de um gerente que adota seu próprio cronograma otimista e depois culpa os trabalhadores quando os *deadlines* não são cumpridos".

A Cultura Apple e o cobertor de boa vontade corporativa não conseguiam esconder os diferentes níveis de competência. Algumas semanas após a distração da oferta pública, surgiram problemas com o Apple III. Uma irritação geral com o desempenho da empresa subiu à tona e resultou na primeira demissão em massa da Apple.

Durante os primeiros anos da empresa, os fundadores da Apple eram orgulhosos de que foram capazes de evitar demissões selvagens apesar de terem certamente pedido para um bom número de funcionários deixarem a firma. As demissões eram normalmente disfarçadas entre frases róseas como "ausência temporária" ou "férias", mas os disfarces elaborados não ocultavam a realidade. Alguns consideravam que a Apple perdoava muito facilmente a incompetência e alguns, como Rod Holt, reclamavam que "se você tem um engenheiro que projeta tudo errado, não trabalha e é problemático de um jeito ou outro, então você o transforma em gerente. Eles não demitem ninguém aqui".

Quando Michael Scott, com a aprovação de Jobs e Markkula, decidiu demitir 41 pessoas três meses depois de a Apple virar uma empresa pública, as ondas foram imensas. As demissões foram uma expressão da imensa frustração e também um movimento de corte de custos. Sobretudo, eram uma admissão pública de que havia uma distinção entre os competentes e os incompetentes e que a Apple tinha contratado rodas presas. Também trouxe uma mudança drástica de tom e alguns meses de crise nervosa. "De repente", disse Fred Hoar, vice-presidente de comunicações, "os valores Apple foram jogados fora e em seu lugar tínhamos a crueldade."

Nas semanas anteriores ao dia chuvoso e escuro que ficou conhecido rapidamente na empresa como a "Quarta-Feira Negra", Scott pediu a cada departamento que lhe enviasse uma lista das pessoas que não eram mais desejadas. Ele passou a lista de oitenta nomes adiante para ver se algum deveria ser mantido. Algumas pessoas foram trocadas entre divisões e o resto foi convocado ao escritório de Scott, recebeu um mês de pagamento e foi demitido. Um grupo destacado para a demissão foi o departamento que revisava novos produtos. Scott achava que eles causavam muitos atrasos. Mas havia muita confusão sobre muitos dos outros. Algumas das pessoas convocadas ao escritório de Scott haviam se esgueirado pelas fendas porque não tinham supervisor direto e foram recontratados. Outros, apenas algumas semanas antes, haviam ganhado boas avaliações de desempenho e um bônus.

Na tarde das demissões, Scott realizou uma reunião no porão de um dos prédios. Entre as cervejas e *pretzels*, ele fez um pequeno discurso esquisito, respondeu a algumas perguntas, tentou improvisar um discurso encorajador, mas seu tom só fez piorar as coisas. Os efeitos das demissões foram maiores que o ato em si. Chris Espinosa segurou Jobs pela roupa e lhe disse que aquilo não era maneira de se dirigir uma empresa. Um Jobs entristecido perguntou "como se dirige uma empresa?" Rick Auricchio, que pensou que tinha sido demitido e depois descobriu que ainda estava empregado, sentiu que "era como se Walt Disney fosse andar pela Disneylândia e cortasse a cabeça do Mickey". Phil Roybal relembra que "muita gente achava que esse tipo de coisa não podia acontecer na Apple. Esse foi o primeiro sinal da dura realidade. As pessoas não sabiam no que o mundo estava se transformando. Seus valores tinham se invertido, de repente éramos uma empresa como qualquer outra". Bruce Tognazzini considerou a Quarta-Feira Negra como um divórcio. "Foi o fim de muitas coisas. O fim da inocência. O fim da lealdade. Foi o início de uma era de medo inacreditável."

Nas semanas seguintes à Quarta-Feira Negra, um memorando anônimo, que muitos consideraram muito grosso, apareceu em vários quadros de aviso: "Estamos formando a União dos Profissionais de Computadores (CPU) para que possamos manter a direção da Apple na linha. A coisa que eles mais temem é uma ação de empregados unidos; as táticas que eles utilizam é dividir e conquistar e ameaçar de represálias econômicas. Eles não podem sair livres se nos unirmos! A Apple já foi um bom lugar para se trabalhar; a direção prega sobre o 'Espírito Apple'; vamos mostrar a eles um pouco de espírito de verdade e enfiar goela abaixo!"

Para Scott, a Quarta-Feira Negra trouxe o desastre. Ele ganhou uma reputação de crueldade que era quase física. Mas, por trás de seu comportamento impiedoso, havia um lado gentil, romântico e sensível que era obscurecido por uma timidez dolorosa, ele era um misto de Papai Noel e o Anjo Exterminador. Alguns dos veteranos da Apple achavam que ninguém se preocupava mais com eles do que Scott. Ele tinha um senso do extravagante e gostava de dar festas por qualquer motivo. Em umas duas ocasiões, alugou um cinema e mandou cartões elegantes para seus amigos e funcionários da Apple convidando-os para ver sessões especiais dos filmes de George Lucas. No cinema, conforme seus convidados chegavam, Scott ficava na porta distribuindo rosas brancas. Em uma festa de Natal da Apple, Scott escolheu um tema náutico e, para casar com o espírito do evento, vestiu um uniforme branco de capitão com quepe e tudo. Em outra ocasião, ele despachou um memorando que convocava para a sala da diretoria uma dúzia de pessoas que haviam trabalhado em uma feira e perderam uma sessão de cinema. A maioria, temendo o pior, chegou à reunião tremendo e descobriu que Scott tinha preparado algo mais. Ele os levou para um ônibus e a um cinema onde garçons em jaquetas vermelhas serviam canapés e champanhe.

Mas o lado negro e o humor macabro de Scott eram mais aparentes. Quando um computador da DEC que supostamente era o sustentáculo do sistema de gerenciamento de informações da Apple não chegou na hora certa, ele despachou uma coroa funerária para o presidente da empresa, que era muito maior que a dele, com um cartão que dizia "Aqui está o que eu penso de seus prazos de entrega". Ele tinha pouca paciência com discussões longas e reuniões da equipe executiva sobre se a Apple devia oferecer café descafeinado aos funcionários junto com o normal. Irritava-se com o fato de vendedores dirigirem carros grandes em vez de compactos e com executivos que podiam voar na primeira classe. Para mandar uma mensagem aos subordinados e mostrar quem era o chefe, Scott atrasava cheques que precisavam de sua assinatura. Melhorias na decoração não era algo que estava em suas prioridades, nem discussões sobre quantos metros quadrados cada escritório deveria ter. Ele queria impor seu próprio estilo gerencial e chegou a pedir a todos os vice-presidentes que abandonassem seus títulos. Seus memorandos tinham um estilo curto e grosso. Quando quis provar que a era do computador havia chegado, ele mandou um comunicado banindo todas as máquinas de escrever. Ele trazia um cabeçalho em maiúsculas: É BOM QUE TODOS LEIAM ISTO. Ele postou outro memorando contendo as ordens: "Não é permitido conversar nos corredores. Não é permitido conversar em pé".

Nas semanas anteriores à Quarta-Feira Negra, Scott trabalhou mais duro que nunca. Ele também estava sofrendo com uma séria infecção ocular que seus médicos temiam que fosse deixá-lo cego e sua secretária, Sherry Livingston, foi forçada a ler sua correspondência em voz alta. Depois de pedir que vice-presidente executivo de engenharia da Apple se demitisse, Scott tomou para si a responsabilidade pela engenharia enquanto também tentava manter seus barcos em volta da empresa inteira. Ele começou a balbuciar ameaças terríveis, falava sobre "se divertir mais por aqui" e começou a dizer "eu não vou mais suportar coisas de que eu não goste". Percorria a empresa olhando por cima das baias e perguntava: "Você está trabalhando como um camelo?" Ordenou aos gerentes que não contratassem mais ninguém pelo resto do ano e conseguia aterrorizar e intimidar a maioria das pessoas que encontrava. Jean Richardson se lembra de que "ele era uma força gélida. Marchava pelos corredores sem falar com ninguém". Outro empregado disse que "você sentia que ele iria descer pelo corredor a qualquer minuto e comprar uma briga com alguém".

Alguns membros da equipe executiva, alarmados com o comportamento de Scott, por ele ter dispensado peremptoriamente o segundo mais importante gerente operacional da empresa e por seu comentário fora do tempo de que as demissões da Quarta-Feira Negra foram "apenas o primeiro *round*", começaram uma campanha à surdina. Ann Bowers, chefe do departamento de recursos humanos, murmurava seu desprezo por Scott. Para aqueles que ele humilhava em reuniões, ela mandava condecorações falsas da equipe executiva "Pelo Valor Demonstrado na Linha de Batalha". Até mesmo um membro de sua corte de admiradores disse que Scott gostava de demonstrar força "do modo que um gorila gosta de poder bruto e total". Markkula silenciosamente lidava com as petições de reclamações que eram lideradas por Bowers e John Couch, que tinham conseguido ambos uma reputação entre seus colegas como astutos políticos corporativos. Alguém mais que havia reclamado diretamente com Markkula sobre as dificuldades de se trabalhar para Scott havia recebido a seguinte resposta: "não se preocupe com isso. Você vai ter uma grande carreira aqui. Eu vou consertar isso".

Para Markkula, o descontrole de Scott era algo estranho. Conforme os quatro anos que ele havia prometido dedicar à Apple chegavam ao fim, Markkula se encaminhava para a hibernação. No ano anterior ele havia trabalhado em uma posição discreta, tirando feriados prolongados e passando mais tempo com a família. Ele esquiou bastante, divertiu-se voando em seu novo avião para lugares como Sun Valley e, em seu tempo livre, brincou com projetos de casas de campo. Ele se preparava para uma aposentadoria luxuosa. A Apple chegou a pagar 60 mil dólares para uma empresa de *headhunting* procurar um substituto. Quando as coisas na Apple começaram a se complicar no começo da década de 1980, Scott pediu a Markkula que dirigisse metade da empresa. Markkula recusou, mas o comportamento de Scott agora o deixou sem alternativa. Jobs não era velho ou experiente o suficiente para dirigir a empresa, não havia nenhum candidato de fora que pudesse ocupar rapidamente a vaga e ninguém mais conhecia a Apple tão bem como Markkula. Ele então aceitou relutantemente o fato de que teria de assumir o posto interinamente até que alguém apropriado para dirigir a Apple fosse encontrado.

Scott não tinha a menor ideia da conspiração silenciosa. Enquanto tudo era decidido, ele esticava um fim de semana no Havaí, onde encontrou alívio de uma sinusite crônica, totalmente por fora dos acontecimentos em Cupertino, onde Markkula havia marcado uma reunião com a equipe executiva. Foi uma reunião estranha e alguns dos gerentes seniores, incluindo os mais leais aliados de Scott, não foram convidados. Markkula organizou uma votação aberta, começando ao redor da mesa pelos maiores inimigos de Scott até seus apoiadores. Quando Scott voltou do Havaí, ele encontrou uma mensagem em sua secretária eletrônica perguntando se Markkula poderia dar uma passada em sua casa para conversar. A conversa terminou abruptamente quando Markkula anunciou "Scott, a diretoria executiva votou pela sua demissão". Enquanto se dirigia para a porta, Markkula pediu a Scott que submetesse seu pedido de demissão por escrito na manhã seguinte.

Nenhum dos conspiradores questionava a contribuição de Scott. Ele tinha em 48 meses ajudado a transformar uma empresa de garagem, cheia de indivíduos teimosos e complicados, em uma corporação multinacional, com divisões e ações no mercado que tinha vendas anuais da ordem de 300 milhões de dólares. Alguns na Apple acharam que ele foi a vítima de um golpe bruto e uma conspiração sangrenta. Wendell Sander, o engenheiro de *hardware*, achou que "ele não conseguia ser tão bom na visão para trás como era na visão para frente". O investidor de risco Don Valentine considerou o gerenciamento de Scott como o de maior sucesso entre todas as setenta e poucas empresas em que investiu.

Da sua parte, Markkula explicou que a demissão de Scott foi "uma questão de estilo gerencial. Scott era muito ditatorial, o que foi muito bom para a empresa em seus anos de desenvolvimento e eu tinha esperanças de que ele mudasse seu estilo com o crescimento dela". Quando Scott saiu, levou consigo a linha de disciplina que havia dentro da empresa, que se resumia a uma voracidade em tomar decisões duras e um grande prazer em amarrar Jobs em uma camisa de força corporativa.

Uma euforia rasa se espalhou pelos conspiradores da Apple – que nunca chegaram perto de entender o tamanho das conquistas de Scott. O tamanho da mudança foi escondido do exterior por um vago comunicado que falava sobre uma remodelação. Markkula assumiu as responsabilidades de Scott como presidente enquanto Jobs tomava o lugar de Markkula como *chairman*. Scott ficou com o posto vago de Jobs como *vice-chairman*. "O que decidimos fazer", dizia o comunicado, "foi rotacionar as responsabilidades daqueles que estão no topo da organização para capitalizar de uma maneira renovada as capacidades e energias de cada um". O memorando era tão sem sal e a mudança tão discreta que o investidor de risco e diretor Arthur Rock chegou a cumprimentar o vice-presidente de comunicações pela maneira como a coisa foi conduzida. Depois que Scott foi levado a se demitir do cargo, Jobs e alguns outros tentaram consolá-lo perguntando se ele gostaria de coordenar a mudança da Apple para um sistema de gerenciamento de informações maior e, por algumas semanas, as mudanças cosméticas permaneceram. Scott chegou a fazer uma apresentação das propostas de um novo sistema de computadores, mas ele finalmente desistiu e mandou uma última e raivosa carta que demonstrava seu desprazer com "a hipocrisia, os puxa-sacos, os planos intempestivos, os que 'tiram da reta' e os construtores de impérios".

Mas, para Scott, a partida era devastadora. Em seus momentos mais negros, ele pensava em tentar mostrar que sua autoridade fora usurpada erroneamente e sonhava em retornar à Apple e demitir todos os vice-presidentes. Rod Holt reconheceu o grau de ligação de Scott com a Apple. "Scott tinha toda a sua vida associada à Apple Computer. Ele não tinha nenhum outro lugar para ir. Estava sempre trabalhando. Isso não deixava para ele nenhuma margem para descontrole emocional, uma bebedeira ou uma ressaca."

Mesmo sendo proprietário da quinta maior parte da empresa, Scott permaneceu em sua casa de campo, alguns minutos da Apple, com as cortinas abaixadas. Por um tempo, ele não atendeu seu telefone. Quando as pessoas chamavam, dizia que se sentia bem, apesar de não se importar de responder a algumas das notas de simpatia que chegavam. Por meses, quando a conversa se voltava para a Apple, o rosto de Scott parecia triste e ele se tornava lento e sem energia. O único momento em que ele se animava era quando demonstrava que ainda podia se lembrar de todos os números de peças do Apple II. Mas, na maior parte do tempo, Scott dormia tarde, dava comida para os gatos, esparramava-se em um sofá enorme e assistia à televisão em uma tela que caía do teto de sua sala. Ele tocava órgão, ouvia Wagner, lidava com chamadas telefônicas de seu corretor de ações e fazia viagens ocasionais para um ferro-velho local para lançar foguetes de plástico aos céus. "A Apple", ele dizia na época, "era o meu bebê".

Entre as pessoas que conheciam bem Scott havia um misto de constrangimento, preocupação, vergonha e fúria. Markkula confidenciou a algumas pessoas que demitir Scott foi a coisa mais difícil que ele havia feito na vida, mas que a Apple não conseguiria suportar seus problemas pessoais.

Jobs provavelmente entendeu mais do que ninguém a extensão da humilhação de Scott. Por meses, Jobs nutriu um medo privado e culpado. "Eu sempre tive medo de receber uma ligação dizendo que Scotty tinha cometido suicídio."

O Cartão de Crédito de Platina

A riqueza complica a vida. Na Apple, a riqueza apareceu mais depressa, com maior intensidade e em maior quantidade do que jamais fora visto antes. As quantias envolvidas eram tão desconcertantes e extraordinárias que elas não significavam nada quando comparadas aos hambúrgueres, refrigerantes, rádios *walkie-talkie* e outros referenciais do dia a dia no El Camino Real. Uma comparação óbvia era com as grandes fortunas norte-americanas, mas o termo "fortuna" em si mesmo ficara caduco. No último quarto do século XX, os fundadores da Apple e alguns dos principais gerentes da empresa tornaram-se, de acordo com o flexível jargão do Vale do Silício, "zilionários" – uma expressão que contém tanto uma crítica à inflação quanto outra à linguagem – e os seus currículos adquiriram um ar meio árabe. Esses executivos tornaram-se jovens barões, portadores de uma riqueza que, ao menos em tese, equiparava-se a tudo que fora acumulado nos cem anos precedentes. As suas fortunas, nas épocas em que o mercado de ações tratava a Apple com especial reverência, eram capazes de eclipsar a riqueza exterior do príncipe de Gales, criar uma sombra sobre o patrimônio da Igreja Católica e fazer os capitães da indústria norte-americana parecer mendigos.

No começo de 1977, quando Jobs, Wozniak e Markkula tentaram avaliar o inventário de peças na sua garagem e o *design* do Apple II, eles chegaram a uma soma de 5 309 dólares. Um ano depois, quando três firmas de capital de risco adquiriram ações da Apple, ela já era avaliada em três milhões. Na véspera de ano-novo de 1980, pouco menos de três semanas depois da abertura das ações, a bolsa de valores atribuía à Apple o valor de 1,788 bilhões de dólares, com um valor de mercado superior ao do banco Chase Manhattan, da Ford Motor Company e da Merrill Lynch Pierce Fenner Smith, além de equivaler a quatro vezes o valor da Lockheed e também ao dobro dos valores somados da United Airlines, American Airlines e Pan Am.

Durante os primeiros dezoito meses de vida da Apple, os problemas monetários eram camuflados por uma combinação de circunstâncias com propósitos. A pressão do trabalho gerava distrações suficientes para ocupar os dias; ao mesmo tempo, as manobras financeiras de uma pequena empresa privada criavam muito menos oportunidades para os olhos à espreita que as transações visíveis de uma empresa de capital aberto. De acordo com a lei vigente na Califórnia, todas as transações privadas com ações da Apple deveriam ter o aval da companhia, procedimento que garantia alguma discrição. Quando novas pessoas eram recrutadas, elas conversavam com Scott e Markkula sobre a possibilidade de adquirir ações, mas os detalhes dos acordos normalmente permaneciam em sigilo. Em especial, Markkula mantinha controle estrito sobre as ações, explicando aos interessados de fora que as ações eram destinadas exclusivamente aos funcionários.

Mas aos poucos foram se imiscuindo nas conversas do dia a dia da Apple papos sobre vendas privativas, cochichos sobre um engenheiro que contraíra uma segunda hipoteca para adquirir mais ações, boatos sobre *splits* de ações, conversas sobre mudanças na tributação sobre o ganho de capital e discussões sobre as vantagens dos fundos. Até que chegou uma hora em que esses assuntos eram corriqueiros. Rick Auricchio, um programador que deixara a empresa na época, disse: "Na Apple eu aprendi tanto sobre ações e tributos quanto sobre computadores". O dinheiro era um assunto controverso que produzia uma ampla gama de emoções.

A distribuição das ações e as opções de compra tornaram-se um dilema intratável, que, aos olhos de Rod Holt, "geraram uma quantidade razoável de hostilidade bem justificada". Durante os dois anos iniciais, a distribuição dos envelopes cinzentos contendo ações era acompanhada por todo tipo de aviso de que o seu conteúdo não deveria ser levado a sério demais. Nos primeiros anos, alguns dos destinatários dos envelopes ficavam chateados quando recebiam um pacote com duzentas ações em vez de um aumento salarial. Afinal, após três grandes *splits*, cada ação da Apple distribuída antes de abril de 1979 equivalia a 32 ações no dia da abertura do capital da empresa, o que significava que toda pessoa que tivesse recebido 1 420 das chamadas "ações dos fundadores" e as mantivesse em seu poder até a manhã do dia 12 de dezembro de 1980 possuía, no papel, o equivalente a 1 milhão de dólares.

As opções de ações eram oferecidas à maioria dos novatos de peso, com base em seu currículo anterior e numa estimativa do que eles poderiam fazer pela Apple. Alguns dos novatos mais audaciosos transformavam suas entrevistas de emprego em sessões de negociação e só apertavam mãos depois de receberem a promessa de opções no nível que consideravam adequado. Outros, mais inocentes ao lidar com o mundo corporativo, satisfaziam-se com o salário e uma baia. Para a Apple, as ações eram uma poderosa ferramenta de recrutamento, e as opções distribuídas periodicamente funcionavam como incentivos poderosos. Scott tinha um deleite especial em esfregar a riqueza na cara das pessoas que não estavam convencidas de que a Apple fosse uma aposta valiosa. Ele mal conseguia conter uma risadinha ao declarar aos céticos: "Estamos alterando completamente o estilo de vida das pessoas".

Assim que vazaram os termos de alguns dos acordos, recrudesceu o amargor. Certamente, fizeram parte disso o destino e o acaso. Pessoas que eram contratadas a poucos dias de diferença de uma para a outra, mas uma delas logo antes de um *split* de ações e a outra depois, acabavam recebendo quantias muito diferentes. Entretanto, algumas dessas discrepâncias eram cuidadosamente calculadas. Os funcionários assalariados da Apple ganhavam opções de ações, mas os que recebiam por hora, não. Isso obviamente criava mal-estar. Por exemplo, os engenheiros dos laboratórios recebiam ações, mas não os técnicos que trabalhavam ao seu lado. Alguns achavam-se vítimas de injustiças. Mesmo os que prosperavam, como Bruce Tognazzini, estavam cientes das desigualdades. "O montante de ações que as pessoas recebiam não tinha nada a ver com o seu rendimento no trabalho, apenas com a sua habilidade para obter ações." Rod Holt às vezes tinha dificuldade para disfarçar a raiva. "Por ironia do destino, um cara que valia um milhão e meio de dólares não merecia sequer ter seu escritório dentro do edifício."

Daniel Kottke permaneceu sendo um técnico e não recebeu ações antes de a empresa abrir o capital. Holt tentou remediar a situação transferindo a Kottke algumas de suas próprias ações. Propôs a Jobs: "Que tal a gente fazer uma vaquinha? Você dá a ele algumas ações e eu cubro o resto". Jobs respondeu: "Ótimo! Vou lhe dar zero ações". Jobs, mais apegado emocionalmente à Apple do que a Kottke, ficou dividido. Uma parte dele lamentava a perda da amizade; outra parte ressentia-se profundamente por Kottke não manifestar seu apreço. "Daniel, de forma geral, tendia a exagerar a sua contribuição. Ele fez muitas coisas que poderiam ter sido feitas por qualquer outro contratado nosso; além disso, aprendeu muito."

Bill Fernandez, o contratado número um da Apple, também ficou desapontado. Embora tivesse retornado à Apple mais tarde, demitiu-se em 1978. "Eu sentia que estava carregando o piano e acabaria sendo um técnico para sempre. Não receberia ações. Não creio que a empresa tenha sido leal comigo." Elmer Baum, que emprestara dinheiro a Jobs e Wozniak quando eles estavam criando o Apple I, foi informado de que a empresa não lhe venderia ações. Chris Espinosa, na época um estudante da Universidade da Califórnia em Berkeley, também saiu de mãos vazias. "Nós perdemos o sonho americano porque éramos legais demais para agarrarmos um pedaço dele. Kottke era bonzinho demais. Fernandez era budista demais. Eu era jovem demais... Don Bruener foi sacaneado duas vezes. Ele trabalhava na manufatura e também fazia faculdade. Todos nós percebemos, em alguma medida, que não tínhamos peso suficiente. Não tínhamos a cara de pau necessária para nos tornarmos milionários."

Os valores das distribuições de ações eram distorcidos pelas fofocas e pelo disse me disse. Alguns se vangloriavam do volume da sua carteira, enquanto outros ficavam constrangidos e tentavam exercer suas opções com discrição. Quando gerentes médios recém-recrutados ficavam sabendo que os seus subordinados eram muito mais ricos que eles próprios, ficava impossível disfarçar a inveja. Dessa forma, por exemplo, Sherry Livingston percebeu que outras secretárias, pagas por hora, estavam tornando sua vida um inferno depois de descobrirem que ela possuía algumas ações. Outra funcionária, encarregada da burocracia relacionada às opções, ficou tão desconfortável com os valores envolvidos que deixou a empresa.

Embora Markkula barrasse as pessoas que tiravam seu sustento da especulação com empresas sobre ações da Apple, era certamente bem mais fácil para as pessoas bem-relacionadas fora dela adquirir ações do que para os seus funcionários dedicados. Bastava conhecer os nomes certos, almoçar com a panelinha certa e dar os telefonemas certos que o resultado vinha. A ocasional venda privada de ações refletia a importância dos contatos pessoais e do senso claustrofóbico de comunidade. As empresas de capital de risco que conseguiam pôr suas mãos em ações eram geralmente aquelas que já tinham feito negócios juntas, repassavam umas às outras dicas de negócios vantajosos e empenhavam-se em retribuir favores.

Os poucos indivíduos que conseguiram obter ações da Apple antes da abertura de capital também tinham os amigos certos. No começo de 1979, por exemplo, Wozniak vendeu um punhado de ações ao financista egípcio Fayez Sarofim, um amigo de Arthur Rock desde o começo da década de 1950, quando ambos estudavam na escola de Administração de Harvard. Sarofim reuniu um *portfólio* de mais de um bilhão de dólares a partir de discretos escritórios forrados de obras de arte moderna em Houston. Wozniak também vendera ações a Richard Kramlich, um sócio na empresa de capital de risco de Arthur Rock, e para Ann Bowers, esposa do vice-presidente da Intel e, posteriormente, chefe do departamento de recursos humanos da Apple.

No verão de 1979, quando a Apple levantou 7 273 801 dólares naquilo que o setor do capital de risco denomina financiamento *mezzanino*, mais uma vez as conexões deram resultado. Entre os dezesseis que compraram ações pela cotação de 10,5 dólares estavam algumas das empresas de capital de risco mais conhecidas dos Estados Unidos, incluindo a LF Rotschild de Nova York, Unterberg, Towbin e a empresa de capitais Brentwood, com sede no sul da Califórnia.

Um nome se sobressaía na lista: Xerox Corporation, que adquirira cem mil ações, embora tivesse concordado em não comprar mais do que 5% da Apple. Esse acordo dava à Apple acesso aos laboratórios de pesquisa da Xerox, embora, segundo Scott, "nós tivemos o cuidado de não deixar a Xerox espiar nossos futuros produtos." E o representante da Xerox não era convidado a reuniões internas da Apple nas quais estivessem em discussão assuntos estratégicos. O maior comprador individual era o amigo de Arthur Rock, Fayez Sarofim, com 128,6 mil ações. Markkula e Jobs venderam, cada um, em torno de 1 milhão de dólares em ações.

Durante os doze meses seguintes, Arthur Rock ficou de olho nas idas e vindas das novas emissões no mercado, e foi ele, acima de todos, quem forneceu a opinião e os conselhos decisivos para a Apple enfrentar os perigos da abertura de capital.

Embora a maioria já achasse que a Apple algum dia seria uma empresa aberta, foi repentina e inesperada a sua decisão de abandonar a relativa tranquilidade das empresas privadas. Entre os principais gerentes da Apple houve certa relutância em comandar uma empresa aberta. Steve Jobs encarou por algum tempo a tentação de repetir o caso da imensa construtora Bechtel, de San Francisco. Ele gostava da ideia de não entregar informação que pudesse ajudar rivais, de administrar uma empresa multinacional sem precisar suportar pressões de acionistas e também evitar as provocações dos críticos que tinham o passatempo de dar as caras nas reuniões anuais de acionistas. Assim como seus companheiros, Jobs estava consciente das distrações causadas por investigações voluntárias, do trabalho jurídico necessário para preparar os prospectos de ações e do dreno representado pelas longas turnês necessárias para apresentar as virtudes da empresa aos banqueiros e investidores das maiores cidades norte-americanas e europeias.

Michael Scott queria que a Apple crescesse até ser um vasto empreendimento que prescindisse de auxílio externo. E rogava pragas contra advogados que limitavam sua liberdade de manobra, burocratas federais que o atolavam em documentos e jornalistas que nada mais faziam do que diluir suas ideias.

Além das questões de preferência pessoal, havia razões prementes para a Apple abrir o capital. O mercado para as novas emissões de ações, que tinha sofrido um marasmo após a recessão de 1973 a 1974, recuperou um pouco de seu espírito em 1980. Um pouco disso era reflexo da redução do tributo sobre ganhos de capital de longo prazo em 1978, de 49 para 28 por cento, o que causou um imenso afluxo de dinheiro para os fundos de capital de risco. Embora a Apple já estivesse operando antes do corte no tributo, outras empresas que começavam a emergir da obscuridade deviam ao menos parte de sua existência aos fundos. Pesquisas internas da Apple previam que, graças à distribuição de opções, o número total de acionistas logo atingiria quinhentos indivíduos; de acordo com a Lei de Valores Mobiliários (Securities and Exchange Act) de 1934, todas as empresas a partir desse número de acionistas eram obrigadas a publicar relatórios, mas, acima de tudo, a Apple estava na situação feliz de não precisar de um grande aporte.

Todos os fundadores e administradores da Apple sabiam que a oferta pública inicial seria um passo essencial no seu crescimento. Dependendo do interlocutor, ela era comparada ao aniversário de 21 anos, o nascimento de um herdeiro, o noivado de uma filha ou um bar mitzvah. Assim, em uma reunião do conselho em agosto de 1980, Arthur Rock opinou que a oferta pública inicial seria um obstáculo a ser negociado mais cedo ou mais tarde, e os diretores da Apple acataram o conselho. O momento escolhido, não a notícia em si mesma, pegou todo mundo de surpresa. Fred Hoar, o recém-contratado vice-presidente de comunicações, teve de redigir às pressas um comunicado à imprensa antes mesmo de receber a sua escrivaninha. Enquanto isso, Regis McKenna teve de cancelar a veiculação de alguns anúncios da Apple no *Wall Street Journal*, a fim de evitar que a Comissão de Valores Mobiliários (Securities and Exchange Commission) acusasse a Apple de manipular as ações.

A força da posição da Apple na negociação se refletia na quantidade de banqueiros de investimento que batiam à porta para tentar vender as virtudes de suas firmas. A oferta inicial da Apple prometia ser uma das maiores em muitos anos, e a perspectiva das comissões bastava para fazer babar até o banqueiro mais sisudo. Os visitantes entregavam documentos promovendo o mérito de suas estimativas de valor para a Apple; havia também muito papo sobre "relacionamentos em curso", "suporte pós-venda" e "redes de varejo".

Entre os pretendentes havia executivos da Hambrecht and Quist, uma empresa de investimento e subscrição de San Francisco que passara a década especializando-se em investir em jovens companhias e subscrevendo ações de empreendimentos tecnológicos. Os homens da Hambrecht and Quist só conseguiram fechar negócio depois de visitar a Apple umas dez vezes e fazer apresentações aos seus principais gerentes, bem como aos departamentos financeiro e jurídico. A fim de balancear a reputação da Hambrecht and Quist de "espírito livre" dentro da comunidade de investidores, a Apple fez o negócio ser copatrocinado pelo Morgan Stanley, um banco mais tradicionalista de Nova York. Quando o Morgan Stanley decidiu fazer negócio com a Apple e, mais notavelmente, aceitou tratamento igual ao dispensado a uma companhia de investimentos jovem, ficou implícito que as antigas alianças estavam abrindo espaço para outras novas. Quase imediatamente, Morgan Stanley rompeu seu contato com a IBM e tornou-se mais agressivo em sua busca por negócios com empresas novas.

Um relacionamento curioso se estabeleceu entre o Oeste e o Leste, entre os gerentes da Apple e os financistas. Jobs reclamava que os banqueiros não davam a devida atenção à Apple; Michael Scott, em particular, aproveitava cada oportunidade que surgia para provocar os executivos engravatados, com suas camisas de monogramas e abotoaduras. Quando os administradores da Apple foram convidados a assistir ao *briefing* dado a investidores pela Genentech, uma empresa de biotecnologia de San Francisco que também estava prestes a se tornar aberta, Scott vestiu a si mesmo e aos companheiros com bonés de beisebol, braçadeiras pretas e camisetas estampadas em estêncil com a inscrição A GANGUE DA APPLE. De sua parte, vários banqueiros mal conseguiram crer que Scott era o presidente da empresa que eles tinham acolhido com tanto fervor.

Não era necessário lembrar aos analistas de negócios que a Apple iria abrir suas ações. No segundo semestre de 1980, o mercado das emissões iniciais de ações parecia quase um *revival* do final dos anos 1960, quando a esquina "quente" era o cruzamento entre as avenidas Wilshire e Santa Monica, em Beverly Hills. Conforme o outono foi dando lugar ao inverno, o palpite de Arthur Rock adquiriu uma cara cada vez melhor. Quando a Genentech fez sua oferta pública inicial em outubro de 1980, foi um pandemônio. A cotação abriu o dia a 35 dólares, subiu até 89 e fechou em 71. Com um acontecimento desses, o interesse geral nas estreias se espalhou como a febre suína. Embora a SEC proibisse as empresas de anunciar prognósticos ou promover suas ações nas semanas que antecediam o lançamento, os repórteres das revistas e jornais fizeram seu trabalho. A atenção recebida pela Apple nas semanas anteriores à sua emissão inaugural de ações foi a primeira publicidade nacional ampla da empresa. Em parte, ela fora gerada pela perspectiva do tamanho do negócio, mas também representava a recompensa tardia pela forma como a Apple cortejara e flertara com a imprensa nos anos precedentes.

A Apple era recomendada por analistas de investimentos e consultores de *portfólios*, por charlatães que ganhavam a vida dando dicas e também pelos autores dos guias e boletins, resumos e colunas do mercado acionário. De acordo com o *Wall Street Journal*, "Todo especulador ligado a novas emissões quer dar uma mordida na maçã – a Apple Computer, Inc. – mas a maioria deve se considerar muito sortuda se conseguir apenas um pedacinho". Potenciais investidores revelavam-se; os malotes de cartas que chegavam ao escritório da Hambrecht and Quist em San Francisco incluíam um pedido de ações de um menino de sete anos.

Nas semanas que correram antes da abertura da Apple, os telefones não paravam de tocar em Cupertino. As pessoas queriam saber se poderiam comprar ações ou quando ocorreria o próximo split. Estranhos rondavam as lojas de computadores frequentadas por Jobs e Wozniak; ambos recebiam ligações pessoais de pessoas com quem não conversavam há anos. Ex-colegas de escola, primos distantes e até mesmo os empregados que trabalhavam em suas casas estavam ansiosos para botar as mãos em um punhado de ações. Outros grandes acionistas da Apple combinavam vendas privativas com unit trusts (sociedades de investimento de capital variável) e investment houses britânicos; fundos de tecnologia baseados no Caribe; o fundo de pensão da HP; pessoas que tinham prestado atenção na Apple ou possuíam contas com os subscritores. Alguns dos mais insistentes eram os investidores profissionais que queriam adicionar a Apple à lista de grandes sacadas nas quais tiveram participação nas últimas décadas. Charlie Finley, o controverso dono do time de basquete Oakland Athletics, combinou uma venda com quatro executivos, apesar das objeções de Arthur Rock, e então os processou porque ficara descontente com o preço. Médicos, dentistas e advogados que trabalhavam para os acionistas da Apple também se apossaram de algumas ações. Um consultor de Beverly Hills adquiriu ações, explicando que ele tinha familiaridade com a Apple porque ele conduzira "um workshop de treinamento sobre comunicação efetiva para os principais gerentes da empresa".

Entre os escritórios dos corretores, a perspectiva da oferta pública inicial causou um frenesi. Um cliente de uma empresa em San Jose propôs abrir uma conta de 1 milhão de dólares em troca de 3 mil ações da Apple. Em todo o país, corretores ofereciam seus nomes para obter algumas ações de seus clientes favoritos. Um analista da Merrill Lynch disse: "Até mesmo o meu irmão, que só faz investimentos na bolsa às terças-feiras em anos bissextos, correu a me perguntar o que eu sabia sobre a Apple." Um analista do Detroit Bank and Trust comentou: "É seguro afirmar que todo mundo vai arranjar dinheiro para poder comprar algumas ações da Apple". Outro ironizou o clamor e a notícia de que uma loja de computadores pretendia oferecer ações, fazendo a previsão de que em breve alguns proprietários do Apple II tentariam emitir suas próprias ações. Funcionários da Apple descobriram que a simples menção do nome da empresa atraía atenção. Um jovem reparou que os corretores de ações ouviam com atenção total cada uma de suas palavras, mesmo sendo ele barrado na entrada do bar. Para ele, possuir ações da Apple era "como possuir um cartão de crédito American Express feito de platina".

A febre também contribuiu para acentuar os ressentimentos e a inveja dentro da Apple. Wozniak imaginou um método próprio para corrigir a desigualdade na distribuição das ações. Resolveu vender um pouco de suas próprias ações a companheiros que não receberam o quanto mereciam ou tinham sido vítimas de promessas vazias. O Wozplan, como rapidamente ficou conhecido, deflagrou um pequeno estouro de boiada. Quase três dúzias de pessoas obtiveram 80 mil ações que, de acordo com os documentos, foram oferecidas por Wozniak a 7,50 dólares cada. Ao responder ao inquérito formal estabelecido pelo Commissioner of Corporations da Califórnia, os compradores explicaram as circunstâncias e a forma como tinham ficado sabendo da oferta. William Budge, por exemplo, expôs o seguinte: "A quantia do investimento proposto é superior a 10% de meu patrimônio líquido e minha renda anual". Jonathan Eddy revelou que sua consultora de investimento pessoal o estimulou a comprar. "Ela mesma possuía um pouco." Alguns, como Timothy Good, apelavam para o jargão: "Eu interfaceei com vários oficiais profissionalmente". Lewis Infeld disse que soube da oportunidade "pelo boca a boca dentro do meu ambiente de trabalho". Outros, como Wayne Rosing, foram diretos. "Sou solteiro, não tenho dívidas e possuo mais que suficiente em patrimônio e seguros para suprir minhas necessidades." Entrementes, Wozniak também vendera 25 mil ações a Stephen Vidovich, o desenvolvedor do Clube de Raquete de DeAnza, onde a Apple tinha uma cota de sociedade corporativa. "Em razão de os fundadores serem meus amigos, eu tornei público que estava interessado em adquirir ações tão logo elas ficassem disponíveis." Jobs notou o progresso do Wozplan e das vendas pessoais de Wozniak e concluiu que o seu companheiro "deu ações às pessoas erradas. Woz não conseguia dizer não. Muitos tiraram proveito dele".

Enquanto isso, Jobs era assolado pela preocupação pessoal causada pelo nascimento da filha de um caso seu dos tempos do colégio, Nancy Rogers. A criança nascera na fazenda de Robert Friedland em maio de 1978. Nancy estava certa de que Jobs era o pai. Jobs foi à fazenda alguns dias após o parto e ajudou a moça a escolher o nome da menina. Eles a batizaram de Lisa. Depois disso, Jobs e Nancy seguiram caminhos separados; ela sustentava a si própria e ao bebê com bicos de garçonete e faxineira e acabou solicitando uma pensão de 20 mil dólares. Markkula achou que isso era muito pouco e sugeriu que Jobs pagasse 80 mil. Jobs teimou e insistiu que não era o pai de Lisa. Totalmente convencido de que não tinha nada a ver com a criança, em três ocasiões ele deixou de fazer os pagamentos voluntários em benefício da criança. O pai de Nancy lembra: "Todas as vezes, ele voltava a pagar assim que colocávamos um advogado no meio".

Em maio de 1979, Jobs deixou a família Rogers perplexa ao colocar-se à disposição para fazer exames de sangue a fim de determinar a paternidade de Lisa. A análise, feita pelo departamento de cirurgia da Universidade da Califórnia, em Los Angeles, concluiu que "a probabilidade de paternidade para Steve Jobs é de 94,41%". Jobs não se deixou convencer e insistiu que, em virtude de desvios estatísticos, "28% da população masculina dos Estados Unidos ainda pode ser o pai". Por fim, ele enfrentou esse assunto extremamente doloroso e aceitou um acordo mediado no tribunal. "Fiz o acordo porque nós iríamos abrir as ações ao público e o caso estava consumindo uma tonelada de energia emocional. Eu precisava resolver aquilo. Não queria ser o réu num processo de 10 milhões de dólares." A um mês da oferta pública inicial da Apple, Jobs começou a pagar à mãe 385 dólares por mês a título de sustento para a criança, cobertura do seguro médico e odontológico e reembolso ao condado de San Mateo pelos 5 856 dólares gastos em assistência pública ao bebê.

Enquanto Jobs travava a sua luta pessoal, o interesse externo na Apple não parava de aumentar e a cotação das ações inflava. Na Apple, a cotação era fonte de apostas furtivas e especulação nervosa. A elevação da cotação foi tão acentuada que o secretário de Estado de Massachussetts proibiu seus cidadãos de adquirir ações, porque a Apple não cumpria o regulamento estadual que exigia um valor nos livros de pelo menos 20% do valor de mercado. Durante a primeira semana de agosto de 1980, a Hambrecht and Quist – firma na qual o diretor e investidor Arthur Rock era sócio limitado – adquiriu 40 mil ações por 5,44 dólares cada. Quando o primeiro prospecto de ações da Apple saiu, no dia 6 de novembro, estava previsto que a cotação ficaria entre 14 e 17 dólares. Na manhã do grande dia da oferta pública inicial da Apple, 12 de dezembro de 1980, a cotação estava em 22 dólares, mas havia sinais de que ela estaria subavaliada, pois fechou o dia em 29 dólares.

Esse dia foi uma espécie de feriado corporativo não oficial. Dentre as 237 empresas que fizeram suas ofertas iniciais em 1980, a Apple era de longe a maior delas; sua oferta fora a maior desde a estreia da Ford na bolsa, em 1956. Os telefonistas da Apple notaram que algumas pessoas ligaram reclamando que não tinham sido avisadas da data.

Dentro da empresa havia computadores conectados ao *ticker* de ações da Dow Jones, programados para imprimir a cotação a cada poucos minutos. Houve um festejo prematuro quando algumas das máquinas começaram a exibir as cotações de outra empresa que tinha a sigla APPL, em vez do correto para a Apple, que é AAPL. Algumas pessoas pretendiam instalar no meio da rua um termômetro falso que interligasse os principais prédios da empresa. Antecipando-se a um surto na cotação, eles pretendiam marcar os valores na escala. Cabeças mais frias prevaleceram.

Michael Scott instalou um interfone no escritório do Morgan Stanley em Nova York e, ao final do dia, carregou para a Apple algumas caixas de champanhe parar celebrar os 82,8 milhões de dólares recém-adicionados ao balde de dinheiro da empresa. Robert Noyce, vice-presidente da Intel, coinventor do circuito integrado e marido da diretora de recursos humanos da Apple, compareceu à festinha; Jef Raskin escrutinou os demais convidados e percebeu que "todas as pessoas dentro da sala eram milionárias. A força da coisa era de tal ordem que o mundo estava mudado. Eu nunca vira aquilo acontecer antes".

Era natural ficar chocado; afinal, quase não havia precedentes. Nos últimos dias de 1980, o valor no papel de alguns indivíduos poderia ser entalhado em urânio. A fatia de Jobs, de 15% da empresa, estava avaliada em 256,4 milhões de dólares; Markkula tinha 239 milhões, Wozniak, 135,6 milhões e Scott, 95,5 milhões. Henry Singleton, da Teledyne, detinha 2,4%, o que correspondia a 40,8 milhões. Os investimentos dos capitalistas de risco também estavam em alta. Os 300 mil dólares iniciais da Venrock, somados a mais dois investimentos, tinham se convertido em 129,3 milhões. A parcela de Arthur Rock, originalmente de 57,6 mil dólares, agora valia 21,8 milhões.

Rod Holt descobriu-se sentado sobre 67 milhões, Gene Carter possuía 23,1 milhões e John Couch, o chefe da divisão Lisa, tinha 13 milhões. O chefe de engenharia Thomas Whitney, que saíra no que fora educadamente denominado "férias de duas semanas" e Markkula caracterizara de forma incomum como um "caso de estafa", descobriu que seus vinte e seis meses na Apple renderam um barril de ações no valor de 48,9 milhões. Alice Robertson, a primeira esposa de Wozniak, descobrira que a sua parcela do acordo de separação estava avaliada em 42,4 milhões, embora ela ainda reclamasse depois que fora vítima de um mau negócio.

Depois de a empresa se tornar aberta, houve mais complicações. Alguns dos executivos, cujos nomes e carteiras de ações foram revelados no prospecto oficial e nas reportagens dos jornais, começaram a se preocupar. Eles instalaram novas cercas ao redor de suas casas, compraram carros mais velozes, montaram sistemas de segurança sofisticados e receavam a possibilidade de sequestro de seus filhos. Leslie Wozniak, que ganhara ações de seu irmão, afastou-se do seu trabalho em uma gráfica e se sentiu desorientada: "Foi difícil decidir o que deveria fazer da minha vida; qualquer ganhador na loteria deveria ganhar junto um ano de terapia".

Na Apple, quem queria vender as ações descobriu que não podia fazê-lo rapidamente, devido a obstáculos legais. Alguns outros esperavam três anos, vendiam suas opções e então se aposentavam, enquanto outros tentavam decidir o melhor momento para a venda. Um grupo numeroso chegou a voar até Vancouver, no Canadá, no dia do vencimento do imposto de renda referente a 1980, a fim de obter uma prorrogação. O programador Bill Atkinson reclamou: "Algumas pessoas gastavam metade de seus dias só contabilizando suas ações". Os que vendiam as ações descobriam que retê-las era visto como uma questão de lealdade. Quando Jef Raskin vendeu sua parcela, Jobs o acusou de traição. Raskin devolveu: "Eu não queria mais abrir o jornal todo dia para saber quanto dinheiro possuo". A Apple começou a ter dificuldades para recrutar novas pessoas, porque elas já não podiam ficar ricas com a mesma facilidade que existia antes da oferta pública inicial. Nas paredes externas das baias eram pendurados gráficos que mostravam as idas e vindas da cotação, com um efeito nítido sobre a moral da equipe. Quando as ações caíam, os gráficos sumiam. Bruce Tognazzini admitiu: "Passei um ano inteiro totalmente pirado, porque o meu humor era vinculado diretamente ao índice Dow Jones".

Para Jobs, Wozniak e os outros grandes beneficiários da riqueza criada pela Apple, os benefícios acabaram sendo de uma natureza mais mecânica que emocional. Eles, assim como outros, aprenderam que a riqueza e a perspectiva de lazer não traria a felicidade de repente e, até certa medida, confundiam tudo. Jobs e Wozniak começaram a receber cartas de agradecimento pela sua realização. Por vezes, os envelopes traziam fotos de casas com legendas como "A casa que a Apple construiu para mim". As vagas de estacionamento na empresa ficaram povoadas de Porsches e Mercedes.

Alguns dos indivíduos mais ricos fizeram aquisições muito maiores. Alice Robertson comprou apartamentos e um Mercedes dourado, decorado com placas de licença com a sigla 24 CARAT. Rod Holt voltou-se às corridas de veleiros de oceano: encomendou uma embarcação e costurou o logotipo da Apple numa das velas. Markkula se elevou aos céus: adquiriu um Learjet de segunda mão, repintou-o, equipou-o com um sistema de som, tocador de videoteipe e um Apple II, baseou-o num hangar no aeroporto de San Jose sob o nome ACM Aviation, empregou uma dupla de pilotos e passou a usá-lo para ir a uma casa de campo de fim de semana às margens do lago Tahoe.

Jobs pretendia compartilhar o avião com Markkula, mas achou que seria ostentação demais e optou por uma vida de austeridade cara. "As coisas que você tem vontade de comprar acabam logo."

Ele não sabia se ficava constrangido ou orgulhoso pelo fato de ele e Markkula, certa noite, racharem uma garrafa de vinho Sauternes de 200 dólares ou pela chance de ele adquirir o espaço publicitário de uma página no jornal francês *Le Monde* para tentar localizar uma mulher que o conhecera em Paris e furou o encontro combinado com ele. Jobs entendeu que a riqueza, assim como a notoriedade que vem a reboque dela, abrem as portas de um palco mais amplo. Começaram a chegar convites para festas sociais, políticos solicitavam doações, entidades beneficentes com nomes desconhecidos passaram a enviar cartas pedindo fundos. Conforme Jobs era convidado a dar mais palestras, tornava-se mais polido. À medida que os negócios começaram a levá-lo para passear pelo mundo, ele viu que cidades grandes, como Paris e Nova York, eram mais interessantes que Cupertino ou Sunnyvale. Seu guarda-roupa também assumiu uma feição mais cosmopolita. Os *jeans* começaram a dar espaço a elegantes trajes sociais confeccionados pelo alfaiate Wilkes Bashford, de San Francisco.

Quando o colunista de jornal *Herb Caen* mirou na jugular ao chamar Cupertino de Computertino, Jobs devia fazer parte da sua motivação. Antes da abertura das ações da Apple, o jovem mestre de Computertino comprou uma tranquila residência nas encostas das montanhas de Los Gatos e a dividiu durante três anos com uma namorada que havia trabalhado na agência McKenna. Para essa mansão, Jobs exigiu o mesmo nível de acabamento que exigia na Apple, mas era ocupado demais para dedicar todas suas energias à casa, que permaneceu vazia de móveis e repleta de ecos.

Assim que a namorada foi embora da residência, ela se tornou o lar de uma alma solitária. O único cômodo mobiliado era a cozinha, decorada em estilo camponês francês, mas com facas Henckel e uma cafeteira Braun. O quarto de dormir principal continha um Apple II, um colchão e uma penteadeira, no topo da qual havia uma eclética coleção de fotografias de personalidades, como o guru Neem Karolie Baba, o ex-governador da Califórnia Jerry Brown e Albert Einstein. Em outro quarto, uma pasta de documentos cheia até a metade fazia companhia aos pacotes de camisas enviados pela lavanderia. Plantas arquitetônicas jaziam espalhadas pelo piso de uma sala no andar de baixo. Não havia poltronas nem sofá.

Do lado de fora, um Mercedes substituíra a sucessão de carros velhos; Jobs deslizava os dedos pelas linhas suaves e elegantes do automóvel, prometendo às pessoas que algum dia os computadores da Apple teriam um visual igualmente elegante. Ele comprou uma motocicleta BMW R-60, que às vezes pilotava nas colinas, e um quadro pintado por Maxfield Parrish. Em parceria com Robert Friedland, Jobs adquiriu um terreno na região do Noroeste do Pacífico e também ajudou a financiar a Seva, uma organização dedicada a erradicar a cegueira no Nepal.

Mas Jobs era introspectivo demais para encontrar conforto na riqueza. Ele se preocupava com algumas das consequências; pediu seus pais que removessem os adesivos da Apple de seus automóveis, ficou imaginando uma maneira de lhes dar dinheiro sem virar o seu mundo de cabeça para baixo, receava que as mulheres quisessem ficar com ele só por causa do dinheiro e sabia que seus amigos tinham expectativa de que ele empregasse sua fortuna de maneira sábia. Com vinte e poucos anos, era uma versão digital do personagem Monroe Stahr, de *O Último Magnata*, de Scott Fitgerald.

Wozniak parecia determinado a seguir o conselho de Samuel Johnson, segundo o qual era melhor viver rico que morrer rico. Ele sempre foi mais aberto, chamativo e cavalheiro acerca da sua fortuna. Enquanto era estudante e engenheiro, administrava as suas finanças de maneira atabalhoada; nada mudou depois de tornar-se rico. Não conseguia acompanhar as próprias contas, não se preocupou em buscar aconselhamento financeiro e tinha o hábito de entregar o formulário do imposto de renda atrasado. Ele agia como um acessível ursinho de pelúcia. Quando os amigos, conhecidos e estranhos lhe pediam um empréstimo, era comum que preenchesse um cheque na hora.

Ao contrário de Jobs, que preservou diligentemente suas ações de fundador, Wozniak distribuiu parte das suas. Deu de presente 4 milhões de dólares em ações a seus pais, irmã e irmão, e mais 2 milhões aos amigos. Também fez investimentos em novas empresas. Comprou um Porsche e colocou nele placas com a licença APPLE II. Seu pai encontrou dentro do carro 250 mil dólares em cheques não depositados e comentou: "Uma pessoa como ele não pode ter tanto dinheiro". Assim que Wozniak finalmente procurou consultoria financeira, foi à Apple e anunciou: "Meu advogado me disse para diversificar, por isso acabei de comprar um cinema". Mas até esse negócio acabou saindo torto. A sala de exibição, localizada entre os *barrios* na zona leste de San Jose, suscitou ferozes protestos na comunidade após exibir um filme sobre gangues, *Warriors – Os Selvagens da Noite*. Wozniak compareceu a algumas das reuniões da comunidade, ouviu as queixas da liderança local, prometeu que seu cinema não exibiria filmes violentos ou pornográficos e, acompanhado por Wigginton, passou algumas tardes na sala vazia assistindo aos filmes e fazendo o papel de censor.

Alguns meses após a Apple se tornar aberta, Wozniak fez um curso de pilotagem de aviões, comprou um monomotor Beechcraft Bonanza e, apenas oito semanas após o dia da abertura das ações, quase cumpriu a segunda metade do adágio de Samuel Johnson. Wozniak embarcou numa viagem aérea de fim de semana com Candi Clark, a filha de um empreiteiro californiano com quem ele se encontrara pela primeira vez durante uma batalha de pistolas d'água na Apple e que estava prestes a se tornar sua segunda esposa. Eles iam acompanhados de outro casal e voariam até o sul da Califórnia para buscar os anéis de casamento de Wozniak e Candi. Antes da decolagem, no aeroporto de Scotts Valley, situado nas montanhas de Santa Cruz, Wozniak estava nervoso, reclamando de uma interferência nos seus fones. Os passageiros estavam igualmente apreensivos. Seu desconforto era justificado. Quando o avião deixou a pista, elevou-se no ar cerca de quinze metros, despencou, quicou no chão algumas vezes, empinou, deslizou por duas cercas de arame farpado, projetou-se sobre um aterro e virou sobre o nariz, parando a oitenta metros de uma pista de patinação lotada de adolescentes. Um corretor de ações de San Francisco que estava no local do acidente desligou a ignição da aeronave e encontrou Wozniak prostrado no colo de sua noiva.

Em sua investigação, a National Transportation Safety Board não encontrou nenhum sinal de pane mecânica. Médicos examinaram os quatro ocupantes feridos. Wozniak havia mordido seu lábio superior, esmigalhado um dente, fraturado a órbita ao redor do olho direito e sofria de visão dupla e amnésia. Sua noiva necessitou de uma cirurgia plástica para reparar os cortes no rosto. O acidente de Wozniak proporcionou manchetes sombrias nos jornais locais: EXECUTIVO DE COMPUTADORES SOFRE ACIDENTE AÉREO, EXECUTIVO DA APPLE EM ESTADO DE OBSERVAÇÃO. Nos dias que se seguiram ao acidente, Jobs alugou uma limusine para transportar os pais de Wozniak ao hospital de El Camino. Em seu leito, Wozniak estava frenético, recusava as refeições e dizia que o governo conspirava para explodir o hospital e apossar-se de todo o seu dinheiro. Embora os médicos não tivessem chegado a um consenso sobre o caso, Wozniak obteve alta sete dias após o acidente; seis meses depois, encomendou um novo monomotor Beechcraft Bonanza.

"Ele não quer que tirem fotos agora,"

diz ela.

O saguão do dormitório da Universidade Stanford parecia o cenário pouco iluminado de um romance gótico do século. Havia pedestais de imitação de mármore sobre os radiadores; candelabros decorados produziam sombras amareladas através do teto da cor de creme de menta. Ramos de árvores, finos por causa do outono, roçavam nas janelas, empurrados pela brisa do crepúsculo. Aproximadamente cem calouros, a maioria dos quais aparentemente dotada de um desejo sincero de obter a graduação, jaziam em diversas posturas de repouso. Um par deles mexia em pequenos gravadores de fita. Eles tinham vindo para ouvir Steve Jobs. A informalidade não se estendia às três mulheres da agência de relações-públicas Regis McKenna, postadas de pé nos fundos da sala. Elas tinham ajudado a selecionar os estudantes convidados dentre as dúzias de solicitações que Jobs recebia a cada semana. A mais jovem das três nunca encontrara Jobs antes, mas o monitorava com uma familiaridade conjugal e dizia ao fotógrafo de uma revista: "Ele não quer que tirem fotos agora".

Para os alunos, o presidente da Apple Computer era uma bem-vinda quebra na rotina dos palestrantes anteriores, formada por administradores de faculdades e professores. Jobs estava vestido sem maior formalidade, num bem talhado casaco esportivo e usando *jeans*, cortesias do alfaiate Wilkes Bashford, de San Francisco, e da Levi Strauss, respectivamente. Enquanto um aluno fazia algumas observações introdutórias, Jobs tirou o casaco, descalçou o par de botas de Cordura, revelando meias Argyle, e sentou-se em posição de lótus sobre uma mesa de centro.

Os alunos pareciam um tanto intimidados, mas o tipo das perguntas que eram feitas logo revelou que o assunto em pauta possuía, aos seus olhos, a mesma estrutura molecular da Apple. Jobs aproveitava as perguntas para desenvolver um discurso sedutor, que, com sutis variações, servia como sua fala padrão para os editores de revistas, comissões do Congresso, comissões estaduais, alunos de escolas de Administração, convenções de eletrônica, políticos e acadêmicos visitantes. Ela explicava em parte a razão da popularidade da Apple e também por que, alguns meses atrás, Jobs aparecera na capa da revista *Time*. Era uma mistura de evangelismo tecnológico com publicidade empresarial, e Jobs agia como um malabarista, alternando os papéis de porta-estandarte e promotor corporativo.

Ele contou como a Apple começou. "Quando nós fundamos a Apple, construímos o primeiro computador porque desejávamos ter um. Projetamos esse computador muito louco, com cores e várias outras coisas, chamado Apple II, do qual vocês podem ter ouvido falar. Tínhamos paixão por fazer uma coisa simples: produzir computadores para nossos amigos, para que eles se divertissem tanto quanto nós..."

De repente, o *flash* do fotógrafo da revista iluminou o salão e Jobs perguntou: "O que foi isso?", provocando risadinhas generalizadas. O fotógrafo se ajoelhou por trás de uma coluna e elevou a sua câmera. Jobs fez uma pausa, olhou para a lente, disse "Oi!" e as perguntas silenciaram. Assim que eles retornaram, um aluno pediu para saber quando as ações da empresa subiriam. "Não posso falar sobre isso", ele disse, de maneira desestimulante. Ele explicou que esperava que a Apple um dia vendesse meio milhão de computadores por mês. "Ainda é meio um pé no saco usar um computador." Ele falou aos estudantes sobre o computador Lisa, revelou seu sonho de colocar um computador dentro de um livro e prometeu: "Nós não vamos colocar lixo no livro; nossos concorrentes é que farão isso".

Continuou descrevendo aos alunos seu plano de doar um computador a cada escola de ensino médio do país. Os cínicos opinavam que seria um golpe frio de *marketing* para cultivar uma geração de novos usuários Apple, mas no começo a ideia era um gesto romântico. O plano fora batizado formalmente de Ato Tecnológico Educacional de 1982, mas internamente na Apple tinha o apelido de "Programa Crianças não Podem Esperar", ironizando a impaciência de Jobs para fazer as coisas acontecerem. Em sua primeira excursão promocional, passara meses fazendo *lobby* entre os congressistas, na esperança de conseguir uma emenda na lei fiscal que permitisse às empresas obter o mesmo abatimento na doação de computadores a escolas primárias o qual elas já obtinham ao fazer as doações a universidades. Jobs fizera seu discurso-padrão de vinte minutos aos deputados e senadores, mas o governo Reagan não estava disposto a alterar a lei para auxiliar casos específicos. Quando os alunos quiseram saber o que era feito desse plano tão bem divulgado, Jobs anunciou que a Apple não pretendia mais apoiar a legislação alterada e que "o Senado ferrou tudo".

A Apple teve uma recepção menos fria no Poder Legislativo da Califórnia, que fizera uma emenda à lei local, e Jobs dizia que a empresa logo começaria a distribuir dez mil computadores pelo Estado. "Estamos no lugar certo, na hora certa, com as pessoas certas para podermos retribuir. Isso é bem legal. Os computadores e a sociedade estão em seu primeiro encontro, então seria ótimo se pudéssemos fazer o encontro florescer." Ele acrescentou: "Estamos na corrida para aumentar a produtividade do trabalhador da informação. O computador pessoal pode gerar, num nível bem básico, energia intelectual gratuita, mas a revolução do computador ainda irá eclipsar a revolução petroquímica".

Respondendo a outras perguntas, ele disse aos alunos: "A empresa que mais limitará nosso sucesso não é a IBM, é a Apple. Se nós fizermos o que sabemos fazer bem, deixaremos todos os outros comendo poeira". Um aluno perguntou como era comandar um império e Jobs respondeu: "Não pensamos nela como um império; contratamos gente que nos diz o que devemos fazer". Ele esnobou a busca japonesa por uma nova geração de computadores, por incluir "uma quantidade muito grande de bobagens. Eles simplesmente não sabem do que estão falando". Ele reclamou dos japoneses e dos males do protecionismo; disse que não era mais possível fundar uma empresa de computadores numa garagem, mas sugeriu que os alunos ainda teriam chance se fosse uma empresa de *software*.

Quando as perguntas acabaram, Jobs fez sua própria pesquisa informal. Perguntou de que parte do país vinham os alunos e o que eles estavam estudando. A maioria era da área da Ciência da Computação. "Quantos de vocês são virgens?" Houve risadinhas, mas ninguém ergueu a mão. "Quantos de vocês já tomaram ácido?" Houve rostos corados de vergonha; duas mãos ergueram-se vagarosamente. "O que vocês querem fazer?" Alguém respondeu: "Bebês."

Não parecia que Jobs ensaiara um *script* dúzias de vezes, nem que ele conversara casualmente com alguns amigos sobre a possibilidade de lançar-se como candidato independente à presidência do país. Jobs tinha na ponta da língua todas as frases de efeito. Era o trabalho de um feiticeiro corporativo combinado ao senso de *timing* de um ator. Após as perguntas e respostas, Jobs foi novamente assediado. Dois alunos puxaram suas mangas. Um deles apenas queria se apresentar como o proprietário de um Apple II; o outro queria um autógrafo de Jobs em um dos relatórios anuais, que vinham acondicionados dentro de caixas de papelão. Um garoto alto queria saber se poderia fazer uma visita à fábrica da Apple. A maioria dos alunos parecia satisfeita com aquela noite. "Bem, pelo menos ele não é um mala", disse uma aluna de cabelos castanhos, camisa Lacoste, *jeans* bem passados e *topsiders* enquanto se dirigia à porta, acompanhada de um colega.

Bem-vinda, IBM, é Sério

O mercado de ações forneceu a maior ovação à Apple Computer, mas houve aplausos de outros lugares também. Pequenos jornais acompanharam o progresso do Apple II por toda a América e saudaram a chegada desses computadores pessoais com olhos esbugalhados pelo assombro. Era uma versão atualizada do espanto que acompanhou a chegada dos automóveis nas estradas lamacentas do país e dos rádios nas salas de estar silenciosas. Mas agora as fotografias não eram de uma família sentando-se rígida em duros assentos de couro, com chapéus batendo contra o para-brisas ou bordando e fumando em volta de uma lareira, com ouvidos atentos ao aparelho empoleirado esplendorosamente sobre uma cômoda. Os novos desbravadores eram mostrados encurvados à frente de uma tela que brilhava, suas mãos repousando sobre um teclado e a cabeça, que virava em direção à câmera, parecia dizer que o futuro havia chegado.

Além da fotografia do adolescente atordoado pelo *flash* no aconchego do seu lar, havia instantâneos de Apples em bibliotecas e salas de aula, bancos e laboratórios, *trailers* e aviões, barcos e estúdios de música, onde até apareciam alguns plugados em guitarras elétricas. Relatos dessas curiosidades californianas acabaram caindo em jornais como o *East Aurora Advertiser*, o *Geneva Signal* (de Nebraska) e o *Bristol Herald Courier*. O *Chaska Herald*, de Minnesota, maravilhou-se com GAROTO DOMINA PROGRAMAS DE COMPUTADOR enquanto o *Columbia Independent*, de Ohio, apelou para um tom apocalíptico: EUCLID JUNIOR HIGH SCHOOL ENTRA NA ERA DA COMPUTAÇÃO. Quando um

Apple chegou ao Sul da Califórnia, o *La Jolla Light* anunciou: A ERA DA COMPUTAÇÃO CHEGA ÀS ESCOLAS e o *Star Press*, de Blairstown, Iowa, falou de um fazendeiro que aprendia a programar em um Apple e achava que a experiência "não chega perto da dificuldade de ensinar um técnico de computador a alimentar uma vaca". Apples ajudavam uma dançarina do ventre a organizar seus trajes sumários e monitorava a temperatura da lama em uma plataforma submarina no Golfo do México. Um treinador da Universidade de Virginia usava um Apple para calcular a velocidade de uma bola de futebol, e um engenheiro da Boeing programou o seu para prever quatro de cinco vencedores da corrida de cavalos do Estado de Washington – mas admitiu: "Quanto mais eu refino esse programa, piores são os resultados". Em Buffalo Grove, Illinois, um estudante do ensino médio organizou um torneio de tênis com um Apple, e em Saratosa, Flórida, uma vítima de paralisia cerebral conseguia se comunicar mais facilmente depois que um Apple foi conectado a um sintetizador de voz.

Em Manhattan, um vice-presidente da W. R. Grace and Company programou um Apple II para estimar quantos filés de carne a cadeia de restaurantes da empresa deveria encomendar, enquanto um poeta laureado da Flórida escrevia discursos em um Apple plugado em uma TV de tela grande. Suas palavras brilhavam, rodavam e cresciam de acordo com a sua importância, e ele começou a se denominar um "menestrel do estado sólido". O departamento de polícia de Sunnyvale, trabalhando em cima de descrições físicas, usava um Apple para ajudar a encontrar os nomes de suspeitos. Em Santa Ana, Califórnia, um homem foi preso por liderar uma grande rede de prostituição com a ajuda de um Apple, que mantinha uma lista de seus 4 mil clientes, seu histórico de pagamentos e suas preferências.

No exterior, Apples analisavam dados de recenseamento no Norte da África, mediam fatores que afetavam plantações na Nigéria, forneciam diagnósticos para problemas oculares no Nepal, melhoravam projetos de irrigação no Saara, monitoravam atividades bancárias na América Latina, ajudavam um professor em Botswana e, em lugares obscuros do mundo, como Cardiff, no País de Gales, o *South Wales Echo* relatava que, para um palestrante universitário, um Apple fornecia "um *hobby* que se transformou em um modo de vida", apesar de sua filha adolescente reclamar que sua chegada significou que "nós não conversamos mais".

Os grupos de usuários que se espalharam pelo mundo adicionaram mais testemunhos sobre a abrangência da Apple. Os envelopes que chegavam a Cupertino podiam estar muito bem endereçados a um colecionador de selos exóticos. Havia cartas do Grupo de Usuários Apple de Columbia, Brasil Apple Clube, Jakarta Apple, Apple Clube Zagreb, Hong Kong Apple Dragon, Apple Gebruikers Groep Nederland, Catalunya Apple Club e outros da Suécia e Filipinas, Nova Zelândia e Israel, Tasmânia e Guam.

Nos Estados Unidos, novos clubes em cidades diferentes inventavam nomes com a criatividade que editores de livros de culinária reservam para novos pratos. Havia Apple Peelers and Crab Apples, Green Apples e o Applebutter, Applesiders e Apple Tart, Applepickers e Apple Jacks, Apple Pi e também o Apple PIE, Appleseed e Applesac, Appleworms e Apple Cart, mas os dois mais criativos eram o Appleholics Anonymous e o Little Rock Apple Addicts. Revistas com nomes como *inCider*, *Apple Orchard*, *Call Apple* e *Apple Source* eram publicadas para atingir clientes e revendas. Salões de Eventos eram alugados para abrigar Appleexpos e Applefests, que eram celebrações sem disfarce dos computadores da empresa.

Os fundadores da Apple foram presenteados com tantas maçãs, de tantos tamanhos, feitas de tantos materiais diferentes que devem ter se arrependido de não ter chamado a empresa de Matrix Electronics. Eles foram inundados de maçãs entalhadas em madeira de Koa, mogno, cedro e pau-brasil, esmaltadas em porcelana, moldadas em papel machê, sopradas em cristal, fundidas em cobre e estampadas em plástico. Houve também uma proliferação de objetos decorativos fornecidos por pequenas empresas especializadas em brindes corporativos. Eram cintos de maçã, canetas de maçã, capachos de maçã, maçanetas de maçã, cadernos e abridores de carta de maçã, calendários e pesos de papel de maçã, chaveiros de maçã e adesivos de para-choque de maçã.

Com a Apple se tornando uma grande empresa de computadores, havia cumprimentos menos convenientes e mais enviesados ao tamanho de seu sucesso. Era a irritante lisonja da imitação. Na costa leste dos EUA, a Franklin Computer Corporation fabricava uma máquina muito semelhante ao Apple e a chamava de ACE 100 e, em suas propagandas, a vendia desavergonhadamente colocando uma maçã em posição de destaque e declarando que ela era "mais doce que uma maçã" (em corte federal em 1983, a Franklin admitiu que havia copiado o sistema operacional da Apple). Um computador da Commodore foi impulsionado por uma série de comerciais que diziam que ele era "o bicho que comeu a maçã". Em Taiwan e Hong Kong, falsificadores locais faziam cópias decoradas com nomes como Apolo II, Orange Computers e Pineapple. Um distribuidor de computadores da Alemanha Ocidental fabricou outro clone, uma pequena firma italiana projetou um computador que tinha o logo de um limão, enquanto uma empresa britânica decorava o seu com uma pêra com as cores do arco-íris.

Na Califórnia, a Apple era prejudicada por uma doença local, tornando-se uma carcaça para os *headhunters* cavucarem. O mais persistente ficou tão conhecido que as telefonistas da Apple receberam ordens de não repassar suas ligações. Determinados, os sagazes "recrutadores de executivos" simplesmente usavam nomes falsos. A Apple não era imune à rotatividade de emprego e, depois de um tempo, as pessoas começaram a sair. Não chegou a ser um êxodo, mas o pinga-pinga era o suficiente para irritar. A sedução de outras *startups*, a visão das falhas e da fragilidade dos fundadores da Apple e o medo de se afundar em uma grande empresa ajudavam a empurrar os ambiciosos para a porta. Dois anos após a oferta pública, quatro pequenas empresas haviam sido fundadas por ex-funcionários da Apple, e mesmo que a rotatividade não chegasse nem perto da de outras empresas do Vale do Silício, não era tão baixa quanto os diretores da Apple costumavam dizer.

Com todos esses elogios – alguns às claras e outros disfarçados – o pessoal trabalhando nas sombras beges dos silos de grãos dos Irmãos Cali em Cupertino tinha razão de sobra para o orgulho. Eles podiam ser desculpados se às vezes pensavam que o mundo não era mais redondo, mas que assumira a forma de seu logo corporativo. Entretanto, quando começaram a acreditar que a Apple era a rainha da cocada, a empresa também começou a ficar intrigada com a noção de império, e uma vaidade agressiva ameaçou desfazer muito de seu sucesso inicial.

Observadores que seguiam o progresso da Apple notaram os sinais de perigo. Hank Smith, o investidor de risco, começou a alertar os diretores de outras jovens empresas sobre os perigos do sucesso usando a Apple como estudo de caso. Richard Melmon, que havia trabalhado com a conta da Apple para a agência de Regis McKenna e depois entrou para uma empresa de *software* que vendia programas para o Apple, concordou que "todo mundo na Apple fica sentado dizendo 'nós somos os maiores, nós sabemos de tudo'. Eles têm uma cultura que diz isso e ela começa em Steve Jobs e desce até lá embaixo". Ed Faber, presidente da Computerland, resumiu o jeito fanfarrão da Apple: "a palavra que me surge é 'arrogante'". A arrogância se infiltrou na empresa e conseguiu afetar todos os aspectos do negócio: o estilo com que tratava os fornecedores, as empresas de *software* e as revendas, sua atitude frente à concorrência e o jeito com que encarava o desenvolvimento de novos produtos.

Desde o início, a forma e o estilo dos computadores da Apple haviam sido o interesse principal de Jobs. Meses após o lançamento do Apple II, ele se tornou vice-presidente de pesquisa e desenvolvimento e, a partir daí, quase sempre tinha a última palavra em decisões importantes sobre produtos. Com o crescimento da empresa, a influência de Jobs aumentou, e também cresceu a força das táticas que ele utilizara para empurrar, incitar, cutucar, persuadir e influenciar Wozniak durante o desenvolvimento do Apple II. Ele era sempre atraído para o último e mais brilhante prospecto e, eventualmente, os projetos mais interessantes acabavam sendo associados à sua presença.

Jobs tinha pouco interesse na laboriosa pesquisa de laboratório. Não havia nada em que ele acreditasse mais que em sua própria intuição e seu senso sobre para onde a tecnologia e os mercados estavam indo. Planejamento em longo prazo de produtos e como os diferentes computadores da Apple iriam se combinar para produzir uma linha coerente era uma preocupação secundária. Com o sucesso contínuo do Apple II,

Jobs desenvolveu uma fé religiosa na força de seus instintos: "você toma muitas decisões baseadas no cheiro de onde você pensa que as coisas estão indo". Ele relutava em deixar o planejamento de produtos ser sobrecarregado por análises, grupos de foco, árvores de decisão, as mudanças da curva de sino ou qualquer outro trabalho duro que ele relacionasse com o estilo de grandes empresas. Ele encontrava o cliente ideal da Apple em seu espelho e a empresa começou a criar computadores que Jobs, uma hora ou outra, havia decidido que gostaria de possuir.

Dentro da empresa, ele ganhou a reputação de possuir a habilidade de conseguir que as coisas fossem feitas, por ter um toque especial para coordenar o lado humano da produção. "Ele tem", diz Bill Atkinson, "uma motivação para a excelência, a simplicidade e a beleza". Tom Whitney observou: "Um dos atributos de Jobs é uma paciência infinita para fazer algo melhor. Nunca está bom o suficiente para ele. Ele sempre quer mais funções com menor custo. Sempre quer pular o próximo passo natural. Muito do sucesso da Apple se deve à sua maldita teimosia, mas isso é algo com o qual é muito difícil de conviver, porque ele sempre quer tudo". Outra pessoa que esteve bem próxima a ele tem uma visão mais cética. "Ele teria sido mais feliz como Walt Disney. Um dia ele trabalharia em orelhas de coelho, no outro, na Disneylândia, no dia seguinte, em filmes, depois, no Epcot Center. O problema com o negócio de computadores é que você não pode ficar mudando de ideia o tempo todo."

Jobs desenvolvia computadores do jeito que ele melhorava a si mesmo. Ele tinha o dom de adotar as ideias de outras pessoas quando elas serviam a seus interesses, descartando os aspectos que achava desnecessários, fazendo melhorias subsequentes e finalmente entregando opiniões (ou computadores) com tanta convicção que era fácil acreditar que elas foram criadas originalmente por ele. Mas sua força também era sua grande fraqueza. A habilidade de ouvir argumentos convincentes criou um sistema imunológico contra seus julgamentos repentinos; seus funcionários ficavam temerosos de dizer o que pensavam. Seu otimismo, que um gerente chamou de "a profundidade de sua ignorância técnica", significava que ele subestimava quanto tempo os computadores demorariam para ser desenvolvidos ou a que preço eles poderiam ser vendidos. Gradualmente, a linha de computadores da Apple começou a refletir os surtos imprevisíveis, temperamentais e inconsistentes de Jobs.

Mas sua natureza audaciosa e agressiva coloria os computadores da Apple e era a fagulha que iluminava a empresa. Dois anos após o lançamento do Apple II, o trabalho estava começando ou seguindo em cinco produtos que possuíam os codinomes de Sara, Lisa, Annie, Mac e Twiggy. Sara, batizado com o nome da filha de seu projetista-chefe, acabou sendo conhecido como o Apple III. Lisa era o nome da filha de Jobs e Nancy Rogers. Annie era um Apple II de baixo custo que nunca viu a luz do dia. Mac era o tipo de maçã preferido de seu idealizador. Um grupo trabalhando no desenvolvimento de um *drive* de disquete chamou seu produto de Twiggy porque, em sua ideia original, ele deveria ter uma semelhança física com a modelo inglesa homônima: deveria abrigar dois disquetes e, por isso, decidiu um engenheiro irônico, iria parecer com a frágil modelo inglesa cuja figura era adornada com dois ovos fritos.

Uma das consequências da glória corporativa se refletia nos cronogramas ambiciosos estabelecidos para o Apple III. Suas linhas de tempo não refletiam nenhum dos perigos de desenvolver computadores que haviam sido cuidadosamente indicados em numerosos artigos e livros. "Nós éramos terrivelmente otimistas com os cronogramas do Apple III", disse o *designer* de produto Jerry Manock. "O Apple II tinha tido tanto sucesso que todo mundo achava que podia fazer qualquer coisa." Desde o começo, o Apple III deveria supostamente ser um produto de intervalo, uma ponte entre o período em que as vendas do Apple II começassem a cair e o dia em que o Lisa estivesse pronto.

Ele acabou sendo considerado um teste da habilidade da Apple de construir um computador como uma companhia. As circunstâncias haviam mudado, obviamente, desde os dias em que Wozniak fez modificações grosseiras no Apple I e, apesar de a folha de pagamento da Apple ter crescido, seus compromissos também tinham aumentado. Havia uma crescente legião de clientes que precisavam de atenção e suporte, as diversas distrações da vida corporativa e também a necessidade de ter um grande número do novo computador pronto para a venda no dia do lançamento em vez das poucas dúzias que foram necessárias depois do anúncio do Apple II. O cronograma para o Apple III era o tipo de planilha que teria sido criada por um entusiasta determinado a exibir um *design* no Clube Homebrew. Mostrava um computador que seria projetado, testado e estaria pronto para a manufatura em dez meses de concepção.

A Apple logo descobriu que construir um computador assim como uma empresa dava muito mais trabalho que montar uma máquina em uma garagem. "O Apple III foi projetado por um comitê", reclamou Randy Wigginton. "A Apple achava que esse era o jeito que uma empresa de verdade deveria projetar um computador. Todo mundo tinha algumas ideias sobre o que o Apple III deveria fazer, e infelizmente todas elas foram aproveitadas." O plano geral era para um computador que tivesse todas as funções que não foram incluídas no Apple II e que estendesse o poder do microprocessador 6502, já que processadores mais potentes ainda não estavam disponíveis a baixos preços. Ele devia ter uma memória maior, um *drive* de disquete interno, um sistema operacional melhor, um monitor de oito colunas apropriado para processamento de texto e cálculo de planilhas, um teclado com maiúsculas e minúsculas, um teclado numérico, cor melhorada e um microprocessador mais rápido. Também, supostamente, deveria rodar todos os programas criados para o Apple II, para ser útil instantaneamente em diversos tipos de aplicações.

Uma pressão temerosa crescia dentro da empresa e ajudou a criar cronogramas de contrair o estômago. Boa parte vinha das projeções de *marketing*, que repetidamente previam declínios iminentes nas vendas do Apple II. Wendell Sander, engenheiro-chefe de *hardware* do Apple III, disse: "Ficávamos imaginando quando a bolha do Apple III iria estourar. Podíamos ter tido mais profissionalismo do lado do *marketing*". A pressão também vinha dos compromissos em lançar o Apple III que foram feitos no prospecto preparado para a oferta pública de ações. Tudo isso não era ajudado em nada por Jobs, que, poucos meses antes de o computador ser anunciado, espalhou alguns cartazes plastificados que diziam: A DECISÃO QUE VOCÊ ESTÁ TOMANDO AGORA PODE AJUDAR A VENDER 50 MIL APPLE III EM 1980. A combinação de pressões era suficiente para esmagar os gritos de angústia e barrar a enxurrada de memorandos histéricos que circulavam entre as pessoas mais tensas. "Era a história clássica", disse Jef Raskin, "das pessoas debaixo dizendo 'Nada está funcionando aqui. Nós temos problemas.' Daí o nível seguinte dizia: 'Nós estamos com um probleminha', e o nível seguinte dizia 'Nós estamos resolvendo o problema', e as pessoas no topo diziam 'está tudo OK. Vamos lançar.'"

A corrida para lançar o computador resultou em uma confusão tamanha que se refletiu no departamento de publicações, onde os redatores técnicos estavam novamente ensanduichados entre as mudanças feitas nas bancadas do laboratório e as demandas implacáveis do departamento de *marketing*. Os escritores não viram um Apple III até faltarem nove semanas para seu lançamento, e os prazos estabelecidos eram tão pequenos que os procedimentos para revisão de manuais e do computador foram totalmente ignorados. Rascunhos dos manuais completos foram enviados aos departamentos de engenharia, *marketing* e revisão de novos produtos no mesmo dia em que foram enviados ao departamento de produção para a diagramação. Lá, os programadores se revezavam em turnos de duas horas ajudando os artistas gráficos a diagramar as páginas.

Enquanto isso, a Apple também aprendia que não havia nada como o desenvolvimento de *software* para mostrar como um ano pode passar rápido. Apesar de o Apple III supostamente poder rodar todos os programas escritos para o Apple II, suas melhorias e modificações tornaram os ajustes do *software* de Apple II uma tarefa complicada e extenuante. Os programadores tinham de acomodar todas as mudanças no *hardware*: os computadores inicializavam de modo diferente, os teclados e os *drives* de disquete eram dispostos de outra forma e a memória havia sido expandida. Os programadores também estavam soterrados pelo peso e pelo tamanho do código, que era dez vezes maior que no Apple II.

Apesar de a carga ter aumentado, a Apple decidiu tentar desenvolver o máximo de *software* possível dentro da empresa. Pouca atenção foi dada a trabalhar próximo aos desenvolvedores externos e havia um esforço notável em limitar a distribuição de informações técnicas sobre os segredos íntimos do Apple III. Isso tornou quase impossível a empresas de *software* independentes desenvolver programas para o computador. Duas semanas antes do lançamento, um protótipo foi entregue na Visicorp acompanhado de um pedido de um programa de demonstração do Visicalc. Demorou um ano após o lançamento para os programadores da Apple finalizarem a modificação da linguagem Pascal para que ela funcionasse no computador e desse aos desenvolvedores de *software* uma maneira de escrever programas além do BASIC ou linguagem de montagem.

O Apple III foi anunciado com grande estardalhaço na Conferência Nacional de Computadores em Anahein, no verão de 1980. A Apple alugou a Disneylândia por uma noite, distribuiu 20 mil tíquetes grátis e contratou uma frota de ônibus de dois andares vermelhos para levar convidados ao parque de diversões. A festa não enganou ninguém em Cupertino. Sherry Livingston recorda: "Eles ferraram com o Apple III e sabiam disso quando o anunciaram". Uma vez assumido o compromisso público, a Apple foi atingida por sua própria bala. A pressão para lançar começou a corroer os interesses concorrentes de engenharia, *marketing*, manufatura e facções corporativas da empresa.

Problemas com o *design*, muitos causados pela elegância radical, tornaram impossível espremer o computador em seu gabinete. Isso resultou em uma segunda placa desajeitada que tinha de ser montada sobre a placa de circuito impresso principal. Além disso, a Apple não prestou muita atenção aos testes de qualidade. Na garagem, Jobs e Wozniak haviam executado seus próprios testes toscos, porém competentes, mas, depois que a Apple cresceu, nenhum departamento foi criado para monitorar a qualidade das peças. Wendell Sander disse: "Não tínhamos nenhuma maneira para comparar a qualidade de componentes. Nós não tínhamos engenheiros de avaliação de componentes suficientes para testar a escolha do conector. Ouvíamos o vendedor e acreditávamos no que ele dizia." Um *chip* da National

Semiconductor, que supostamente iria equipar o computador com um relógio, normalmente falhava após três horas e, mesmo com Jobs esculhambando o executivo-chefe da fabricante de semicondutores, o problema não foi resolvido.

As linhas na placa de circuito impresso estavam muito próximas, e isso levava a curtos. "Nós gritamos que ele não deveria ser lançado sem novas placas", disse Rick Auricchio, "mas o povo de *marketing* disse que não seria um problema. Os engenheiros disseram que seria. A equipe de produção tinha seus próprios tormentos. Parafusos estavam posicionados de maneira que furavam cabos dentro do computador. Um gabinete pesado de metal foi usado em razão da incerteza sobre algumas regras do FCC, mas isso o tornava impossível de carregar para muitas das pequenas mulheres trabalhando na linha de montagem. "Ele terminou como um pesadelo mecânico", disse Roy Mollard, o homem da produção. "Os engenheiros lavaram suas mãos e disseram que era um problema da manufatura." O conector entre as duas placas de circuito impresso principais não tinha cobertura suficiente e vivia dando curto: *chips* caíam dos soquetes e os cabos do teclado eram curtos demais. Como teste e para ajudar a manter os *chips* nos soquetes, os engenheiros sugeriram que deixassem o computador cair dez centímetros. O choque da queda, diziam os engenheiros, certamente iria trazer o computador à vida. Os homens de manufatura inventaram um teste mais científico para ver se tudo funcionava: eles começaram a bater no computador com martelos de borracha.

Mas o estrago já estava feito. O Apple III fora vítima da incompetência em quase todos os estágios de seu desenvolvimento. O que foi lançado era instável e tendia a falhar. O Visicalc foi incluído nos primeiros embarques porque nenhum outro *software* estava pronto. Os programas da Apple que acompanhavam o computador não foram testados. Os manuais pareciam vagabundos e eram acompanhados de vinte páginas de correções. Começaram a correr comentários quando os compradores descobriram que o computador estava cheio de surpresas desagradáveis que geravam a mensagem FALHA DO SISTEMA piscando de forma escandalosa em toda a tela. Danosos artigos de jornal começaram a aparecer, o que cobriu a máquina em uma nuvem funérea. A Apple parou de fazer propaganda do computador, submeteu as máquinas a testes árduos, redesenhou a placa de circuito, preparou alguns programas, deixou usuários pioneiros trocar suas máquinas por outras que funcionavam e reintroduziu a máquina (com mais memória) um ano depois. O que finalmente se mostrou um computador estável, poderoso e capaz foi arruinado pela introdução desastrosa, e o pôster otimista de Jobs se tornou um lembrete embaraçoso do que poderia ter sido, pois nos três anos após seu lançamento, apenas 65 mil Apple III foram vendidos.

Jobs, que pulou fora do Apple III assim que a forma do computador tinha sido definida, esteve sempre mais interessado no desenvolvimento do Lisa. O trabalho no Lisa começou antes do Apple III e desde o começo era encarado como um projeto mais corajoso e ambicioso. Em outubro de 1978, ou quase cinco anos antes do computador ser lançado – por cerca de 10 mil dólares –, Jobs já havia visualizado como seriam suas formas. Ele sabia que queria um computador que incorporasse os *drives* de disquete e a tela e também tivesse um teclado destacável. Ele também sabia que queria ele construído sobre um processador de 16 *bits* em vez do *chip* de 8 *bits*, que era o coração do Apple II, e também tinha uma suspeita de que um processador de texto e uma planilha como o Visiscalc teriam de ser incluídos. Um documento preliminar desenhado para acomodar a maioria dessas ideias gerou uma observação de um colega de que Jobs "havia decidido como as formas do Lisa deveriam ser antes de ter certeza de qual tecnologia estaria dentro da máquina". As estimativas originais para o computador eram de lançamento em janeiro de 1980, um preço no varejo de 2 mil dólares e um custo de manufatura de 600 dólares.

Um pequeno grupo formado para trabalhar no Lisa foi aquartelado na antiga casa da Apple – o escritório atrás do prédio da Good Earth – e começou a tatear em direção a um alvo que era, para dizer o mínimo, difuso. Por algo em torno de dezoito meses, o projeto claudicou. Ocasionalmente, ele era interrompido por soluços e tropeços, pela chegada de novos gerentes ou por razões políticas. Mas não havia muito contato entre os planejadores e o laboratório ou mesmo entre os engenheiros de *hardware* e *software*. A questão geral de quem iria usar a máquina e como ela iria se encaixar na linha de distribuição da Apple era, na maior parte do tempo, deixada de lado. Deixados à sua própria conta, os engenheiros de *hardware* construíram um protótipo utilizando um *chip* de 8 *bits*, o Intel 8086, que se mostrou lento e desapontador. Outros começaram a investigar a possibilidade de usar um *chip* de 8 *bits* concorrente, o Motorola 68000 (o sucessor do *chip* de 8 *bits* 6800 que Wozniak tinha utilizado durante o desenvolvimento do Apple I).

Outro protótipo foi desenvolvido sob a direção de Ken Rothmueller, ex-engenheiro da divisão de instrumentos da Hewlett-Packard. Seu computador foi calculado para conquistar o coração do tipo de pessoas que controlavam departamentos de processamento de dados em grandes companhias e aqueles com inclinação tecnológica. Tinha uma tela verde controlada da mesma maneira que as telas dos Apples II e III, um teclado convencional de máquina de escrever e uma opressiva formalidade cinza – que estava longe de casar com o espírito agressivo de Jobs. Os cínicos disseram que era uma máquina robusta e tediosa que só a Hewlett-Packard poderia ter lançado.

O progresso não era ajudado pelas reclamações constantes e pelas trombadas de ideias que cresciam entre Rothmueller e John Couch, então chefe do departamento de *software*. Cada um, em vários momentos, trabalhara para o outro na Hewlett-Packard, e na Apple ambos se reportavam para a mesma pessoa. Era uma batalha pelo controle do computador: uma luta pela dominação entre *hardware* e *software*. Mas a importância crítica do *software* foi enfatizada pelo trabalho que vinha sendo conduzido não pela Apple, mas pelo Centro de Pesquisa da Xerox Corporation em Palo Alto (PARC).

A Xerox Corporation sem dúvida não só alterou a visão de Jobs sobre o futuro como também o tom e a natureza dos computadores que ele mais tarde diria que iriam levar a Apple pelos anos 1980. Ela ampliou suas ideias e forneceu o espectro de um concorrente que, no laboratório, estava trabalhando em ideias muito mais dramáticas que aquelas que estavam sendo consideradas na Apple.

Situado em um morro pouco íngreme ao sul da Universidade de Stanford, o centro de pesquisa havia sido construído pela Xerox como uma incubadora onde jovens gênios, centelhas brilhantes, podiam sonhar com grandes e novas ideias que poderiam ter um impacto espetacular nas copiadoras da empresa. Ele havia sido aberto em 1969, mas os pesquisadores não haviam chocado nenhum ovo de ouro até o último mês da década de 1970, quando um grupo da Apple chegou para inspecionar os resultados do seu trabalho em computadores pessoais. A Xerox gastara mais de 100 milhões de dólares no PARC para financiar pesquisas em computadores, *design* de *chips* semicondutores e impressoras a *laser*. A soma era mais que o dobro das vendas totais da Apple em 1979, mas o PARC conseguia demonstrar o grande abismo que existe entre a bancada do laboratório e a janela de uma loja.

O investimento substancioso da Xerox na Apple com certeza pavimentou o caminho para as expedições de programadores e engenheiros que saíam de Cupertino. Mas os curiosos não precisavam ter a mente de um Sherlock Holmes para adivinhar o que estava acontecendo no PARC. O centro era um *showroom* da Xerox e visitas de fora faziam parte do cotidiano. Mesmo sem saber detalhes sobre como os protótipos de computadores de mesa da Xerox eram projetados, qualquer um que se interessasse pelo assunto estava a par de algumas grandes tendências. Algumas poucas ligações telefônicas, um pedaço de uma conversa em um coquetel ou algumas perguntas aos brilhantes estudantes que a Xerox utilizava como cobaias podiam esclarecer pontos mais obscuros. Revistas de informática haviam publicado teses que falavam de aspectos da pesquisa na Xerox. Um numero especial de 1977 da *Scientific American* continha um artigo de Alan Kay, um pensador e um dos principais cientistas da Xerox, que descrevia o trabalho em Palo Alto e se resumia em uma descrição entusiasmada de computadores que seriam fáceis de usar.

Mais de uma década de pesquisas feitas por cientistas como Douglas Engelbart no Instituto de Pesquisa de Stanford, por psicólogos infantis e em universidades da Noruega tinham influenciado, em graus variados, o trabalho na Xerox. Realmente, alguns dos princípios mais importantes haviam sido publicados em meados da década de 1960 e demonstrados pela SRI em 1968 com um sistema chamado NLS. Seu motor principal era encontrar meios para ajudar pessoas com nenhum treinamento técnico a controlar computadores. De certa forma, era uma extensão acadêmica do esforço dos entusiastas: fazer os computadores mais pessoais e então remover, ou pelo menos esconder, os elementos mais misteriosos e intimidantes. Os protótipos da Xerox tinham os traços das pessoas que acreditavam que computadores eram um meio totalmente novo, que eles eram muito mais que equipamentos frios e passivos apropriados apenas para mastigar números e editar prosa. Alguns dos pesquisadores do PARC tinham a visão imaginativa de máquinas flexíveis que poderiam eventualmente combinar a atração sensorial da televisão colorida, da música estereofônica e da pintura com dedo. Como outros antes deles, eles diziam que seu objetivo era colocar um computador dentro de um gabinete do tamanho de um livro ou construir uma máquina que homens de negócio pudessem colocar dentro de suas maletas e utilizar para se comunicar com outros computadores e pessoas em qualquer lugar do mundo.

Em 1973, os pesquisadores do PARC construíram sua primeira máquina e a chamaram de Alto. Suas virtudes principais eram um apelo visual e uma flexibilidade muito maior que outros computadores da época. Ela era capaz de simular o tipo de visão com a qual as pessoas já estavam familiarizadas em vez de confusas listas de números.

O Alto trazia avanços tanto em *software* quanto em *hardware*. A Xerox desenvolveu uma linguagem chamada Smalltalk, que tinha semelhanças com a Logo, uma linguagem que havia sido criada para ajudar crianças a programar movendo e mexendo em pequenos objetos familiares sem ter de se preocupar com códigos e equações. Para tabelas e textos que eram grandes demais para serem mostrados de uma vez só, o computador da Xerox simulava folhas de papel espalhadas em uma mesa e as chamava de "janelas sobrepostas". A clareza das imagens era possível por um processo conhecido como *bit-map*. O computador controlava cada pequeno ponto, ou pixel, na tela. Textos podiam ser mostrados em várias fontes tipográficas e o computador podia gerar música. O Alto também utilizava um *mouse* – desenvolvido originalmente no Instituto de Pesquisa de Stanford em 1964 – para evitar a digitação de comandos e códigos. No final dos anos 1970, cento e poucos Altos foram espalhados pela Casa Branca e por escritórios do Congresso americano como parte de um espalhafatoso teste de campo.

A princípio, Jobs resistiu aos pedidos de visita à Xerox, deixando outros com a impressão de que nada em que outra empresa estivesse trabalhando poderia ser melhor que os projetos que a Apple cozinhava. Alguns poucos programadores da Apple familiarizados com o trabalho na Xerox continuaram pressionando e finalmente ele cedeu à sua própria curiosidade. Com sua impaciência por qualquer coisa que não fosse prática e a capacidade de admirar qualquer coisa com virtudes superiores, Jobs ficou encantado com o que viu. Ele ficou tão impressionado quanto qualquer um com o desempenho do Alto e, depois de ver o efeito combinado do *mouse*, da interface gráfica e das janelas sobrepostas, virou-se para Bill Attkinson para alguns conselhos de especialista. "Steve perguntou quanto tempo demoraria para colocar aquele tipo de *software* no Lisa e eu disse 'Ah, uns seis meses'."

As visitas à Xerox se tornaram um daqueles poucos eventos cruciais que ajudaram a trazer clareza à forma dos computadores da Apple. Para uma pequena empresa pensar em tentar igualar, para não dizer ultrapassar, o trabalho da Xerox, era necessário algo mais substancial que apenas confiança. Mas sem uma dose de coragem e arrogância seria fácil para a Apple jogar no certo e correr o risco de não fazer nada. As visitas à Xerox coincidiram com um endurecimento da ideia em Cupertino de que o Lisa seria a ponta de lança para o ataque da Apple ao mercado corporativo. Empresas, era o argumento, seriam capazes de pagar por máquinas que um dia seriam baratas o suficiente para o consumidor doméstico.

Os resultados dessa atividade frenética foram vistos rapidamente. Em poucas semanas, Jobs conseguiu arranjar um *mouse* enquanto os programadores começaram a se embrenhar nos gráficos *bitmap* e criar algumas demonstrações de seu poder. Os exemplos eram tão impressionantes que eles impulsionaram um golpe palaciano. A maioria dos engenheiros se voltou contra a teimosia do engenheiro-chefe de *hardware*, que acabou sendo substituído pelo quarto gerente de *hardware* do projeto. Era um reconhecimento tácito do triunfo do *software*.

O curso da Apple foi então definido pela Xerox. Um grupo de programadores e cientistas da Xerox acabou deixando o PARC e se juntando à Apple para trabalhar no Lisa e teve uma grande influência em como o computador apareceria para o usuário. Pelos três anos seguintes à revelação na Xerox, os engenheiros e programadores da Apple avançaram com o projeto. Eles não contribuíram com nenhuma nova visão arrebatadora, mas mostraram uma determinação em melhorar o trabalho que havia sido feito em outro lugar. Havia melhorias substanciais no *software* e a maior parte do empreendimento era como fazer para espremer tudo aquilo em um computador de mesa. Eles também praticaram a mensagem de uma das primeiras propagandas da Apple, SIMPLICIDADE É A SOFISTICAÇÃO DEFINITIVA, e tentavam remover qualquer coisa que causasse confusão. Depois de semanas de debate, por exemplo, os botões no *mouse* foram reduzidos de três para um. Características que haviam sido parte da máquina original, como "teclas de função", botões no teclado que escondiam certas funções, também desapareceram.

A contribuição de Jobs para o projeto Lisa oscilava entre o inspirador e o destrutivo. Um gerente de *marketing* relembra que "precificações após precificações eram rejeitadas com um pedido de preço mínimo absoluto de cinco mil dólares." Havia debates de torcer o estômago com Jobs. Ele dizia: "Se precisar, eu coloco o Woz dentro dessa. Woz conseguiria fazer isso por menos. Se você fosse bom o suficiente, conseguiria fazê-lo". Ele também conseguia acabar com o moral. De acordo com um observador, "os engenheiros diziam 'não importa se está no prazo. Nós conhecemos Jobs. Ele vai mudar tudo de qualquer forma'." Mas com toda a comoção, Jobs também deixou seu toque estético no computador. Ele criou um estilo e forma geral e também ajudou com pequenos detalhes, como as bordas arredondadas nas imagens de pastas de arquivos, que ele achava melhor que cantos quadrados.

A diferença entre a Xerox e a Apple ficou patente na Conferência Nacional de Computadores de 1981, em Houston. Lá, a Xerox anunciou a Xerox 8010, que coloquialmente era conhecida como o Xerox Star. O computador não tinha sido desenvolvido pelo grupo do PARC, mas trazia algumas marcas distintas do centro de pesquisa. Ele se valia da simulação visual de uma mesa de trabalho, do *mouse* e de gráficos *bitmap*, mas a execução era pobre e o computador só trabalhava apropriadamente quando era ligado a uma série de equipamentos de suporte da Xerox. O *software* era excruciantemente lento e a execução de algumas ideias novas foi considerada mal-feita.

Havia muito mais paciência na Apple. Os resultados miseráveis do Apple III serviram como lembrete constante dos perigos de se apressar o desenvolvimento de um computador e soltar algo que não fora propriamente testado. Havia uma menor vontade de prever o fim iminente do Apple II, que as pessoas em Cupertino começaram a achar que possuía as virtudes duráveis de produtos como o Fusca da Volksvagen.

O escopo do trabalho no Lisa era um exemplo de ambição corporativa, assim como o desenvolvimento de um *drive* de disquete. Quando a Apple decidiu começar um projeto para construir seus próprios *drives* de disquete, havia algumas razões perfeitamente inteligíveis. As vendas do Apple II se sustentavam sobre os *drives* de disquete, e o único fornecedor da Apple, a Shugart – por coincidência uma subsidiária da Xerox – estava produzindo *drives* que, na opinião de alguns, não eram confiáveis. Havia um medo latente de que o crescimento da Apple fosse limitado pela escassez de *drives*. A Apple achou outro fornecedor para ter uma segunda fonte de *drives* e então decidiu começar seu próprio projeto. Os motivos foram movidos por um desejo mútuo de Scott e Jobs em humilhar a Shugart.

Wendell Sander descreveu o tamanho da encrenca: "a empresa não via que estava criando um projeto que não era um computador. Há uma semelhança mais próxima entre *drives* de disquete e circuitos integrados do que existe entre eles e computadores. Eles não imaginavam que seria algo tão grande, nem compreendiam as dificuldades". Outro observador disse: "Steve realmente acreditava que a Apple conseguiria construir um *drive* de disquete mais rápido, por menos dinheiro e com melhor desempenho que o de qualquer outra empresa sem ter nenhuma experiência com produtos do gênero". O drive, com o codinome Twiggy, originalmente era para ser incluído no Apple III, mas problemas de desenvolvimento logo descartaram essa possibilidade.

O desdém arrogante pelas convenções que se provou tão poderoso quando se tratava de imaginar novos computadores teve resultados menos salutares quando esbarrou no jeito em que a Apple tratava o mundo exterior lidar com o impossível dentro da empresa e ao mesmo tempo tratar com meros mortais do lado de fora era uma corda bamba estressante para os gerentes. Eles eram confrontados com a conflitante necessidade de guardar segredos corporativos e manter relações amistosas com seus contatos. Às vezes, a arrogância corporativa parecia atingir o limiar de um esforço intencional de autodestruição e muita da boa vontade que havia tão cuidadosamente e laboriosamente construída entre a Apple e seus parceiros começava a evaporar.

"A Apple era especialmente agressiva", diz Daniel Fylstra, presidente da Visicorp, anteriormente conhecida como Personal Software, "ao perseguir seus próprios interesses". Fylstra tinha boas razões para saber, já que o programa Visicalc fora instrumental na ajuda para colocar Apples em escritórios. Quando a Visiscorp começou a imitar a Apple, contratando a mesma firma de advocacia, agência de relações-públicas, contadores e investidores, a relação amigável começou a azedar. Ela deteriorou ainda mais quando a Visicorp decidiu adaptar versões do Visicalc para computadores feitos pelos concorrentes da Apple e mais ainda quando ela tentou aumentar o preço do programa quando ele ficou disponível para o Apple III. Para manter a Visicorp no lugar, foi ordenado aos programadores da Apple que desenvolvessem um programa de planilhas. O projeto foi perdendo prazos atrás de prazos e nunca foi oficialmente lançado, mas a relação entre as duas empresas nunca mais foi a mesma.

A mesma coisa acontecia com outras empresas de *software*. A decisão de desenvolver em Cupertino a maioria dos programas para o Apple III antagonizava com empresas de *software* menores. A Apple queria manter um controle firme sobre alguns dos programas – como pacotes de processador de texto e planilha – que estavam se tornando tão importantes quanto o computador. Mas havia, como o Apple II demonstrou, tantas coisas em que o computador podia ser utilizado que a Apple não chegava nem perto de ter programadores, muito menos conhecimento, para explorar todas as oportunidades. Quando a Apple falhou em fornecer informações técnicas e as linguagens necessárias para escrever programas, mais gente ficou magoada. Graças à introdução prematura, os manuais explicando o *software* não estavam nem escritos. E quando a Apple começou a cobrar pesado pela participação em seminários que explicavam as entranhas do Apple III, as coisas ficaram ainda pior. Todos os problemas com o Apple III foram certamente agravados pela pequena quantidade de *software* disponível. Quando o trabalho começou no Lisa, uma atitude simular prevaleceu e empresas de fora não foram convidadas a contribuir.

Uma atitude proprietária tão restritiva quanto era demonstrada com relação aos engenheiros que decidissem perseguir suas próprias ideias. Quando Chuck Mauro decidiu sair da Apple, em 1980, para começar uma empresa para fabricar um periférico que podia converter o monitor do Apple II de quarenta para oitenta colunas, Jobs escreveu uma carta formal e desejou a ele o melhor. Dias depois, quando lhe caiu a ficha sobre as possíveis consequências da decisão, ele mudou de ideia e discutiu vigorosamente com Mauro que a placa havia sido desenvolvida no seu tempo na Apple e, portanto, era propriedade da empresa. "Ele me convidou para almoçar", disse Mauro, "e, enquanto passeávamos até o restaurante, ele olhou para mim e disse: 'Você sabe, se quiséssemos, poderíamos esmagá-lo como um inseto'." Entretanto, com a posição legal meio incerta, Jobs levantou o pé corporativo e não fez nenhuma outra obstrução, e Mauro fundou sua própria empresa.

O mesmo tipo de antagonismo começou a aparecer entre a Apple e seus revendedores. Para crescer rapidamente, a Apple se valeu de um sistema de dois passos de distribuição. Ela vendia produtos a distribuidores que, por sua vez, revendiam as máquinas a revendas. Depois de um tempo, os distribuidores não estavam mais crescendo tão rapidamente quanto as encomendas e estavam restringindo o crescimento da Apple. A maioria dos distribuidores eram pequenas empresas fundadas por homens de negócio inexperientes que não conseguiam ligar para o gerente de banco local e arranjar um aumento no crédito. Assim que um distribuidor mostrava um sinal de fraqueza, a Apple se movia. Quando ficou claro, por exemplo, que a Byte Industries estava tendo problemas em desenvolver uma rede nacional de Byte Shops, a Apple parou de fornecer máquinas para eles. Um gerente da Apple declarou simplesmente que "A Byte estava patinando, então nós cortamos as cordas". Então, quando, em 1980, a Apple se tornou grande e com dinheiro o suficiente, era uma decisão de negócios perfeitamente compreensível comprar seus distribuidores e fornecer diretamente para as revendas.

Desde o começo, a Apple havia explorado duramente suas revendas e, depois de um tempo, quase todo executivo sênior da empresa conseguira desagradar ou incomodar alguma delas. Era o tipo de briga que geralmente existe entre a indústria e o comércio, com a primeira empurrando o mais duro possível para acelerar vendas e o último puxando duramente para ganhar concessões e incentivos. Era um jogo de gato e rato. Jobs, com seu linguajar peculiar, explicava: "Estamos todos agarrados pelas bolas". O presidente da Computerland, Ed Faber, explicou que a Apple tinha, depois de um tempo, tentado "controlar as revendas com força bruta". A Apple era rápida em oferecer descontos às revendas se elas comprassem em quantidade. A estratégia era calculada para fazer as revendas venderem mais máquinas, obrigando-as a sempre ter alguma em estoque para que não fossem pegas a descoberto. Revendas que não queriam carregar os custos financeiros do estoque reclamavam vigorosamente. Um revendedor explicou: "Havia muitos vendedores da indústria de semicondutores e não havia gente com experiência de varejo. Eles diziam algo como: 'Se você não quer fazer as coisas exatamente do jeito que queremos que elas sejam feitas, então foda-se'."

O chefe de vendas da Apple, Gene Carter, contrapunha as reclamações das revendas sobre pressões falando o tipo de banalidades que poderiam ter saído da boca de um executivo da indústria automotiva de Detroit: "A Apple Computer, seus distribuidores e revendas todos querem fazer dinheiro e o jeito de fazer dinheiro é vendendo o produto". Em meados de 1982, ele elaborou um pouco mais: "Nós somos os ovos de ouro. Toda revenda quer o Apple porque ele tem um perfil elevado. Revendas sabem que se você não tem um Apple é porque há algo errado com sua loja".

Em 1982, a Apple também parou de fornecer máquinas para serviços de venda pelo correio, caiu em cima dos piratas que vendiam a revendas não autorizadas e abandonou a Computerland, que já fora o eixo principal de sua rede de distribuição e que já havia sido um objeto de desejo tão grande que a Apple chegou a começar algumas discussões sobre uma possível fusão. A Apple estava tentando controlar quais lojas da Computerland traziam seus produtos de modo que elas não interferissem com outras revendas Apple. Na época, Ed Faber disse que "nós não podemos dizer ao pessoal 'você esta à mercê desse fabricante'."

A imprensa também começou a perceber os resultados desse fluxo de poder. Quando uma revista do mercado, a *Infoworld*, publicou uma história que descrevia os futuros planos de produtos da Apple, o editor recebeu várias ligações telefônicas de Jobs nas quais ele discutia repetidamente que a publicação poderia prejudicar a Apple severamente, chamando a história de apenas parcialmente acurada, denunciou o repórter como um criminoso, ofereceu um lindo anúncio de página dupla caso a história não fosse publicada e se ofereceu para pagar os custos de parar a impressão. A atitude da Apple com relação à imprensa ficou clara em um memorando que circulou dentro da empresa. Depois que uma série de histórias analíticas que continham algumas doses de críticas apareceram nos meses seguintes à oferta pública, um comunicado foi distribuído por Fred Hoar, o vice-presidente de comunicações. Ele reclamava que os jornalistas normalmente tiram as coisas de seu contexto citando erroneamente executivos e comprimindo o que eles têm a dizer. O memorando dizia em parte:

ASSUNTO: PUBLICIDADE ADVERSA.
Recentemente, a Apple tem sido o assunto de algumas histórias na imprensa que não podem ser consideradas como peças leves... i.e., elas perfazem um trabalho de reportagem bem negativo... O esquema conhecido é que notícias ruins vendem mais que notícias boas e muitos, senão a maioria, dos repórteres têm problemas em mostrar a sutileza e a complexidade, muito menos seus editores.

Se jornalistas eram um foco de desprezo, o outro eram os concorrentes da Apple. Vários deles tinham metido os pés pelas mãos na hora de desenvolver e introduzir seus computadores pessoais. Grandes empresas como a Hewlett-Packard e Xerox tinham tropeçado e lançado tarde demais máquinas que não chegavam perto do Apple II. Empresas com boa reputação entre os consumidores como a Atari e a Mattel também perderam o barco enquanto fabricantes de minicomputadores como a Data General e a Digital Equipment foram lentos para perceber a ameaça que os microcomputadores representavam conforme iam ficando mais poderosos a cada mês. A Texas Instrument, empresa que tinha causado muito medo tempos atrás, tinha se equivocado tão completamente com sua estratégia para os computadores que a Apple parecia melhor a cada dia. O computador da TI mostrava pouca atenção a detalhes cosméticos, tinha desempenho baixo para seu preço, distribuição raquítica e foi recebido tão mal que em dois anos seu preço caiu de mais de mil dólares para cem dólares. Na Apple, a chegada de um novo computador concorrente havia se transformado em um ritual. Nos meses anteriores a um grande lançamento havia certa trepidação na Apple, mas depois de os lançamentos serem estudados e caminhões de entrega da UPS pararem em Cupertino carregando os últimos produtos, as máquinas dentro das caixas de isopor eram quase sempre saudadas com gritos desdenhosos.

Máquinas que traziam nomes de empresas japonesas tinham a mesma recepção de computadores americanos. Algumas das declarações que saíam de Cupertino tinham uma sinistra semelhança com as afirmações que costumavam sair de Detroit em meados da década 1960. Ora os japoneses não conseguiam entender o mercado de computadores ou não tinham experiência com produtos de consumo com eletrônica complexa, ora não sabiam desenvolver *software*, não iam encontrar espaço nas prateleiras das lojas e não saberiam construir uma imagem para suas marcas. "Os japoneses", Jobs gostava de dizer, "chegam rolando a nossas praias como peixes mortos".

Isso tudo apesar do fato de a Apple depender de várias empresas japonesas para um fornecimento contínuo de semicondutores, monitores, impressoras e *drives* de disquete. Enquanto fabricantes japoneses como Hitachi, Fujitsu e NEC projetavam e faziam quase todas as peças necessárias em um computador pessoal, a Apple era pouco mais que uma montadora do trabalho de outros. O desafio de longo prazo era inevitável: a Apple não tinha alternativa, a não ser se tornar o produtor de custo mais baixo do mundo e ao mesmo tempo oferecer o maior valor a seus clientes, se esperava, em longo prazo, ganhar dos japoneses. A extensão da ameaça japonesa era clara não nos EUA, mas no Japão, onde em três anos as condições mudaram dramaticamente. Em 1979 a Apple e a Commodore detinham 80% do mercado japonês; em 1980, essa fatia havia caído para 40%; e a edição de novembro de 1981 do *Japan Economic Journal* relatava que "os três maiores fabricantes de computadores pessoais americanos – Apple Computer, Commodore International e Tandy – viram sua fatia de mercado total no Japão cair de 80% a 90% em 1979 para 20% nos dias de hoje".

Havia, no entanto, um competidor que todo mundo esperava que entrasse no mercado de microcomputadores, uma vez que este fosse grande o suficiente para causar interesse. Esta era a empresa com três das mais imponentes iniciais do mundo dos negócios americanos: IBM. Era fácil desdenhar a IBM como uma empresa velha, lenta e inchada da costa leste que não podia oferecer a seus engenheiros e programadores nem fama nem fortuna e insistia que todos vestissem camisas brancas e gravatas listradas. Em 1981, quando a IBM lançou seu computador pessoal, seu faturamento era noventa vezes maior que o da Apple. Ela fazia satélites e robôs, *chips* de memória e computadores *mainframe*, minicomputadores e máquinas de escrever, *drives* de disquete e processadores de texto. No Clube Homebrew, o Colosso de Armonk sempre fora motivo de piadas, e engenheiros como Wozniak sempre estiveram mais intrigados pelas funções das máquinas feitas pelos concorrentes da IBM.

Apesar de a empresa ter vendido calculadoras, tabuladores, cartas e máquinas de contabilidade na década de 1920, ela mudou de direção após a Segunda Guerra Mundial, quando o UNIVAC de Remington Rand chegou perto de se transformar em um sinônimo de computação. Em 1952, quando a IBM entrou no negócio de computadores, suas vendas totais eram humilhadas pela General Electric e RCA e peixes menores como Sperry Rand, Control Data e Honeywell, as quais pensavam que podiam bater a IBM. Alguns dos computadores eram superiores. Mas, em termos de força total, margens de lucro, crescimento de faturamento, força de vendas, reputação por suporte e contabilidade, ninguém conseguia chegar perto da IBM. Em 1956, a IBM possuía mais de três quartos do mercado de computadores nos Estados Unidos e um concorrente cansado exclamou: "Não faz sentido criar uma ratoeira melhor se o outro cara fazendo ratoeiras tem uma equipe de vendas cinco vezes maior."

Uma década depois, a IBM foi virtualmente reconstruída em volta de uma família de computadores a qual foi dada o número 360. No final dos anos 1960, depois de companhias de *leasing* aparecerem para servir de intermediários entre a fábrica e os clientes, a IBM ajudou a acabar com elas. No começo dos anos 1970, quando os chamados fabricantes de compatíveis começaram a comer o mercado de periféricos pelas bordas, a IBM respondeu agressivamente. Em meados dos anos 1970, quando outros fabricantes de *mainframes* lançaram máquinas poderosas, a IBM cortou preços e mudou a estrutura de preços da indústria.

Havia apenas duas exceções visíveis. A IBM havia perdido a briga com a Xerox quando tentou vender máquinas copiadoras e também chegou atrasada no mercado de minicomputadores que foi dominado por empresas como DEC, Data General e Hewlett-Packard. Esses dois exemplos eram as exceções à ferocidade costumeira da IBM que ofereciam esperança para os fabricantes de computadores pessoais. Mas a moral da história era simples: toda hora que os gerentes da IBM sentiam que outras empresas estavam ameaçando seu negócio, eles retaliavam brutalmente e com requintes de crueldade escondida por trás de uma fachada benevolente. Em todas as décadas de sua história, quando a IBM fora ameaçada por outras empresas, ela acabava entrando na briga e quase sempre vencendo. Ela havia transformado o contra-ataque em arte e nenhum de seus concorrentes jamais a acusou de pegar leve.

E assim foi com o computador pessoal da IBM. Não era uma novidade, mas impressionava. O Apple II, mesmo sendo um computador com quatro anos de idade, era mais elegante que a máquina da IBM. O Apple era mais inteligente, ocupava menos espaço em uma mesa, era bem menos pesado e não precisava de ventoinha. Graças à passagem do tempo, o IBM tinha um teclado melhor e mais memória. Ele copiou algumas das característica do Apple II, como *slots* de expansão e gráficos.

A característica mais impressionante do lançamento da IBM não era o computador, mas a maneira ágil como a enorme empresa se movera. Ela criou um pequeno grupo para fazer em treze meses o que a Apple tinha claramente falhado em conseguir com o Apple III. Valia-se fortemente da ajuda de terceiros. Gente de fora foi trazida para ajudar a planejar o produto e fornecer o *software*. A Microsoft, a empresa que havia licenciado uma versão do BASIC para a Apple colocar no Apple II, desenvolveu o sistema operacional do computador da IBM. A Personal Software adaptou o Visicalc para rodar no IBM. Os representantes da América respeitável e circunspecta até negociaram com um criminoso convicto, o *hacker* de telefone aposentado John Draper, que converteu seu processador de texto Easywriter que ele havia escrito originalmente para o Apple II. Os terceirizados também forneceram o microprocessador, que, como os do Apple II e III (apesar das afirmações da IBM em contrário), era um equipamento de 8 *bits*. Eles também forneceram os *chips* de memória, impressora e *drive* de disquete.

A IBM, que sempre havia confiado em seu exército de vendedores, também anunciou que iria vender seu computador pessoal por meio de lojas como a Computerland e a Sears Business Machines. O preço básico do computador ficava entre o Apple II e o Apple III. Como notou o analista do mercado de eletrônica Ben Rosen, "Parecia ser o sistema certo pelo preço certo com a abordagem de *marketing* certa para o mercado certo!"

Nem os precedentes nem a presença parecia importar para a Apple. A empresa saudou a chegada do IBM Personal Computer com um anúncio de página inteira que exalava boa vontade sincera e, alguns diziam, condescendência: "Bem-vinda, IBM. É Sério. Bem-vinda ao mais excitante e importante mercado desde que a revolução do computador começou, há 35 anos... Nós esperamos uma competição responsável no esforço enorme para distribuir essa tecnologia americana para o mundo". (Era uma versão mais polida do anúncio que a fabricante de minicomputadores Data General pensou em fazer quando a IBM entrou no mercado de minicomputadores em 1976. A propaganda – que nunca viu a luz do dia – dizia: "Os bastardos dizem: bem-vinda".) Alguns dias mais tarde, Jobs recebeu uma carta do presidente da IBM, John Opel, que o agradecia pela saudação e fazia referências enviesadas ao fato de que gestos amigáveis como aqueles poderiam causar uma impressão errada em agências governamentais.

Em Cupertino, Markkula e Jobs elaboraram sua propaganda. Markkula disse durante a semana em que a IBM lançou seu computador. "Não vemos nada fora do normal. Não há nenhum grande avanço tecnológico e não notamos nenhuma vantagem competitiva." Mesmo na época, ficou claro que os líderes da Apple estavam subestimando perigosamente o poder de seu novo rival. Markkula não conseguia conter sua irritação quando perguntado como a Apple pretendia responder à IBM. "Estamos planejando e esperando a IBM entrar no mercado por quatro anos. Somos os caras no assento do motorista, com uma base instalada de um terço de um milhão, com uma biblioteca de *software*. Os caras com distribuição. É a IBM que está reagindo e respondendo à Apple." Ele acrescentou: "Eles terão de reagir e responder muito mais. A IBM não tem a menor noção de como vender para pessoas físicas. Levamos quatro anos para aprender isso. Eles precisam aprender sobre estrutura de distribuição e revendas independentes. Você não pode acelerar o tempo jogando dinheiro nele. Fora a Terceira Guerra Mundial, nada irá nos tirar da nossa posição". Jobs fez sua própria curta avaliação do lançamento da IBM e previu: "nós vamos ganhar da IBM porque entendemos dessa porra".

"O paraíso é um x-búrguer,"

disse Jimmy Buffet.

Como um pião nervoso, o balão de ar quente da Apple rodopiava sobre o palco enorme. Quando seu queimador de gás lançava uma chama, o balão esticava suas cordas e o generoso logo da Apple nele costurado brilhava. O balão era o sinal mais visível da Apple Computer no lugar onde Stephen Wozniak estava promovendo o que ele queria que fosse o maior concerto de *rock* já produzido. No final do verão de 1982, Wozniak financiou uma versão grotescamente ampliada de uma festa na calçada da sua casa. Seu concerto de *rock* do Dia do Trabalho se transformou numa versão Disneylândia de Woodstock e tinha muito pouco a ver com computadores ou empresas. Tinha mais a ver com a rasa aparência da fama, o som estridente das lendas e com a América das propagandas de beira de estrada.

Wozniak erigiu seu monumento exuberante e desmontável em um vale desértico entumescido nos limites do maior subúrbio do mundo. Aqui, aos pés de Devore, uma pequena cidade totalmente desconhecida – exceto por seus 372 habitantes, uma colônia de nudistas e motoristas que saíam da autoestrada atrás de gasolina ou um pedaço de melancia – Wozniak decidiu fazer seu festival de *rock* de três dias.

Desde o princípio, o concerto fora um tributo à generosa inocência de Wozniak e sua firme crença nos prazeres de uma vida mais abundante. Ele havia se desligado da Apple, inscrevera-se novamente em Berkeley e se casara novamente. Ele vagava pelo campus de Berkeley ou em sua casa de telhas nas montanhas de Santa Cruz, com suas falsas torres de madeira e visão gloriosa da Baía de Monterey, que ele dividia com sua segunda mulher, quatro lhamas, dois burros, três *huskies* siberianos, quatro vira-latas, um pastor australiano e um falcão de rabo vermelho. Ele equipou a casa, que os amigos chamavam de Castelo de Woz, com as amenidades triviais da vida: uma sala de *videogame*, televisão *widescreen*, um sistema estéreo que ia até o teto e, aparentemente, um exemplar de cada computador pessoal e periférico já produzido.

Mesmo assim, ele estava entediado. A ideia de um enorme festival de *rock* oferecia alguma distração. Ele disse ter pensado nele enquanto dirigia em seu carro ouvindo uma parada de sucessos de grandes bandas de *rock*. "Eu quis fazer algo bom. Pensei: 'Não ia ser bacana se todas essas bandas pudessem estar em um só lugar e tocar juntas?'" Mas ele também explicou essa nova ideia à sua família como um empreendimento capaz de fazer dinheiro e previu para sua irmã que o festival de *rock* poderia render lucros de 50 milhões de dólares. Foi aí que Wozniak decidiu abandonar a certeza confortável de El Camino Real pelo mundo reptiliano da Hollywood Boulevard.

Wozniak alugou um escritório pomposo em um prédio de vidro em San Jose e recrutou uma equipe insólita. O homem que ele escolheu para organizar o festival mostrou credenciais que incluíam algumas referências a consultoria gerencial e um diploma de curso por correspondência. Em pouco tempo, eles já estavam enviando *press releases* anunciando a formação da UNUSON Corporation, um acrônimo para "Unite Us in Song" (Unindo-nos na música) e declamando uma pregação mal costurada que parecia ter sido criada por algum calouro tentando passar no primeiro semestre de Psicologia Moderna. Eles diziam que o propósito do festival era "focar a atenção nacional no poder de se trabalhar juntos". Pois isso, eles observavam, marcava a mudança da década do Eu para a década do Nós. Eles prometiam uma grande feira tecnológica que iria mostrar como homem e máquina podiam trabalhar juntos.

Wozniak pegou uma pequena sala para si mesmo onde ele instalou um Apple II e alguns controles de jogos. Vez por outra, seus funcionários apareciam e falavam com ele parecendo irmãos mais velhos preparando a festa de aniversário do caçula mimado da família. Ele invariavelmente concordava com seus pedidos. Conforme os organizadores do US Festival começaram a encomendar equipamentos, os únicos números que eles pareciam conhecer terminavam com uma fileira de zeros. O concerto logo se tornou um bueiro para – dependendo do mês e do humor do interlocutor – 8, 10 ou 12 milhões da fortuna que Wozniak ganhou com a Apple.

As pessoas que conheciam Wozniak tratavam o US Festival com reações que iam da tristeza ao alarme. Jobs, que adorava repetir que era mais fácil ganhar um dólar que dar um dólar, falava para ele criar logo uma fundação de caridade e não escondia seu desprezo pelo empreendimento. Jerry Wozniak assistiu a algumas das entrevistas de seu filho na TV e disse que a figura na tela lhe pareceu um "maníaco". Mark Wozniak era cético sobre a brincadeira: "meu irmão é atraído por pessoas que o enganam. As pessoas o estão usando. Ele vai ser enrolado sempre. É a história da vida dele. A maioria das pessoas com as quais ele se envolve acaba o passando para trás". O amigo de Wozniak, Chris Espinosa pensava que "quando criança e estudante, ele era inocente e isolado dos males do mundo. Como adulto e milionário ele continua isolado".

Por meses, escavadoras amarelas e tratores cavaram e moldaram o terreno perto de Devore em um morro suave. Um par de riachos foram redirecionados e canos subterrâneos se tornaram parte do deserto em uma área verde. Aterramento para estacionamentos foram jogados sobre o barro do leito do rio. *Canions* próximos foram organizados em cem mil lugares para acampamentos. Lotes de banheiros portáteis azul-turquesa foram trazidos de caminhão. Caminhões-pipa, com água quente e pequenas prateleiras para xampu, foram trazidos para a imprensa.

Marquises listradas abrigavam barracas do Exército que hospedavam segurança e trabalhadores. Quando o festival começou e milhares de carros e ônibus começaram a riscar as saídas da autoestrada especialmente construídas, havia um exemplo de todo meio de locomoção que já havia sido visto em El Camino Real. Fora os automóveis – com muitos Hondas, Datsuns (o carro oficial do US Festival) e Toyotas – havia motocicletas, *sidecars, mountain bikes*, triciclos, carros de golfe, caminhões, *trailers*, vans, *motorhomes*, tratores, escavadeiras, motoniveladoras, empilhadeiras e caminhões-pipa.

Desde o começo, Wozniak queria ter certeza de que ninguém teria de esperar mais de cinco minutos por comida. Então o terreno foi transformado em um *shopping center* suburbano ao ar livre. *Biergartens* eram abastecidos com sacos marrons de gelo e tubos de ar comprimido. Havia uma cerveja nacional oficial e uma cerveja importada oficial. Barracas concedidas traziam os produtos costumeiros: M&Ms, barras de granola, chicletes e cigarros. Havia melancias, abacaxis, morangos, nozes, *cookies*, pizza estilo Nova York, hambúrgueres, *chili dogs*, *hot dogs*, *polish dogs*, *burritos*, tacos, soda, limonada, 7-Up, Coca-Cola e Pepsi-Cola. "O paraíso", como disse Jimmy Buffet, um dos artistas convidados, "é um x-búrguer".

Também havia uma farmácia de *shopping center* suburbano. Os milhares na plateia podiam comprar pasta de dente, sabonete, óculos de sol, repelentes de inseto e protetor solar na traseira de caminhões alugados. Foi preciso de filtro solar para conjurar o fantasma de outra década. Pois quando um animador de palco pediu para a plateia ser generosa, ele utilizou uma velha frase *hippie*: "se você tem filtro solar, compartilhe com seus irmãos e irmãs".

Havia também uma pirâmide de lei e ordem. Sinais na entrada eram bem claros: NÃO SÃO PERMITIDOS DROGAS, GARRAFAS, LATAS, ARMAS OU ANIMAIS, NEM TENDAS, SACOS DE DORMIR OU CADEIRAS DE PRAIA. TODAS AS PESSOAS ESTÃO SUJEITAS A REVISTA. Dúzias de homens do Departamento de Xerifes do Condado de San Bernardino (em helicópteros e carros de patrulha ou a cavalo e em motocicletas) mantinham o olho na coisa. Um membro da equipe de policiais da Southern Pacific explicou que ele estava ali "para proteger a linha ferroviária". Um bando de guardas de segurança recrutados apressadamente, a gangue de vigilantes do bairro, demonstrava seu estilo amador de justiça guardando os portões estratégicos em quilômetros de cercas de arame. Toda essa ênfase na segurança tinha seus problemas – uma coleção mutante e confusa de crachás de segurança e passes laminados totalmente coloridos e penosamente codificados. Os passes que Wozniak programou em seu computador para os amigos nem eram reconhecidos.

Havia um tratamento mais pródigo para as bandas e para a imprensa que para as massas numerosas. As bandas – mais de vinte quando os contratos foram assinados – discutiram sobre os termos e exigiram somas extraordinárias quando vazou a informação de que o bolso de Wozniak praticamente não tinha fundo. Para a maioria era apenas mais um *show* e eles riam quando ouviam a menção à Década do Nós. Atrás do palco, as bandas descansavam em *trailers* com ar-condicionado escondidos por cercas de treliça envernizadas. Seus nomes estavam entalhados em letras góticas em placas de madeira penduradas nas portas e seus pedidos eram atendidos por um esquadrão de corredores que trabalhavam de um outro *trailer* marcado como CONTROLE DE AMBIENTE que era nada mais que um serviço de quarto metido a besta. Fora dos *trailers*, uma multidão de agentes, relações-públicas, assistentes de negócios, assistentes pessoais – todo tipo de assistentes – brigava, reclamava e discutia.

Até o céu estava à venda. Uma torre de controle de trafego aéreo temporária punha ordem em uma coleção eclética de objetos aéreos que voavam em círculos em sentido anti-horário. Alguns *ultragliders* espocavam como lambretas com asas. Um par de paraquedistas caiu dos céus. Ao meio-dia no dia de abertura do festival, aviões riscaram cinco rastros tubulares pelo céu. Pequenos aviões tossiam e levavam faixas anunciando seguros de automóveis, camisas e tarifas de voo baratas para Honolulu. Debaixo das vias aéreas congestionadas, um xerife ligou por rádio para um colega em um helicóptero: "tem um aeroplano dando rasantes perto do vale. Só queria ter certeza de que você está ciente". À noite, o zepelim da Goodyear piscava em um mosaico de luzes: QUE FESTA BOA, OBRIGADO, WOZ. Vinte e quatro horas por dia, os helicópteros levavam e traziam as estrelas do *rock* e suas *groupies* de um pequeno e liso pedaço de asfalto para hotéis a oeste do Rancho Cucamonga e Cucamonga.

A tecnologia caiu vítima do calor e da areia. Não era nenhum Clube Homebrew nem Feira de Computadores da Costa Oeste ambulante. Alguns expositores não conseguiram ir, outros acharam que suas máquinas não tinham sido projetadas para lidar com toda a força do clima do sudoeste. Muitos dos visitantes pareciam estar mais interessados nos pesados aparelhos de ar-condicionado que lutavam para resfriar as tendas que na exposição propriamente dita. Havia alguns exemplos baratos do poder da tecnologia, como as filas para os telefones, *walkmans* e mulheres plugando chapinhas de cabelo nas tomadas dos cabos que percorriam as tendas gigantes.

Mas o triunfo da tecnologia foi demonstrado uma noite quando três homens estavam preparando uma demonstração de uma antena de televisão via satélite. Eles usaram um microcomputador para calcular a angulação necessária para encontrar um satélite flutuando a 40 mil quilômetros de altura e monitoraram os resultados dos seus esforços em uma TV colorida. Ajustaram a antena, pulando de um satélite invisível para outro, até encontrarem o que queriam: um canal pornô de TV de Los Angeles mandando um sinal a mais de 80 mil quilômetros para que três homens num deserto da Califórnia pudessem assistir a uma mulher negra nua fazendo sexo oral em sua parceira, branca, igualmente nua. Era, no mínimo, um casamento de comunidade e tecnologia e os organizadores do festival não se surpreenderam ao ver como as duas funcionavam bem juntas.

Muitas das 200 mil e tantas pessoas (ninguém estava certo do número) que se derramaram pelos quiosques de cerveja, ensoparam-se nos chuveiros ao ar livre e jogaram água uns aos outros com garrafas de plástico e se jogaram em frente aos jatos de um canhão de água pareciam estar se divertindo muito.

Todos acharam o US Festival uma grande festa, cujo ápice era um palco de proporções imperiais que poderia ter sido utilizado em um filme de Cecil B. De Mille. Dois telões de vídeo de três andares serviam como painéis externos de um tríptico. A coroa gloriosa era outra tela, daquelas utilizadas para *replays* em estádios de beisebol, empoleirada sobre o palco. Nas coxias do palco, a equipe operava elevadores e plataformas móveis, pulava entre degraus íngremes carregando guitarras, vestiários portáteis e caixas de metal lotadas da parafernália de grupos de rock. Lá fora, no deserto, torres negras de falantes mandavam 400 mil watts que ecoavam nas montanhas de San Bernardino e San Gabriel, enquanto câmeras filmavam tudo para redes de TV a cabo. Raios *laser* cortavam os céus noturnos arrogantemente, desenhando padrões eletrônicos sobre nuvens negras adormecidas. Todas essas traquitanas e barulho pareciam uma versão cosmográfica dos gravadores de vídeo, televisores *widescreen*, aparelhos de som e *videogames* que mobiliavam a casa de Wozniak. Balançando em volta do palco estava o balão da Apple que, em toda aquela balbúrdia, parecia estranhamente inocente e esquecido.

Comandando todo o concerto estava Bill Graham, um promotor de eventos de *rock* de San Francisco, propagador de ameaças irascíveis que, vestido em um *jeans* rasgado, camiseta e botas de basquete, gritava até as veias do seu pescoço entumescerem e a saliva em sua garganta secar. Ele socava o ar com seus punhos, flexionava os músculos e, mais tarde, disse que Wozniak era uma figura trágica. Quando pulava no palco entre os *shows*, pedia um grande aplauso para uma grrrrrrande, grrrrrrande banda, para um grrrrrrrande artista, um grrrrrrrrrrande roqueiro e saudava esses grrrrrrrrrrrandes dias de grrrrrrrrrrande *rock'n'roll.*

Todas as virtudes que Wozniak havia combinado no computador da Apple estavam ausentes. Isso era ação a marteladas e não havia o menor sinal de obscuridade, nenhum senso de sutileza e pouco discernimento. Talvez o festival tenha nascido de algum desejo de divertir e entreter; talvez não fosse nada mais que uma demonstração pública de vaidade. Certamente foi um retrato congelado da América infestada de celebridades. Em uma tenda branca de imprensa, duzentos repórteres, fotógrafos e câmeras de TV esperavam por Wozniak. Havia jornalistas das redes de TV, estações de TV a cabo, dúzias de estações de rádio, jornais diários, revistas semanais, jornais de *rock* e da imprensa especializada em computadores. Eles representavam uma massa confusa de nomes conhecidos e, enquanto esperavam por uma coletiva de imprensa, atacavam bandejas de comida, falavam com amigos e editores pelo telefone e espantavam as vespas que voavam perto de latinhas de bebida, latas de lixo e bandejas de comida pela metade.

Eles esperaram Wozniak descer de uma casa que havia alugado em um morro com vista para o terreno do festival e usada como base para excursões feitas em uma longa limusine negra. Os jornalistas esperavam uma frase, umas aspas, uma imagem ou um *close*. Eles folhearam bloquinhos de notas, acertaram tripés e ajustaram gravadores de fita cassete. Um corredor levava a uma moita de microfones e gravadores e, quando Wozniak chegou, abaixando sob uma das abas da tenda, ela inflou como se ganhasse vida. Um monte de Nikons, Canons e Pentaxes clicaram simultaneamente. Houve empurrões, safanões e cotoveladas. A parede curva de câmeras deslizou para frente. Uma mesa caiu e gritos foram ouvidos. Os motores zuniram, tirando imagem após imagem, rolo de filme após rolo de filme. Ouviram-se gritos e assobios. "Silêncio, por favor... quietos... silêncio... calem a boca...Woz!...Woz!..." – e todo o tempo os empurrões e cotoveladas para conseguir um melhor angulo continuavam. Sentado atrás de uma mesa entre o promotor de *rock* e o formando da Erhard Seminars Training, Wozniak vestia um boné de beisebol colocado meio torto, uma camiseta, shorts e meias e ria nervoso como um garoto de escola repreendido. Ele era solapado com um cansativo e repetitivo círculo de perguntas vazias: "Quanto dinheiro você perdeu?... Quantas pessoas estão aqui?... Por que você decidiu fazer isso?"

Epílogo

Já se passou mais de um quarto de século desde que escrevi a página anterior num Apple III, com monitor monocromático e disco rígido de 5 MB (que custava 3.500 dólares). Comecei esta revisão no banco de trás de um táxi, a caminho do aeroporto de Shangai, conectado à Internet por modem 3G Wi-Fi em um MacBook Air de 1,3 kg e com 128 gigabytes de memória. Em 1984, quando a primeira edição deste livro ia para a gráfica, recebi várias cartas do editor – numa época anterior ao uso universal do e-mail – expressando sua ansiedade pela possibilidade de a Apple já ter passado do seu auge. A apreensão era compreensível. Não existia mais o alvoroço em torno do lançamento do Macintosh, anunciado por um comercial de TV no Super Bowl de janeiro de 1984. As notícias eram desanimadoras. Os computadores pessoais da IBM estavam ganhando força. A Compaq atingira o faturamento de 100 milhões de dólares mais depressa que qualquer outra empresa antes dela. O sistema operacional para PCs da Microsoft, o DOS, ganhava novos licenciados a cada mês. Havia muitas razões para achar que a Apple estava vacilando.

Vinte e cinco anos depois, com as pessoas tanto acostumadas aos nomes iPad, iPod, iPhone e Macintosh quanto ao nome Apple, é difícil para qualquer um que tenha se criado entre telefones celulares e redes sociais imaginar uma época em que a Apple era apenas mais uma companhia de tecnologia, que a qualquer instante poderia ser obliterada ou absorvida por uma concorrente. Desde 1984, inúmeras empresas de tecnologia definharam ou morreram. É extremamente fácil fazer uma lista alfabética de A a Z com as vítimas.

Somente na letra A encontram-se Aldus, Amiga, Ashton-Tate, AST e Atari. No resto do alfabeto constam também Borland, Cromemco, Digital Research, Everex, Farallon, Gavilan, Healthkit, Integrated Micro Solutions, Javelin Software, KayPro, Lotus Development, Mattel, Northstar Computers, Osborne Computer, Pertec, Quarterdeck, Radius, Software Publishing, Tandy, Univel, VectorGraphic, Victor, WordPerfect, Xywrite e Zenith Data Systems. As maiores empresas que sobreviveram a essas décadas – IBM e HP – o conseguiram pela atuação em áreas totalmente à parte da computação pessoal. A IBM, que outrora fora a empresa que as outras do ramo temiam, transferiu seu negócio de *hardware* para a chinesa Lenovo.

A taxa de mortalidade torna a sobrevida da Apple – sem falar em sua prosperidade – ainda mais impressionante. Eu acompanhei a Apple, primeiramente como jornalista e depois como investidor, ao longo de quase toda a minha vida adulta. Os jornalistas sofrem do mal de não se esquecerem nunca mais de um assunto que os interessou. Não sou diferente. Mas, alguns anos após terminar de escrever este livro, graças a uma virada do destino, fui trabalhar para a Sequoia Capital, a sociedade de investimento privada cujo fundador, Don Valentine, ajudara a cimentar alguns tijolos no fundamento da Apple. Desde então, como investidor em jovens empresas privadas de tecnologia em China, Índia, Israel e Estados Unidos, desenvolvi um interesse maior pelo imenso abismo que separa as poucas empresas bem-sucedidas das milhares de outras que têm no máximo a sorte de marcar com um asterisco os rodapés dos livros de história.

Em 1984, se alguém perguntasse aos consumidores qual empresa – Sony ou Apple – teria maior impacto em suas vidas, aposto que a maioria teria votado na primeira. O sucesso da Sony baseava-se em duas grandes forças: o ímpeto incansável de seu fundador, Akio Morita, e a miniaturização da eletrônica nos produtos desejados pelos consumidores. A empresa japonesa, fundada em 1946, cultivou admiradores como *designers* e fabricantes de produtos eletrônicos de consumo criativos e confiáveis: rádios transistorizados, televisores, gravadores de áudio em fita e, nas décadas de 1970 e 1980, gravadores de vídeo, câmeras de vídeo e o Walkman, o primeiro aparelho portátil que tornou a música disponível a qualquer hora do dia. Da mesma forma que o iPod uma geração mais tarde, o Walkman trazia a chancela do fundador da empresa. Fora criado ao longo de alguns meses no ano de 1979; seu sucesso veio em boa parte da propaganda boca a boca e ele vendeu 250 milhões de unidades nos vinte anos que se seguiram até o advento dos tocadores de MP3. Agora, como todo mundo sabe, a mesa virou e, há poucos anos, começou a circular uma piada assim: "Como você soletra SONY? Resposta: A-P-P-L-E."

Isso nos traz à questão de como a Apple suplantou a Sony. Mas o ponto mais interessante é como a empresa conseguiu sacudir o esqueleto de indústrias poderosas e fez tremer os empresários musicais, produtores de cinema, donos de canais de TV a cabo, proprietários de jornais, editoras, operadoras de telefonia, guias de páginas amarelas e varejistas tradicionais. Nada disso pareceria possível em 1984, quando o presidente dos EUA era Ronald Reagan; metade das residências no país sintonizava três redes de televisão; a circulação de jornais matutinos atingira o pico de 63 milhões; discos de vinil e cassetes vendiam noventa vezes mais que CDs; o telefone celular Motorola DynaTAC 8000x pesava 1 kg, permitia meia hora de conversa por carga e custava quatro mil dólares; o Ministério do Comércio e Indústria Internacional do Japão era temido no Ocidente; e o centro mundial da manufatura avançada ficava em Cingapura.

Três correntes poderosas fluíram em favor da Apple, mas essas águas também foram navegáveis para outras empresas do ramo. A primeira corrente foi a inclusão da eletrônica em todos os aspectos da vida cotidiana, de tal maneira que hoje não resta um lugar no mundo que esteja fora do alcance de um computador ou da imensa variedade de telefones e aparelhos de entretenimento que nos cercam. A segunda corrente habilitou empresas nascidas na era do computador pessoal a desenvolver produtos de consumo. Tornou-se mais fácil para empresas de computação com sensibilidade refinada para *software* criar produtos de consumo que para as empresas que já tinham os eletrônicos de consumo em sua linhagem, e cuja especialidade consistia em projetar e fabricar *hardware*. Não é coincidência que algumas das empresas que mais sentem inveja da Apple têm nomes como Samsung, Panasonic,

LG, Dell, Motorola e, naturalmente, Sony. A terceira corrente é a "computação na nuvem" – o conceito de que a maior parte do processamento, armazenamento e segurança associados ao software pode residir em milhares de máquinas genéricas organizadas em datacenters com o tamanho de fábricas. Essa é a arquitetura de computação que, a partir de metade da década de 1990, suportou serviços como Amazon, Yahoo!, eBay, Hotmail e Expedia e, mais tarde, veio a ser o fundamento para o Google e para os serviços da Apple associados aos Macs, iPods e iPhones. Hoje, pela primeira vez, são os consumidores, e não os governos e as empresas, que se beneficiam dos serviços de computação mais rápidos, confiáveis e seguros.

Em 1984, a Apple enfrentava questões mais imediatas e mundanas. Encarando o desafio de gerenciar uma empresa em rápida expansão dentro de um ramo de negócio cada vez mais competitivo, a diretoria da Apple assumiu a tarefa mais importante para qualquer conselho: escolher uma pessoa para comandar a empresa. Mike Markkula, que se unira a Steve Jobs e Steve Wozniak em 1976, não escondia que não tinha vontade de continuar a ser CEO em longo prazo. Assim, o conselho de diretores, que incluía Steve Jobs, teve de decidir o curso a adotar. Essa decisão, junto com outras três ao longo dos dezoito anos seguintes, definiram o futuro da Apple.

Somente em retrospecto é que compreendi o risco gigantesco associado a contratar alguém de fora – mais ainda, alguém de uma indústria diferente da sua – para comandar uma empresa cujo caminho fora muito influenciado pela determinação e pela ferocidade de seus fundadores. Não é por acaso que quase todas as grandes empresas de ontem e de hoje foram comandadas em seus melhores dias pelas mesmas pessoas que lhes deram vida. A mensagem é a mesma, independentemente da indústria, da época ou do nome em questão: Ford, Standard Oil, Chrysler, Kodak, Hewlett-Packard, Walmart, Fedex, Intel, Microsoft, NewsCorp, Nike, Infosys, Disney, Oracle, IKEA, Amazon, Google, Baidu, Apple. O fundador de cada uma delas, atuando com "instintos de proprietário", teve a confiança, a autoridade e a habilidade para liderar. Às vezes, quando os instintos do fundador estão errados, ele leva a companhia à ruína; mas, quando estão certos, ninguém consegue superá-lo.

Quando o conselho começa a ter dúvidas sobre a condição da empresa ou a capacidade do fundador e não possui um candidato interno plausível para substituí-lo, quase sempre acaba tomando a decisão errada. A escolha do CEO é normalmente feita quando a empresa está prestes a levar um baque, as emoções estão à flor da pele, os níveis de testosterona elevados e, mais ainda numa empresa de alta visibilidade como a Apple, quando cada empregado, analista, palpiteiro e detrator está a postos para dar conselhos. Na Apple de 1983, a decisão do conselho teve um fator complicador: não existia um sucessor natural dentro da empresa, Jobs era considerado jovem e imaturo demais, e ele mesmo sabia que a Apple precisaria de ajuda para atingir a receita de 10 bilhões de dólares com a qual ele começara a sonhar. O peso opressivo da sabedoria convencional fez que a busca fosse por um currículo cheio de credenciais e títulos sonoros. Mas a experiência – particularmente quando adquirida em outra indústria – não tem muita utilidade numa empresa jovem e em crescimento acelerado, num ramo de atuação novo, com um pulso e um ritmo diferentes. Experiência pode ser a escolha segura, mas também pode ser a pior.

Depois de uma prolongada seleção, o conselho da Apple anunciou que John Sculley seria o novo CEO da Apple. Ele era desconhecido no Vale do Silício, o que não era de surpreender, já que passara toda sua carreira trabalhando na PepsiCo, onde chegara a presidente da divisão de refrigerantes. A vinda de Sculley a Cupertino foi saudada com o comentário pejorativo de que a Apple (e Jobs) necessitava de "supervisão adulta". Essa é a última coisa de que fundadores raros e especiais poderiam necessitar. Esse tipo raro de pessoas pode precisar de ajuda, certamente se beneficiará da assistência e para eles haverá muitas coisas novas ou estranhas; mas o surgimento de um chefe, ainda mais um chefe sem experiência em tecnologia, em meio à desorganização bruta de uma empresa em seus anos formativos, quase certamente termina em desastre.

Na Apple, Sculley foi recebido como um arcanjo e, durante algum tempo, pareceu infalível. Dizia-se que ele e Jobs eram tão entrosados que podiam terminar as frases um do outro. Em retrospecto, é bem fácil afirmar que seria impossível a um homem como Sculley, criado nos confins de uma empresa da Costa Leste que vende refrigerantes e salgadinhos, prosperar num negócio onde os ciclos dos produtos se medem em trimestres, quando não meses, e onde sujeitar-se ao convencional equivale a uma sentença de morte. É mais fácil para um fundador, especialmente quando cercado de pessoas com experiências diferentes, aprender sobre gestão que para um gerente vindo de uma empresa grande captar as nuances e os detalhes de um negócio completamente novo – especialmente quando se trata de tecnologia.

Em menos de dois anos, a familiaridade começou a gerar desprezo – uma situação complicada pelo fato de Sculley possuir o título de CEO e Jobs o de presidente. Houve desentendimentos e facadas pelas costas, até que a dissensão tornou-se tão intensa que, em 1985, Sculley, insatisfeito, incomodado, exasperado e exausto por causa de Jobs, orquestrou a sua demissão. Sculley manteve-se no cargo até 1993, e durante parte desse tempo as análises externas eram favoráveis a ele, ao menos no que tocava a Wall Street.

Ao longo da década em que Sculley comandou a Apple, as vendas cresceram de pouco abaixo de 1 bilhão de dólares anuais até mais de 8 bilhões. Olhando superficialmente, parece uma marca espetacular. Mas a realidade era bem outra. Sculley se beneficiou de uma força poderosa: a demanda imensa por computadores pessoais. Esse crescimento do mercado camuflou uma série de deficiências e somente quando o ritmo do crescimento diminuiu é que os problemas ficaram visíveis.

Durante o mandato de Sculley na Apple, a empresa foi superada pelo poder de fogo da IBM e pelas manobras sagazes da traficante de armas da indústria, a Microsoft, que tornou disponível para todos os fabricantes de PC o sistema operacional que ela licenciara originalmente para a IBM. Isso causou a proliferação dos chamados "IBM PC-compatíveis", alguns produzidos por novas empresas, como a Compaq, outros por fabricantes estabelecidos, como a DEC, outros por empresas de produtos de baixo custo de Taiwan, como a Acer. Esses computadores compartilhavam duas características: o *hardware* era construído em torno de microprocessadores Intel e o sistema operacional era fornecido pela Microsoft. Enquanto isso, a Apple contava com os processadores da Motorola e IBM e precisava dar duro para convencer os desenvolvedores de *software* a escrever programas para o Macintosh, cuja fatia de mercado encolhera com os anos. A Apple lutava em duas frentes, com aliados fracos, contra o vasto orçamento da Intel – numa indústria em que a engenharia e o capital contam muito – e as legiões de programadores que descobriram que poderiam montar seus negócios baseados no DOS da Microsoft e no seu sucessor, o Windows. Parte da resposta de Sculley foi aumentar os preços da Apple, buscando manter as margens de lucro – um truque que manteve a receita por algum tempo, mas depois desabou.

Enquanto os novatos traquinas da indústria atacavam, a inventividade definhava dentro da Apple. A empresa que liderara a indústria com a cor no Apple II, com a interface gráfica no Macintosh, com a editoração eletrônica e a impressão a laser, com a rede integrada e o som estéreo parou de inovar. Quando Sculley deixou o posto, em meio a uma onda de recriminações causadas pelo seu apego a chamar a atenção para si no cenário político, não restavam cartas na manga. A centelha da imaginação ou, mais precisamente, a capacidade de transformar uma ideia promissora num produto atraente, estava extinta. A Apple não apresentou produtos importantes na década em que Sculley permaneceu no controle. Os computadores tinham nomes estéreis e sem graça, como Performa, Centris e Quadra. Máquinas com memória maior, tela maior e HD maior não representavam conquistas revolucionárias. O Newton, um pequeno organizador digital promovido por Sculley no seu cargo autonomeado de executivo-chefe de tecnologia, acabou não sendo muito mais que um peso de papel caro. Em sua autobiografia, *Odisseia*, publicada em 1987, Sculley – naquilo que soa hoje como uma avaliação precisa do abismo de diferença entre as suas capacidades e as do fundador que ele expulsara – atacou as ideias de Jobs para o futuro: "Ele queria que a Apple virasse uma bela empresa de produtos de consumo. Era um plano lunático. Alta tecnologia não pode ser desenvolvida e vendida como um produto de consumo."

Quando Sculley foi mandado embora, a Apple corria perigo. O Windows 3.0, lançado em 1990 pela Microsoft, não era elegante como o *software* do Mac, mas era suficientemente útil. Na época do retorno de Sculley à Costa Leste, a fatia de mercado da Apple estava erodida e as suas margens de lucro entraram em colapso; os melhores jovens engenheiros debandavam para empresas como Microsoft, Silicon Graphics e Sun Microsystems. O conselho diretor da Apple estava degenerado. As pessoas que haviam sido proprietárias majoritárias da empresa e investiram no seu sucesso haviam sido substituídas por uma trupe bizarra, quase certamente montada por uma comissão de nomeação ansiosa por demonstrar correção política, povoando o grupo de gente com qualquer tipo de experiência e formação. Durante um período de 48 meses, em meados da década de 1990, o conselho incluía o próprio executivo-chefe de finanças da empresa, uma pessoa que criara cassinos em barcos fluviais, o CEO de uma enorme empresa europeia de embalagens, o chefe da National Public Radio e um executivo da Hughes Electronics e StarTV. Ninguém ali tinha experiência na indústria de computadores pessoais, ninguém jamais trabalhara no Vale do Silício, eles não conheciam um ao outro e ninguém, exceto Markkula, tinha qualquer interesse econômico ou emocional na Apple. É difícil pensar que eles se imaginassem como donos, menos ainda que agissem como tal. Se havia um laço que os ligasse, provavelmente era o desejo de evitar o constrangimento. Não é de se admirar que eles tenham feito duas escolhas horríveis, cada uma das quais era mais adequada a um agente funerário que a um líder imaginativo.

A primeira má escolha, Michael Spindler, era um europeu cuja vida de negócios anterior à Apple consistira em bicos na DEC e na Intel, onde ele fora estrategista de marketing. Como CEO, ele prosseguiu os esforços de Sculley para vender a Apple – tendo como principais candidatos a compradores a IBM, a Sun e a Philips – e debateu se deveria licenciar o sistema operacional do Mac a outros fabricantes. A aliança da Apple com a IBM e a Motorola – a típica gambiarra empresarial complexa que no mundo tecnológico não resulta em nada – teria a função de segurar o avanço da Microsoft por meio do casamento do *software* da Apple com os microprocessadores produzidos pelas outras duas empresas. Em 1996, após menos de três anos como CEO, Spindler foi apresentado à porta da rua. O conselho de oito pessoas, sem pesquisar candidatos de fora, elegeu um deles mesmos, Gil Amelio, e deu-lhe a tarefa de rejuvenescer a Apple. Embora Amelio gostasse de ser chamado de Doutor (por causa do seu PhD em Física), antes mesmo de sua posse já estava claro que ele não era o tipo de médico de que o paciente necessitava.

Enquanto a Apple marchava rumo à irrelevância, Steve Jobs vivia seus anos de proscrito – uma jornada árdua e dolorosa que, em retrospecto, foi provavelmente a melhor coisa que aconteceu a ele. Depois de ser enxotado da Apple, ele vendeu todas as suas ações menos uma e, aos trinta anos de idade, partiu para um novo começo. Em 1986, adquiriu a Pixar, uma empresa de 44 funcionários que fora do criador de *Guerra nas Estrelas*, George Lucas, e desenvolvera reputação criando animação baseada em computadores. Jobs estava interessado na influência que a tecnologia da Pixar teria nos computadores pessoais, mas, para ele, a Pixar não era o negócio principal. Em 1985, ele formara uma nova empresa de computadores que, com sua característica elegância e seu simbolismo, batizara de NeXT. Ali começou um conto torturante que culminaria em 1996 com o mais improvável de todos os finais: a sua aquisição pela Apple.

Entre a fundação e a venda da NeXT houve muitas sagas. A empresa demonstrou como é difícil alguém começar uma segunda companhia depois de alcançar sucesso extraordinário com a primeira. Jobs era vítima de sua fama e notoriedade e, em vez de recordar as lições do primeiro ano da Apple (quando o dinheiro era curto, os recursos limitados, a sobrevivência uma questão premente e uma bancada na garagem de seus pais a linha de montagem), seus primeiros atos na NeXT assemelhavam-se à continuidade da vida numa empresa de 1 bilhão de dólares. O mítico *designer* Paul Rand desenhou o logo da NeXT, assim como já fizera para a IBM, ABC e UPS. O sumo sacerdote da arquitetura moderna, I. M. Pei, recebeu a encomenda para uma escada flutuante (inspiradora de escadas similares em muitas das atuais lojas Apple), e o capital inicial foi fornecido por Ross Perot, a Universidade Stanford e outros (incluindo Jobs), com uma capitalização mais ou menos equivalente à da Microsoft em 1986, o ano de sua abertura pública de capital.

Conforme a NeXT evoluiu e se tornou um fabricante de *workstations* corporativas, Jobs descobriu-se fora de seu terreno natural. Em vez de conjurar ideias para produtos que milhões de consumidores usariam, ele ficou restrito a um mercado no qual as decisões de compra ficavam por conta de comissões que não ganhavam nada por fazer escolhas arrojadas. Além disso, estava exposto ao escárnio de competidores como Sun, Silicon Graphics, IBM, HP e, naturalmente, Microsoft; e era necessária uma equipe de vendas cara para tentar conquistar clientes. O computador preto com formato cúbico, vítima de enormes atrasos no lançamento – uma das muitas maldições que pairam sobre uma *startup* excessivamente bem financiada – logo ganhou um lugar no Museu de Arte Moderna de Nova York, junto a outros produtos inspirados por Jobs. Os clientes, porém, não se impressionaram. A equipe fundadora da NeXT cansou-se aos poucos da pressão e do cheiro de fracasso. Em 1993, Jobs atirou a toalha, encerrou o negócio de *hardware* e tratou de converter a NeXT em uma empresa de *software* – uma estratégia que é invariavelmente a precursora do fim para uma empresa de computadores.

Em 1996, tanto a Apple quanto a NeXT estavam nos estertores finais. Jobs estava relegado a um nicho minúsculo no negócio de computadores, embora sua tenacidade e paciência com a Pixar estivessem começando a dar frutos.

A equipe de criação da Pixar adotou uma abordagem totalmente inovadora no mundo das animações por computador, o que, de certa forma, funcionava como um presságio do que a Apple ofereceria ao mundo da computação na década que se seguiria. Nove anos após Jobs ter adquirido a Pixar, o lançamento do primeiro longa-metragem de animação computadorizada, *Toy Story*, seguido da oferta pública inicial de ações, deu à Pixar o poder financeiro necessário para lidar com a musculatura de sua parceira exclusiva de distribuição, a Disney. (Finalmente, uma década e várias disputas depois, a Disney compraria a Pixar por 7,4 bilhões de dólares, transformando Jobs no maior acionista individual da Disney desde o próprio Walt Disney).

Então, quase como se fosse um capítulo de um romance vitoriano do século XIX, Jobs ficou sabendo do interesse da Apple em adquirir a Be, uma empresa fundada por um ex-executivo da Apple, a fim de obter o sistema operacional avançado que estavam desenvolvendo e torná-lo o fundamento futuro do *software* da Apple. Jobs foi até Amelio e o convenceu de que faria melhor adquirindo a NeXT e empregando sua versão do sistema operacional Unix. Amelio optou pela NeXT, adquiriu a empresa por 430 milhões de dólares em dinheiro, deu a Jobs 1,5 milhão de ações da Apple e, incidentalmente, plantou sua própria demissão. Seguiu-se um estranho período em que Jobs afirmava que estava somente interessado em auxiliar Amelio e cuidar da Pixar, mas sua venda de todas menos uma das ações que acabara de ganhar era um sinal da sua verdadeira opinião sobre Amelio. Menos de três trimestres após a NeXT se tornar parte da Apple, Amelio foi substituído por Jobs, que fora nomeado CEO interino. Isso causou gargalhadas e manchetes que soavam como notas de obituário: "Como aconteceu essa bagunça? A história não contada da morte da Apple" e "Podre até o caroço" eram duas das mensagens impressas nas capas de revistas de circulação nacional. Michael Dell, então, um dos queridinhos da indústria de PCs, fez uma provocação no outono de 1997: "O que eu faria? Fecharia a empresa e devolveria o dinheiro aos acionistas."

Steve Jobs ficara calejado durante seus anos proscritos. A sua batalha na NeXT o ensinara a lidar com circunstâncias desfavoráveis, e a sua experiência no ramo da animação com a Pixar era a de CEO da empresa criativa mais tecnologicamente avançada do mundo. A Apple que ele herdara no outono de 1997 havia perdido seu entusiasmo criativo e sua posição de liderança na indústria de tecnologia; quase não possuía fundos; não conseguia mais recrutar jovens engenheiros; estava atolada num imenso estoque de computadores não vendidos; e não possuía nada criativo na prancheta. Jobs também não estava num clima romântico. O departamento de marketing, ansioso para anunciar uma mudança positiva, queria veicular anúncios dizendo "Estamos de volta!", mas Jobs não permitiu.

Em vez disso, ele lançou a campanha *Think Different* (Pense diferente), baseada numa série de fotografias em preto e branco de indivíduos notáveis. Alguns homens de negócios iconoclastas chegaram a aparecer, mas de longe ganhavam os artistas e inventores. Havia músicos (Bob Dylan, Maria Callas e Louis Armstrong), artistas (Pablo Picasso e Salvador Dalí), um arquiteto (Frank Lloyd Wright), líderes políticos carismáticos (Mahatma Gandhi e Martin Luther King), cientistas (Albert Einstein e Thomas Edison), cineastas (Jim Henson), uma dançarina (Martha Graham) e uma aventureira (Amelia Earhart). A campanha era um grito de ordem, mas também uma expressão entusiasmada do lado artístico, sensual, romântico, místico, inquisitivo, sedutor, austero e teatral de Jobs – adjetivos não usualmente associados ao líder de uma empresa de tecnologia. Esses atributos ganharam expressão nos produtos da Apple, que Jobs transformaria em objetos de desejo.

A campanha publicitária era simples e direta, o que talvez tenha sido mais significativo dentro da empresa que fora dela. Dizia, em palavras comuns, que a empresa não aceitaria copiar as outras, mas forjaria seu próprio caminho. Jobs também obrigou a empresa a agir de maneira diferente. Cortou custos; promoveu demissões em massa; cancelou linhas de produtos inteiras que ele considerava sem valor, sem diferenciação ou sem atrativo, como as impressoras e o Newton; cancelou o licenciamento do sistema operacional do Mac para outros fabricantes; limitou a distribuição dos produtos a apenas os varejistas mais leais; colocou cinco de seus executivos da NeXT em cargos na sua equipe de gestão, mantendo Fred Anderson como executivo-chefe de finanças; mandou embora a maioria dos desacreditados membros do conselho e os substituiu por pessoas práticas e firmes em quem ele confiava; obteve um investimento de 150 milhões de dólares da Microsoft e simultaneamente encerrou anos de disputas judiciais entre as duas empresas, reforçou a liquidez da Apple e garantiu proeminência para o Internet Explorer como navegador da Web no Mac. Dez meses depois, Jobs apresentou o iMac, uma nova linha de computadores com seu inconfundível estilo sedutor. Dali a um ano, no outono de 1998, a Apple relatou vendas anuais de quase 6 bilhões de dólares e um lucro de mais de 300 milhões, comparados às vendas de 7,1 bilhões com prejuízo de 1 bilhão no momento em que Jobs assumira a chefia.

Mesmo sob o comando de Jobs, o estouro da bolha das empresas Pontocom, a recessão de 2001 e a fatia de mercado diminuta do Mac significavam que a Apple ainda remava contra a maré. Os furos no casco estavam calafetados, os membros inúteis da tripulação foram forçados a caminhar na prancha e a carga inútil foi atirada ao mar, mas a rota da embarcação permanecia inalterada. Isso se refletiu no prejuízo de 2001, o primeiro número vermelho em três anos. Foi nessa conjuntura perigosa que nasceram o iPod e as lojas Apple – ambos oriundos da necessidade e da sensação de que a empresa não poderia contar para sempre com a bondade alheia para estimular seu crescimento. Desenvolvedores de *software* independentes, incluindo uma empresa do porte da Adobe, que ajudara a Apple a criar o mercado da editoração eletrônica, começaram a abandonar o Mac. Varejistas, em particular as grandes lojas, estavam ignorando ou negligenciando os produtos Apple. Jobs e sua equipe de gerentes resistiram à tentação de fazer grandes aquisições – a saída normalmente empregada pelas grandes empresas para tentar escapar de tempos difíceis e que quase sempre começa com apresentações de slides prometendo a Lua, mas termina sendo inútil e recriminada. Quando os chefes da Apple descobriam um pequeno produto ou equipe promissora que pudesse rapidamente se tornar produtiva e integrada a um projeto novo ou existente, davam o bote. Entretanto, para o crescimento real, eles apoiavam-se em sua própria inteligência, criatividade e conceitos planejados dentro de ambientes de intensa atividade tão cuidadosamente separados que pouquíssimas pessoas compartilhavam o segredo da forma e das características do produto final.

O primeiro exemplo do desejo da Apple de se resguardar veio com o iMovie, programa criado para ajudar os consumidores a gerenciar e editar vídeo – uma aplicação que, até aquele momento, era suprida pela Adobe. A convicção de Jobs de que o vídeo digital seria a salvação da empresa quase a deixou de fora do nascente negócio da música digital. Enquanto a Apple presenteava seus usuários com um programa para fazer vídeo, dezenas de milhões de pessoas descobriam que havia música disponível de graça na Internet. Sites como Napster e Kazaa suscitaram a ira das companhias fonográficas; mas esses lugares na Internet, quando combinados a centenas de modelos de tocadores portáteis de MP3, escreveram um novo capítulo na história da distribuição do entretenimento.

Foi por causa dessa mudança nos hábitos dos consumidores que o iPod foi concebido e lançado às pressas, num ritmo comparável ao da estreia do Walkman na geração anterior. O produto foi desde a concepção até as prateleiras das lojas em menos de oito meses – um esforço tremendo para melhorar as vendas desaceleradas da Apple no final de 2001. O iPod, que inicialmente só funcionava com Macs, trazia uma nova interface baseada numa roda de seleção, e a duração de bateria era muito superior à de outros tocadores de MP3. Escondido lá dentro estava seu principal recurso: uma versão compacta do sistema operacional Unix, dando a esse aparelho de aspecto inocente o poder de processamento de um *laptop*. Em 2003, enquanto as gravadoras ainda resmungavam, a Apple lançou o primeiro sistema legal de venda de música *on-line* e substituiu a noção de um álbum pela realidade de uma faixa.

No mesmo ano do lançamento do iPod, a Apple abriu sua primeira loja de rua, a alguns quilômetros da costa do Atlântico, em Tyson's Corner, na Virgínia. Mais tarde, no mesmo dia, a segunda loja foi aberta na costa do Pacífico, em Glendale, na Califórnia. As lojas eram outra expressão da necessidade de a Apple assumir as rédeas de seu destino. Para muitos, parecia uma medida desesperada, já que não existem muitos exemplos de fabricantes que sejam varejistas bem-sucedidos fora dos ramos da cosmética e da moda. A abordagem da Apple para o varejo tinha a influência do sucesso de outra empresa do norte da Califórnia, a Gap. Jobs era um diretor da empresa e, em troca, o conselho da Apple acolhera Mickey Drexler, o comerciante que liderara a Gap ao longo de sua década de contínua ascensão. A primeira loja Apple denotava o virtuosismo de um comerciante. Computadores, programas e aparelhos eletrônicos de consumo ficavam expostos numa atmosfera que remetia a uma fresca lufada da brisa costeira californiana.

O iPod e as lojas Apple foram muito bem aceitos pelos consumidores. A gerência da empresa saltou sobre as oportunidades com a sede e o prazer de um grupo de incansáveis e experientes viajantes alcançando um oásis. Variações do iPod foram lançadas tão rapidamente quanto possível e, ao longo de 48 meses, ele evoluiu de um aparelho monocromático de 5 GB para um colorido de 60 GB. Quando um modelo mostrava sinais de velhice, os gerentes de produto resistiam à oportunidade de ordenhar as últimas gotas de vendas e logo o substituíam por um modelo superior.

O mesmo toque era aplicado às lojas, com seus Genius Bars e vendedores perambulando com leitores de cartão de crédito sem fio. A loja principal da Apple, inaugurada em 2006 na Quinta Avenida de Nova York, cinco anos após a abertura das primeiras duas lojas, foi o apogeu. Ali, na praça em frente ao que já fora um símbolo do sucesso norte-americano, o edifício da GM, flutua um cubo de vidro com o logo iluminado da Apple. A estrutura do cubo é feita de aço japonês jateado a mão, e o piso, de arenito italiano. Vinte e quatro horas por dia, multidões de pessoas de todas as idades e estilos comparecem para conhecer, cobiçar e comprar. As lojas Apple atingiram o faturamento de 1 bilhão de dólares mais depressa que qualquer outra empresa de varejo, e, em 2007, suas vendas por metro quadrado – a medida básica do valor de qualquer varejista – eram mais de dez vezes superiores à da Saks, quatro vezes a da Best Buy e bem maiores até que as da Tiffany.

Inevitavelmente, o sucesso da Apple foi enodoado por alguns problemas. Houve ocasionais falhas em produtos. Um Mac com gabinete cúbico de acrílico transparente trazia marcas de trincas; versões risíveis do iPod foram criadas em parceria com a HP e a Motorola; baterias de *laptops* sofreram superaquecimento; e um ou outro produto, como a primeira versão do Apple TV, ficou aquém das expectativas. Além disso, no verão de 2010, interrupções no sinal do iPhone levaram Steve Jobs a fazer uma ardente defesa pública do produto. Um contratempo com as ações da empresa – especificamente, duas concessões feitas a Steve Jobs em 2000 e 2001, das quais ele abriu mão em 2003. Essas e algumas outras, feitas a outros executivos, atraíram a atenção da SEC, a comissão de valores mobiliários dos EUA. O cheiro de irregularidade foi explorado pela mídia. Em meio a tudo isso, surgiram contendas públicas com empresas que, no passado, eram aliadas próximas da Apple. Jobs, em uma declaração pública incomum, atacou a qualidade de alguns dos produtos da Adobe. Além disso, uma relação amigável com o Google se transformou em vítima de discussões aquecidas sobre computação móvel, publicidade e aquisições. Todavia, nada lançaria tantas sombras sobre a Apple quanto a divulgação, em 2004, da notícia de que Jobs havia sido operado por conta de um câncer no pâncreas.

Rumores sobre um repeteco do iPod estavam no ar muito antes de Steve Jobs usar uma das suas espetaculares apresentações em San Francisco, em 2007, para apresentar a nova aposta da empresa para a computação de mão. Embora seja chamado iPhone, o aparelho lançado por Jobs não é um celular ou tocador de MP3 comum; tampouco é um PDA, e não se assemelha muito a um aparelho de videogame. No mesmo dia da apresentação do iPhone, a palavra "Computer" foi removida do nome da empresa, que passou a ser "Apple, Inc." – um sinal do avanço da empresa nos anos precedentes. Por volta de 2007, a apresentação dos produtos Apple tinha se tornado, em alguns círculos, uma espécie de "feriado nacional não oficial". Jobs e a Apple tinham aprendido a dominar uma combinação de suspense e surpresa que até mesmo o menor sinal de qualquer novidade vinda de Cupertino era quase garantia de gerar mais manchetes, postagens em blogs e notícias na TV e no rádio do que enormes avanços de outras empresas. Os ingressos para esses anúncios, que costumavam ocorrer no Moscone Center, em San Francisco, eram racionados. Filas formavam-se – durante a noite, nos casos de apresentações maiores – do lado de fora de muitas lojas da Apple. "Veja o anúncio do produto" – um vídeo de Jobs demonstrando os deleites trazidos pelos novos produtos – passou a reunir na Internet plateias maiores do que as atrações do horário nobre. Seria preciso voltar no tempo para encontrar o lançamento de comerciais que receberam tamanha atenção. Talvez nos anos 1930 e 1940, quando as produções anuais de Hollywood se igualavam ao que, hoje em dia, chega aos cinemas em uma semana comum. Ou talvez os anos 1950 e 1960, quando um novo automóvel de Detroit dominava a capa das revistas semanais. De qualquer forma, os anúncios da Apple certamente passaram a abafar qualquer coisa que emanasse de seus concorrentes – e ai do político que tivesse algo a dizer sobre o estado da economia no dia em que a máquina de marketing de Cupertino, com sua indiferença envolta em confiança, quebrava o som do silêncio.

O iPhone – e mais tarde o iPad – foram expressões gloriosas da abordagem da Apple para o *design* de produto. Isso não começou com pesquisa trabalhosa, *focus groups* ou a aquisição de outra empresa com um produto quente. Começou com um pequeno número de pessoas tentando criar um produto que eles gostariam de usar e teriam orgulho de possuir. Como muitos produtos anteriores concebidos sob a tutela de Jobs, este exigiu análise detalhada das deficiências dos concorrentes, adaptação de ideias de outros produtos e sua fusão em algo que, em 2007, somente poderia ter vindo da Apple. Tal é o atrativo e o romance de ser associado à Apple, que os gerentes da AT&T assinaram um contrato draconiano para serem os distribuidores e operadores exclusivos do iPhone, sem sequer terem visto o produto. Enquanto anúncios, comerciais e boletins de imprensa frequentemente empregam o termo "revolucionário" para descrever o iPhone e outros produtos Apple, eles são, de fato, evolucionários – refinamentos elegantes das ideias implementadas pela metade e produtos deficientes que as outras empresas lançaram prematuramente.

O iPhone parece simples. Liga-se instantaneamente. Seu gabinete tem menos de doze milímetros de espessura e pode conectar-se a qualquer máquina, desde um supercomputador até um detector de fumaça, desde que este esteja conectado à Internet. Mas a simplicidade e, em especial, a simplicidade elegante, é enganosamente difícil de realizar. A conquista magistral de Jobs, com pouquíssimos precedentes, foi garantir que uma empresa de tecnologia que emprega dezenas de milhares de pessoas produza e venda milhões de produtos imensamente complexos, porém sofisticados, que são poderosos e confiáveis, e tudo isso mantendo a leveza. É esse o triunfo da Apple. Uma coisa é a expressão de um indivíduo – Matisse com uma linha, Henry Moore com uma forma, W. H. Auden com uma frase, Copland com um compasso, Chanel com um corte de cabelo; outra coisa completamente diferente é o germe de uma ideia ser desenvolvido, aperfeiçoado, remodelado, afinado, alterado e rejeitado repetidamente até ser considerado suficientemente perfeito para ser reproduzido numa escala de milhões. É outra coisa ainda dirigir, empurrar, guiar, incentivar, inspirar, criticar, organizar e elogiar – seja em dias úteis ou em fins de semana – os milhares de pessoas ao redor do mundo que são necessários para produzir algo que desliza para dentro de bolsos e bolsas, ou, no caso de um computador, fica no colo ou sobre uma mesa.

O iPhone, em alguns aspectos, representa um retorno aos primórdios da Apple e à maneira como os desenvolvedores de *software* de todo o mundo foram incentivados a escrever programas para o Apple II. De uma forma que não ocorria desde que a Microsoft criou um exército de mercenários do *software* para defender seus sistemas DOS e Windows, o iPhone deflagrou uma explosão de interesse de programadores ao redor do mundo, de tal forma que dezenas de milhares de aplicativos, desde os salvadores de vidas até os frívolos, podem ser comprados com o toque de um dedo na App Store. A inflamação dessa fogueira dos portáteis, que trouxe tanto sucesso à Apple, não significou nada além de problemas para empresas como Nokia, Motorola, RIM e Microsoft – que anteriormente consideravam-se donas da telefonia sem fio.

Se o iPhone parecia um retrocesso ao Apple II, então ele não foi nada além de uma abertura para o iPad que, após sua apresentação, em 27 de janeiro de 2010 (coincidentemente o aniversário de 130 anos do dia em que Thomas Edison apresentou sua patente da lâmpada elétrica incandescente), fechou as cortinas da era de ouro dos computadores pessoais. O teclado e o mouse desapareceram e foram substituídos por um display com tecnologia Multi-Touch. Equipado com 5 mil aplicativos criados especialmente para o ele (e com 225 mil que também funcionam no iPhone), mais de 2 milhões de iPads foram vendidos nos dois meses que se seguiram à apresentação formal do produto – quase o dobro do ritmo de vendas do iPhone após seu lançamento. O iPad foi cercado por um enxame de patentes, prova de que o poder criativo da Apple, sempre que usado, deve causar medo em alguns dos concorrentes e fornecedores. Também é interessante notar que o núcleo do iPad não contém nenhum chip das marcas Intel, Motorola ou Qualcomm – em vez disso, eles carregavam o nome A4, um dispositivo criado pela Apple para garantir maior velocidade, qualidade gráfica e autonomia de bateria.

O iPad, o iPhone e o iPod ofereceram uma amostra do que pode surgir da Apple no futuro. Graças a esses produtos, a empresa reuniu o maior público de todos os tempos de uma empresa que vende qualquer coisa em uma caixa. Jornais, revistas, livros, filmes, discos, jogos de tabuleiro e videogames – tudo o que no passado exigia o uso de papel, papelão, plástico, fábricas, centros de distribuição, frotas de caminhão e lojas de varejo agora chega em bits de iProdutos e pode ser comprado e explorado em segundos. Imagine o que está por vir. Considere as deficiências das TVs, dos conversores, dos dispositivos TIVO, das câmeras e dos controles remotos atuais e você poderá ter uma ideia das oportunidades existentes para a Apple se a imaginação de engenharia coletiva for lançada para os altares da sala de estar moderna. As insuficiências e o desconforto de muitos produtos voltados ao consumidor oferece à Apple um convite aberto para causar uma reviravolta em diversos outros setores. Já se sentiu frustrado com seu controle remoto? Gostaria de ter um controle que funcionasse com a facilidade do iPod ou do iPhone? Está frustrado com o Skype? Não deve demorar muito até que as chamadas de vídeo se tornem possíveis com um simples toque em um botão do iPad. Quer jogar videogame em qualquer lugar? Bem, é só uma questão de tempo até o iPad se transformar em um dispositivo de videogame 3D – o que implica em verdadeiros problemas para os fabricantes de consoles como Sony, Microsoft e Nintendo – ao mesmo tempo em que abre as portas para uma nova geração de empresas de *softwares* de entretenimento. Irritado com as interfaces desajeitadas em GPSs portáteis? Não se preocupe – *softwares* para o iPhone tornarão esses produtos obsoletos.

As vendas dos computadores Mac foram superadas por produtos que nem tinham sido concebidos na alvorada deste século. A popularidade do iPod, do iPhone e do iPad e a acessibilidade das lojas Apple rejuvenesceram as vendas dos Macs, que também foram auxiliados pela sua migração para os processadores Intel e pelo melhoramento constante do seu sistema operacional Unix, que tem a reputação de ser mais estável e mais seguro do que o Windows. Os resultados gerais são extraordinários, um testamento à maior virada industrial criativa na história dos EUA. Ser criativo uma vez é uma coisa. Porém, fazer o que Jobs e a Apple vêm fazendo – tornar a criatividade um hábito – é algo bastante diferente. Ao final desta década de Jobs comandando a Apple, um período de estagnação no crescimento da indústria de computadores pessoais, as vendas anuais da Apple subiram de 6 bilhões de dólares para mais de 60 bilhões, a empresa faturava cerca de 50 milhões de dólares por dia e o valor das ações multiplicou-se por quarenta.

Nada deixou mais clara a habilidade que a Apple tem de criar surpresas consistentes e de se esquivar do alcance cada vez maior de seus concorrentes do que o dia em que o valor das ações da empresa ultrapassou o da Microsoft. Em 26 de maio de 2010, a Apple tomou o lugar da Microsoft como empresa de tecnologia mais valiosa do mundo. É difícil acreditar que essa mudança de destino não esteja intimamente ligada ao papel dos Fundadores de cada empresa. Em uma delas, o diretor fundador estava inequivocamente no controle. Na Microsoft, o diretor fundador tinha renunciado o controle das operações da empresa e dedicado sua vida à realização de bons trabalhos. A Apple tinha produtos que pareciam estar em sintonia com a infusão da informática em todos os pontos das invenções para consumo. A Microsoft, apesar de sua posição indiscutível no mundo dos computadores *desktop*, parecia incapaz de dar saltos na Internet, nas redes sociais ou nos dispositivos móveis. Hoje em dia, apenas uma empresa nos Estados Unidos vale mais do que a Apple, a Exxon – que, como descendente da Standard Oil Company, teve seu embrião há mais de um século.

Apesar de todo o prazer, a diversão, os benefícios e os empregos que a Apple trouxe a tantas pessoas, a empresa foi impossibilitada, não por culpa própria, de utilizar o rótulo "Made in America". Atualmente, essas palavras foram substituídas pela frase "Designed by Apple in California". Embora a Apple tenha contratado milhares de engenheiros de *software* e de *hardware*, as empresas asiáticas contrataram milhares de operários para produzir as peças desenhadas na Califórnia. Nem mesmo o milagre da Apple foi capaz de criar ocupações alternativas para os milhões de operários americanos que, não muito tempo atrás, foram trabalhar em fábricas de aço ou produzir automóveis, têxteis e tapetes e montar máquinas de lavar e geladeiras. Esses trabalhos ficaram para trás, vítimas do preço da riqueza, e não há nada sugerindo que a Apple, ou que qualquer outra empresa, os faça retornar.

Durante este período em que tantas coisas são fictícias, tantos impérios são construídos no ar e fraudes desmascaradas, a Apple é um emblema de audácia, engenhosidade e empreendedorismo. Com tantos empreendimentos soterrados por dívidas, é tranquilizador saber que ganhos reais e lucros tangíveis podem ser usados para investir no futuro. Quando um rebanho de empresas enfraquecidas corre a Washington para balir pelo dinheiro do auxílio federal, é um verdadeiro tônico perceber que nada é mais eficaz que o espírito de uma empresa incansável e sempre ameaçada de extinção. Quando tantos matemáticos e cientistas sorvem o aroma de Wall Street e empregam suas habilidades para construir modelos de risco fúteis, é agradável saber que alguns de seus contemporâneos rejeitaram a sedução dos edifícios de Manhattan e, em vez disso, elegeram escrever código ou programar chips, sem os quais os aparelhos da Apple nunca teriam se materializado. Quando os vistos de entrada e permissões de trabalho são recusados a mentes brilhantes de países estrangeiros, é ainda mais significativo ver que as equipes de engenharia da Apple estão repletas de imigrantes e norte-americanos de primeira geração. Quando outras empresas lançam no mercado produtos sem o menor cuidado com o *design* e o acabamento, é um alívio ver uma demonstração de que a estética e a atenção ao detalhe fazem a diferença. Se existe uma empresa que demonstra uma aplicação real do apelo *Yes, We Can*, ela é a Apple destes últimos dez anos.

A Apple também é uma ode ao papel do engenheiro – ou, mais particularmente à importância de um defensor de produtos maravilhoso – à frente da empresa. Embora Steve Jobs não tenha se formado em Engenharia, ele certamente veio a conhecer mais sobre engenharia da computação, *softwares* e *design* industrial do que a maioria dos estudantes de tecnologia portadores de títulos de mestrado e de doutorado das melhores universidades. É o casamento entre as possibilidades da engenharia e os desejos dos consumidores que formam o pilar sobre o qual as empresas de maiores sucesso são construídas. Considere Andrew Carnegie, Thomas Edison, Henry Ford e David Sarnoff. Steve Jobs entrou para esse grupo – a curta lista de fundadores com inclinação para a engenharia que criaram e construíram as dezenas de empreendimentos comerciais que tiveram o mais profundo efeito no espírito e na direção da República Americana. Se há um homem e uma empresa que agora estão no pódio dos negócios mais influentes que tiveram início após a Segunda Guerra Mundial, Steve Jobs e a Apple podem reivindicar esse lugar.

Como acontece com todos os livros sobre negócios, esta é uma história sobre o ontem e o hoje, e, como em todas as histórias de sucesso, esta foi um triunfo da vontade humana. Agora temos o futuro adiante. Nenhuma empresa de tecnologia foi capaz de produzir grandes produtos de consumo com tal constância durante meio século. Assim, fica para a Apple a pergunta inevitável: o que virá a seguir? Ela continuará a repetir o sucesso? Em tempos de preocupação com a saúde de Steve Jobs, em razão da divulgação de seu transplante de fígado, é natural tentar imaginar quem sucederá o homem cuja identidade e destino são tão intimamente ligados aos da empresa? Como a Apple fará para não repetir o declínio da Sony após a aposentadoria de Akio Morita? Possuirá o futuro chefe da Apple "instintos de proprietário" suficientes para não parar a todo tempo e se perguntar "o que Steve faria"? Por fim, esta é a leitura de barômetro definitiva para qualquer empresa de tecnologia – se ela conseguirá permanecer com o espírito jovem. É viver de acordo com o verso na canção de Bob Dylan: "Que você continue jovem para sempre". Esse é espírito cheio de energia que manterá aceso nos geniais engenheiros de 23 anos de idade, alunos das melhores faculdades e universidades do mundo, o desejo de ouvir uma aprovação de oferta de emprego vinda da 1 Infinite Loop, Cupertino, Califórnia; da empresa que um dia foi chamada de Apple Computer, Inc.

Este livro foi composto nas fontes Adobe Garamond Pro, Champagne & Limousines,
e impresso em papel *Off Set* 75 g/m² na gráfica Assahi.